Ant

Antoine Renand est un scénariste, réalisateur et écrivain français. Il a écrit et mis en scène des courts métrages primés en festivals et diffusés à la télévision. Il est l'auteur de plusieurs scénarios de longs métrages en cours de production et de deux romans publiés aux Éditions Robert Laffont : *L'Empathie* (2019, finaliste du Prix Maison de la Presse) et *Fermer les yeux* (2020).

L'EMPATHIE

ANTOINE RENAND

L'EMPATHIE

Pocket, une marque d'Univers Poche,
est un éditeur qui s'engage pour la préservation
de l'environnement et qui utilise du papier fabriqué
à partir de bois provenant de forêts gérées
de manière responsable.

ISBN 978-2-266-29738-7
Dépôt légal : février 2020

Pour Agathe et Marie

Prologue

Il avait commencé par s'introduire dans des maisons. Pas pour voler. Non qu'il fût opposé à cette idée, car il n'hésitait jamais à dérober un objet de valeur ou qu'il trouvait à son goût si une opportunité se présentait. Mais à cette époque il gagnait relativement bien sa vie, la navigation lui offrant un revenu suffisant au vu de ses très modestes besoins.

D'autres raisons l'avaient poussé à pénétrer dans ces foyers. L'oisiveté, principalement. Le navire sur lequel il devait embarquer pour le Brésil était coincé au port de Plymouth pendant huit jours, pour un problème de logistique. Il aurait pu partir sur un autre cargo, mais il avait préféré attendre.

Les villes ne l'intéressaient que très peu, seul l'océan le fascinait. Il avait eu vite fait de sillonner Plymouth, dont les quelques attraits touristiques le laissaient indifférent, et entreprit de faire de longues promenades dans la périphérie. Alpha ne s'ennuyait jamais vraiment, habitué depuis l'enfance à se réfugier dans des rêveries solitaires.

La nuit tombait très tôt en ce mois de janvier. Dans les quartiers éloignés du centre, les maisons étaient mitoyennes et d'une architecture presque identique. Nombre de femmes y vivaient seules avec leurs enfants la majeure partie de l'année, pendant que leurs hommes étaient en mer. Alpha pouvait observer ces mères de famille depuis certaines rues, à travers leurs fenêtres. Distinguer leurs silhouettes qui s'animaient dans les foyers éclairés. L'une d'entre elles avait éveillé son intérêt : une jolie brune, mère de trois enfants, qui paraissait encadrer ses petits hommes d'une main de maître. Avec une énergie teintée de bonne humeur, elle virevoltait chez elle, accordant son attention à chacun de ses fils et s'acquittant de ses diverses tâches. Discrètement posté dans la rue à la nuit tombée, Alpha voyait la jeune maman s'activer sans relâche, aidant ses garçons pour les devoirs et faisant des allers-retours constants vers la cuisine pour préparer le repas.

Il l'avait observée deux soirs de suite. La première fois, Alpha avait remarqué un long moment où elle avait disparu à l'étage avec ses fils, pour les assister dans leur toilette, les coucher et certainement leur raconter une histoire. Pendant tout cet intermède – qui avait duré vingt-cinq minutes –, le rez-de-chaussée était resté désert et dans une relative obscurité. Ensuite, la mère de famille était redescendue seule, et s'était allongée dans le canapé devant la télévision.

Alpha était revenu le lendemain, et le même manège s'était produit : tous, à la même heure, avaient disparu en haut. Alors Alpha avait enjambé la petite grille, gagné la porte non verrouillée, puis refermé silencieusement derrière lui.

Il était à l'intérieur, immobile, dans la maison de ces étrangers ; et les entendait vivre au-dessus de lui. Le plancher de l'étage craquait sous les pas des enfants, l'eau coulait dans les tuyaux… Il percevait leurs cris, leurs voix ; celle de la mère, qui tentait de rectifier les choses et usait de son autorité pour se faire obéir.

Lui les écoutait ; eux ignoraient sa présence… Alpha se sentait puissant.

Une douce chaleur régnait en bas et l'odeur était agréable. Alpha ôta son manteau mais garda ses chaussures, puis il explora les lieux. Il ne craignait nullement que la femme redescende et le surprenne ; le cas échéant, il savait que ce serait elle qui en paierait les conséquences et non lui.

Il examina longuement les photos encadrées ; ouvrit les placards, les tiroirs, puis les referma avec soin. Il ne souhaitait pas que la femme s'aperçoive trop vite de son passage. Ni que de l'argent lui manque, ou des objets, ce qui donnerait un mobile clair à son action. Alpha voulait qu'elle ait peur ; qu'elle soit terrifiée. À chaque fois qu'elle devrait aller à l'étage, seule avec ses enfants.

Alors il ramassa le smartphone de la mère, laissé sur une table et qu'il avait aperçu en entrant. Il sortit de sa poche une cagoule noire, emportée pour le cas où, sans trop savoir ce qu'il pourrait en faire. Désormais, il le savait. Il dissimula son visage et ses cheveux longs à l'intérieur, et enclencha l'application appareil photo sur le smartphone en choisissant le mode selfie. Alpha dirigea l'objectif sur son visage caché. Il occupait la majeure partie du cadre avec, en arrière-plan, le salon de cette *pute*, dans la pénombre mais bien reconnaissable. Ses yeux grands ouverts fixaient l'appareil, et lorsqu'il appuya sur le bouton un flash puissant l'éclaboussa.

Alpha s'assit sur un fauteuil afin d'examiner le cliché qu'il venait de prendre. Il le trouva parfait ; angoissant, arrosé d'une lumière trop vive au premier plan, extrêmement blanche, qui contrastait avec le fond de l'image beaucoup trop sombre. Ses yeux brillaient.

Alpha abaissa l'appareil et resta immobile quelques minutes à écouter les sons et les voix qui provenaient du plafond. Puis il se releva et avança dans la pièce ; un grand miroir était accroché au mur et il dirigea l'appareil face à son reflet, en cadrant uniquement son corps cette fois, longiligne et habillé de noir ; un nouveau flash se déclencha, tout aussi vif dans le salon obscur et provoquant le même contraste inquiétant.

Délibérément, il patienta encore de longues minutes pour prendre une dernière photo ; il baissa son pantalon et libéra son sexe, puis l'immortalisa en image.

Après avoir nettoyé le téléphone, il le reposa et, sans faire de bruit, quitta le domicile. L'opération avait duré une vingtaine de minutes. Un jour – impossible de prévoir quand –, l'Anglaise découvrirait les images dans son smartphone, avec la date et les horaires ; elle comprendrait qu'un intrus avait pénétré chez elle, pendant que ses enfants et elle étaient tranquillement à l'étage. Sans savoir qui il était ; si elle le connaissait ou non ; ni surtout quel était son but. Elle saurait uniquement qu'il avait pris son temps, et que bien d'autres choses auraient pu se passer.

Si surprenant que cela puisse paraître au vu des événements qui allaient suivre, violer cette femme, ce jour-là, ne lui avait pas traversé l'esprit. Il venait chercher autre chose, une autre sensation. Pourtant, avec le recul, Alpha considérait que l'émoi très vif qu'il avait ressenti ce soir-là était à l'origine du grand projet qu'il mettrait plus tard à exécution.

Sa délectation s'était encore accrue lorsque l'affaire avait été relayée par les médias : deux jours plus tard, le fait-diversier d'un journal local avait raconté le désarroi de la mère de famille quand elle avait découvert les photos d'un inconnu sur son smartphone. Le journaliste la décrivait « en état de choc » ; il ajoutait que la police n'avait aucune piste sérieuse et lançait un appel à témoin.

La lecture de cet article procura à Alpha une véritable jubilation ; une volupté sadique et narcissique qu'il n'avait jamais ressentie jusqu'ici, et à laquelle il aspirerait désormais.

Il se remémora souvent cette expérience lors de sa traversée de l'Atlantique. Au moindre moment de repos, il ressortait la coupure de presse dans sa cabine. La victime, qui se disait « traumatisée », confiait avoir été incapable de dormir la nuit suivante, et seulement quelques heures le surlendemain.

Sur le continent américain, il récidiva plusieurs fois. Sao Paulo, Montevideo, Buenos Aires. Il opérait la nuit, profitant du sommeil de ses hôtes pour être plus tranquille. Il avait cette capacité à entrer là où il le décidait, même dans des appartements situés à des étages élevés et même si les fenêtres ou les portes étaient closes. Il avait aussi la faculté de se déplacer lestement et sans bruit, dans des intérieurs très sombres, sans réveiller personne. La présence d'un compagnon dans les logements ne le dérangeait pas. Systématiquement, il s'emparait du téléphone portable de la propriétaire des lieux et se prenait en photo dans diverses pièces de l'habitation, dans des postures inquiétantes et en prenant son temps.

Le dernier appartement qu'il visita, à Boston, était équipé de vidéosurveillance un peu partout. Une petite caméra était dissimulée jusque dans la chambre et Alpha, qui la repéra très vite, n'eut cette fois pas besoin de se prendre en photo. Il resta plus d'une heure debout, face au lit du couple endormi. La vidéo, terrifiante pour nombre d'internautes qui la découvrirent sur la toile, le montrait en vision nocturne, immobile et qui observait la femme et l'homme pendant leur sommeil. Il toisait la jeune femme qui dormait nue, sa hanche découverte. Puis il examina l'homme à ses côtés. Alpha aurait pu briser chacun de ses os, uniquement avec ses mains, s'il l'avait choisi.

Sa grande idée lui vint ici, comme une évidence ; comme les pièces d'un puzzle qu'il avait sous les yeux depuis des années et qu'il parvenait enfin à assembler.

On en parlerait. Une apothéose, qui signerait très certainement la fin de sa propre vie. Pas question d'agir n'importe où, comme il le faisait jusqu'alors : il devait rentrer chez lui. La France, le pays qui l'avait vu naître. Là-bas, ses actes auraient un sens.

La pluie parisienne s'abattait sur les vitres de sa chambre d'hôtel, sans discontinuer.

Déjà 22 h 30 ; il ne sortirait pas ce soir. Alpha était allongé sur le lit, face à la télévision allumée. La télécommande dans sa main, il changeait régulièrement de programme.

Sur l'un d'eux, une émission en direct réunissait des invités qui débattaient sur l'attitude appropriée à adopter par les autorités pénales face aux tueurs en série et criminels sexuels.

Soudain, ils se mirent à évoquer Alpha.

Le lézard [...]. *Le lézard* [...].

Alpha avait déjà entendu et lu ce surnom stupide. Les médias s'étaient donné le mot et l'appelaient tous ainsi. Un lézard... Une créature aux pattes courtes et à la langue tendue, laide et dépourvue de grâce...

Il connaissait l'un des intervenants sur le plateau, pour l'avoir déjà vu déblatérer à son sujet quelques jours plus tôt. Un flic, dont la précédente interview, face caméras, avait été diffusée en boucle par les chaînes info. En direct, ce soir, le flic avait l'air moins en forme, voire acariâtre, et s'exprimait en un débit rapide, des gouttes de sueur perlant sur son front.

Son monologue n'était qu'une succession d'invectives, visant à manquer outrageusement de respect envers Alpha. *Une provocation.* Il le décrivait comme un être pathétique, un raté ! Un imbécile, esclave de ses pulsions sexuelles. Il alla jusqu'à extrapoler quant à l'enfance d'Alpha et sa relation avec sa mère. Une interminable tirade, injurieuse, et Alpha bouillait intérieurement, sans toutefois bouger d'un millimètre, les yeux rivés sur le poste de télévision.

Abject demeuré, tu me juges alors que c'est toi l'ignare, songea Alpha. *Et tu transpires comme un gros lard, avec ta voix de fausset...*

Alpha l'observa plus attentivement.

Il avait ressenti quelque chose, déjà, lors de la première interview, diffusée à maintes reprises. Une impression familière, qu'il ne s'expliquait pas. Le flic lui rappelait quelqu'un, sans savoir qui. Et le déclic mit un peu de temps à arriver.

Il épia ses attitudes, sa silhouette, son visage.

Sa transpiration… comme des bouffées de chaleur.

Des bouffées de chaleur ?

Une voix, presque dénuée de graves. Pas désagréable et moins aiguë que celle d'une femme, mais sans doute la poussait-il un peu. Son visage était glabre… sa silhouette un peu bizarre, légèrement étroite en haut et plus ronde en bas. Une carrure gynoïde.

Jean-Marc. Alpha fit le lien avec Jean-Marc, et il n'en revint pas.

Les mêmes symptômes.

Soudain, Alpha bondit pour approcher son visage de l'écran. Il ne parvenait plus à détacher son regard, avide et curieux, de l'étrange bonhomme à l'image qui poursuivait sa litanie. Était-il possible que ses collègues n'aient rien remarqué ? Que ces incapables soient passés à côté ? Ou bien étaient-ils au courant ? Il était vrai que ce traitement, utilisé au Canada et dans d'autres pays, ne l'était pas en France.

Jean-Marc…

Son visage tout près du poste, Alpha examinait le capitaine Rauch : il n'était efféminé ni dans ses gestes ni dans son look vestimentaire ; au contraire, il forçait une certaine virilité.

Il était comme Jean-Marc… Sauf qu'il masquait.

La haine qu'éprouvait Alpha contre Rauch se transforma en une excitation joyeuse. Plus il l'examinait et plus il était sûr de lui.

Toi aussi, tu t'es créé un personnage ? Gynoïde… Gino. Est-ce qu'intérieurement tu te surnommes comme ça, mon pépère ? De quels trésors d'inventivité as-tu dû faire preuve, pour passer inaperçu ? Est-ce que tu traques ce que toi-même tu as été ? Qu'est-ce que tu leur caches à tous ?

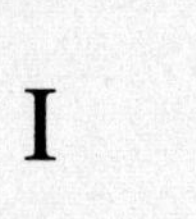

I

[illegible]

[illegible] elle se [illegible]

souvent [illegible]

[illegible]

1

La jeune femme devant lui présentait des ecchymoses au visage et au cou. Elle avait visiblement beaucoup pleuré, et sa peau était rougie par endroits et comme délavée à d'autres.

Elle s'appelait Déborah Joubert, 28 ans, infirmière libérale. Elle était grande, très grande, plus de 1,80 mètre. Aussi belle que les deux jeunes femmes qui l'avaient précédée, chacune à une semaine d'intervalle. Malgré son épuisement, elle ne montrait aucune acrimonie ni impatience à l'égard des policiers ; au contraire, elle se voulait coopérative, et ponctuait souvent ses phrases d'un sourire nerveux. Elle tournait la tête par à-coups, jaugeant la pièce dans laquelle on l'avait conduite : un bureau de police assez classique, équipé d'un matériel informatique proche de l'obsolescence ; les murs, défraîchis, étaient tapissés d'affiches de cinéma et de paperasse diverse. À cette heure très tardive, l'étage était désert.

Plus tôt dans la soirée, Déborah Joubert s'était rendue dans un premier commissariat situé dans le 11e arrondissement, non loin de son agression.

Les policiers sur place avaient pris sa plainte, puis l'avaient menée aux urgences médico-judiciaires de l'Hôtel-Dieu. Fort heureusement, l'un des collègues du 11e avait fait le rapprochement avec une affaire parisienne en cours, peu médiatisée et dite du *violeur des ascenseurs*. Il avait téléphoné à leur brigade pour prendre des renseignements. Seul membre du groupe encore sur place, la Poire avait pris l'appel.

Agir vite était essentiel, et la Poire enjoignit son interlocuteur de transférer sans attendre la présumée *victime numéro trois* jusqu'à chez eux, pour l'entendre à leur tour. De longues heures s'étaient écoulées depuis son agression lorsqu'elle fut conduite au commissariat du 12e arrondissement.

Une fois prévenu, la Poire avait à son tour appelé Marion, rentrée chez elle un peu plus tôt. Sans préambule, il lui avait annoncé :

— Il y en a une autre, tu devrais venir.

— J'arrive tout de suite, avait aussitôt répondu sa collègue, avant de raccrocher.

Tous deux savaient qu'il y en aurait d'autres, tant qu'ils n'obtiendraient pas de résultats ; ils ignoraient seulement quels soirs.

Dès l'arrivée de Déborah, Marion lui proposa de lui apporter un thé, et elle accepta poliment. Elle en but une gorgée puis garda le gobelet entre ses deux mains ; la Poire observait ses longs doigts aux ongles joliment vernis, qui tremblaient de façon ininterrompue. Marion resta quelques instants près d'elle, debout. Elle paraissait petite à côté, du haut de son 1,62 mètres.

— Est-ce que quelqu'un vous a expliqué la caractéristique du lieu où vous vous trouvez ? lui demanda enfin Marion.

Déborah hocha la tête négativement.

— Vous êtes au 2e district de police judiciaire. On nous surnomme *la brigade du viol*, et nous ne traitons ici que des affaires de crimes sexuels et de viols en série. Votre récit des faits peut nous permettre d'établir un lien avec d'autres affaires.

Puis Marion désigna la Poire, et reprit :

— Nous avons dans la brigade certains des meilleurs spécialistes en France ; le capitaine Rauch est sans conteste l'un d'eux.

Bizarrement, Déborah parut surprise en entendant le patronyme du policier et ce dernier s'en aperçut. Elle le dévisagea avec des yeux mobiles, comme pour l'examiner. Puis son expression intriguée se tarit et elle détourna le regard, les épaules à nouveau très lourdes.

— J'allais chez un patient, M. Robet. Une personne âgée qui ne peut plus se déplacer, et chez qui je me rends une fois par semaine pour faire une prise de sang et surveiller son taux d'INR.

— Vous le voyez à des jours réguliers ? lui demanda la Poire.

— Le plus souvent c'est le lundi, même si ça peut changer.

— L'horaire reste le même ?

— Non, pas forcément, mais j'y vais généralement en fin de journée.

— Là, quand vous êtes entrée dans l'immeuble, quelle heure était-il ? intervint Marion.

— 19 h 45. Je le sais car je venais de répondre à un SMS de mon petit ami.

En disant cela, Déborah extirpa son smartphone de son sac, le déverrouilla et offrit le message à la vue des deux policiers, qui hochèrent la tête.

— Et que s'est-il passé après ? l'encouragea la Poire.

Déborah s'interrompit un instant, avant de reprendre :

— J'ai tapé le code de la porte principale ; je le garde dans mon téléphone. Quand j'ai ouvert, un homme a fait irruption derrière moi. C'était un motard, il portait un casque et il avait l'air pressé. Il a profité du moment où j'entrais pour passer à son tour, et j'ai fait comme souvent dans ces cas-là : je lui ai tenu la porte… je ne me voyais pas la lui refermer au nez…

Déborah prononça cette phrase avec une pointe d'amertume, avant de marquer un nouveau silence. La Poire, dont les doigts tapaient lourdement sur les touches de son ordinateur, remarqua son désarroi et s'interrompit à son tour.

— Ne vous faites pas de reproches, la rassura-t-il. C'est une façon de faire très courante chez les agresseurs ; on apprend tous, depuis l'enfance, à être polis les uns envers les autres, et eux en profitent… On doit bien sûr être prudent, mais vous ne pouviez pas savoir qu'il vous attaquerait.

Déborah hochait la tête en l'écoutant, émue. Il lui adressa un sourire bienveillant, puis l'encouragea à poursuivre.

— Il m'a remerciée, continua Déborah, et m'a suivie dans le hall… Il avait l'air un peu désorienté et observait autour de lui, tout en gardant son casque. Avec le recul, je pense qu'il agissait comme ça pour me laisser prendre de l'avance et me suivre.

— À aucun moment il n'a enlevé le casque ? lui demanda Marion, très intéressée. Que voyiez-vous de son visage ?

— Il a porté le casque du début à la fin… Je n'ai fait qu'entrapercevoir son regard, un peu après dans l'ascenseur. Il était habillé entièrement en cuir, et je crois qu'inconsciemment j'ai pensé à un livreur ou à quelqu'un venant récupérer quelque chose. Il était agité, pressé, mais tout ce qu'il voulait au final c'était que j'appelle l'ascenseur et monter avec moi. L'ascenseur est arrivé… il s'est dirigé vers le fond… J'ai appuyé sur le bouton du quatrième étage ; lui a paru hésiter et puis il a choisi le cinquième. L'ascenseur n'était pas grand. J'étais devant lui, légèrement en biais. Je ne le regardais pas, et il paraissait calme, derrière.

Tout au long du récit de la jeune femme, Marion gardait ses grands yeux bleus rivés sur elle et hochait régulièrement la tête. Tout comme la Poire, elle n'était animée que par deux envies contradictoires : la ménager au maximum, tout en obtenant d'elle le plus d'informations possibles, pour mettre un terme à la série.

— L'ascenseur est monté lentement et, une fois arrivé au quatrième, tout est allé très vite. Dès que j'ai avancé d'un pas, il m'a bousculée et m'a saisie brutalement par l'épaule, en plaçant un couteau sous ma gorge. Il m'a dit que si je criais, il allait me tuer ; puis il a cogné d'un coup sec sur le bouton d'arrêt. Il n'était pas très grand, mais plus fort que sa silhouette ne le laissait croire au début, et d'une main il a saisi ma nuque pour m'obliger à reculer. J'ai fait du bruit, alors il a glissé sa lame contre ma joue, tout en serrant ma gorge de l'autre main, et il s'est mis à m'étrangler et à me secouer, en m'insultant et en me menaçant.

— Qu'est-ce qu'il vous a dit exactement ? s'enquit la Poire.

— Des phrases du genre… « Si tu fermes pas ta gueule, je te saigne… Arrête de bouger, salope… sale pute… »

Déborah frissonnait un peu, les yeux dans le vague.

— Vous dites qu'il était plus petit que vous ? demanda Marion.

— Je crois, oui… Oui, confirma Déborah avec conviction. Mais il avait le couteau et il serrait fort, j'avais peur…

— Vous ne pouviez rien faire face à un couteau, lui assura la Poire. Même un homme entraîné ne s'y risque pas. L'avez-vous vu le sortir ? Et pouvez-vous nous décrire le type de couteau ?

— Non, il l'a pris quand j'étais dos à lui et je ne l'ai pas bien vu, regretta la jeune femme. Pas vraiment un couteau de cuisine, je crois… ni un couteau de chasse…

— Ne vous inquiétez pas, lui dit la Poire après avoir fini de taper sa phrase sur le clavier. Nous vous montrerons des photos, peut-être que quelque chose vous reviendra.

— Il me répétait d'être calme, tout en me tenant et en me faisant mal… et il disait sans arrêt que si je criais j'allais crever… Si je voulais vivre, je devais faire ce qu'il voulait ; tout se passerait bien, il me laisserait partir… Il m'a forcée à m'accroupir. Là, il a changé de façon de parler… il est devenu presque mielleux en voyant que je restais sans bouger et que j'étais à genoux face à lui. Il me dévisageait, mais gardait la lame sous ma mâchoire, et s'est mis à toucher mes cheveux. Il m'a répété que j'étais belle, des tas de fois…

— Lorsqu'il vous touchait, ses mains étaient gantées ou a-t-il enlevé les gants ?

— Il a gardé ses gants tout du long, comme le casque… Ensuite, il a sorti son sexe, devant mon visage.

Pressée d'en finir, Déborah détailla la suite d'un débit plus rapide :

— Dans sa poche il a cherché le sachet d'un préservatif et me l'a donné, et m'a ordonné de lui enfiler… J'ai refusé, alors il s'est énervé et m'a mis une gifle qui a fait taper ma tête contre la paroi de l'ascenseur et qui a fait du bruit. Tout de suite après, il a plaqué sa main sur ma bouche pour me faire taire. Elle entourait tout mon visage et me faisait très mal. Il a déplacé la main sur ma gorge et recommencé à serrer jusqu'à ce que je suffoque, en me répétant que je crèverais la prochaine fois que je refusais de lui obéir. Il m'a relâchée ensuite… Je pleurais et je reprenais mon souffle, et il a serré son poing, fort, juste devant mon visage, et m'a prévenue que si je lui mettais pas le préservatif et n'ouvrais pas la bouche, il me casserait le nez et me tuerait. Alors cette fois, j'ai obéi.

— Lorsqu'il a sorti son sexe, était-il en érection ? demanda la Poire en continuant d'écrire.

— Oui.

— Vous avez réussi toute seule à lui enfiler le préservatif ?

— Oui. Il m'a dit de faire attention de ne pas le déchirer, ajouta Déborah d'une voix plus étouffée, presque rauque. Toujours en me menaçant de me faire mal ou de me tuer…

— Que s'est-il passé ensuite ? demanda Marion.

— Il a exigé une fellation et je l'ai faite.

— D'accord, et a-t-il imposé une pénétration par une voie différente, anale ou vaginale ?

— Non.

— Même avec ses doigts ?

— Non. Mais il a touché ma poitrine à certains moments.

— Pendant la fellation, a-t-il dit ou fait des choses particulières, qui vous reviennent ?

— Il me disait d'arrêter de pleurer, de continuer. Au début, il m'a frappée encore et m'insultait quand je refusais d'obéir. J'ai failli vomir plusieurs fois, ça l'énervait. À des moments il prenait ma tête et la cognait contre la paroi. Je cherchais un moyen de m'en sortir mais j'en voyais aucun, alors j'ai fait ce qu'il demandait. J'avais surtout peur du couteau ; qu'il me tue, à la fin, même si je suivais ses ordres.

— Il a éjaculé ?

— Oui. Dans le préservatif.

— L'avez-vous vu repartir avec… le préservatif ? lui demanda Marion en se penchant en avant.

— Je me suis effondrée par terre quand il m'a lâchée… J'ai pas fait attention. C'est possible car quand j'ai ramassé toutes mes affaires, je ne l'ai pas vu.

— Avez-vous une idée de combien de temps tout ça a duré ?

— Je sais pas, hésita Déborah. Dix minutes peut-être, qui m'ont paru une heure.

— Il s'est enfui tout de suite après le viol ?

— Il a débloqué la porte et il a filé… Mais avant…

Déborah s'interrompit soudain, encore en proie à l'émotion, vulnérable, en dévisageant les deux policiers avec insistance :

— … avant de partir, il a attrapé mon sac et l'a vidé par terre… Là, il a pris mon portefeuille et l'a fouillé devant moi, et volé mon argent… J'avais pas grand-chose, c'est pas grave et je m'en fiche… mais ce qui me terrifie, c'est qu'il a regardé ma carte d'identité… je l'ai vu faire… Donc il connaît mon nom et mon adresse, et il peut me retrouver s'il a envie.

★

— N'ayez pas peur qu'il s'attaque encore à vous, ça n'arrivera pas, lui certifia Marion.

La policière avait rapproché sa chaise de celle de Déborah et la soutenait tandis qu'elle essuyait ses larmes. L'interrogatoire était fini.

— Les informations que vous nous avez données nous permettent d'établir un lien quasi certain avec un violeur en série sur lequel tout notre groupe travaille déjà… Il s'attaque à des femmes différentes à chaque fois et change de lieu ; il est extrêmement prudent et je suis persuadée qu'il ne prendrait pas le risque de cibler deux fois la même personne… Et si jamais ça arrive, si vous l'apercevez, prévenez-nous immédiatement et nous interviendrons.

La Poire avait lui aussi changé de place, et appuyait ses lourdes fesses sur le bord du bureau.

— À combien d'autres femmes s'en est-il pris ? demanda Déborah.

— Vous êtes la troisième. Sous réserve que d'autres femmes n'aient pas porté plainte, répondit Marion.

— Depuis combien de temps ça dure ?

— Un peu plus de deux semaines.

Déborah avait cessé de pleurer et eut soudain une lueur de colère dans le regard, presque de la rage.

— Mon témoignage va vous aider à l'arrêter ?

— Il est extrêmement précieux, intervint la Poire, et nous allons travailler dessus. L'une des difficultés est que le *motard* fait tout pour nous masquer son ADN, alors que de nos jours beaucoup d'affaires se résolvent grâce à ça.

— À condition que l'agresseur soit fiché, ajouta Marion.

— Vu le mal qu'il se donne pour le cacher, je pense qu'il l'est, reprit la Poire. Nous trouverons de toute façon une faille, il va finir par commettre une erreur ; peut-être l'a-t-il déjà faite.

Déborah écoutait attentivement la Poire, et ne put se retenir de lui demander encore :

— Il avait le couteau, bien sûr, mais… Vous ne croyez pas que j'aurais dû résister davantage ? Tenter de crier ou me débattre plus…

— Dans cette cabine, vous étiez coincée. Écoutez…, hésita la Poire. On évite généralement de donner ces détails, mais je vais quand même vous dire que l'une des deux précédentes victimes a résisté… Je ne vais pas vous montrer de photo mais je vous demande de me croire : il s'est acharné sur elle. Elle a eu la mâchoire et le nez fracturés et elle était méconnaissable pour ses proches. Alors, elle a échappé au viol, oui… mais elle va être opérée plusieurs fois. Sachez qu'il ne bluffait pas, quand il vous menaçait…

— Ne vous torturez pas avec des regrets, insista Marion. Le capitaine Rauch a tout à fait raison, vous n'aviez pas le choix…

Déborah hochait vivement la tête, bouleversée par cette révélation. Mais en entendant à nouveau le nom de famille du policier, elle recommença à dévisager la Poire, en étudiant son visage un peu bouffi mais aux traits assez bien dessinés. Enfin, elle osa lui poser la question :

— Excusez-moi, vous vous appelez Rauch, c'est ça ?

— Oui.

— Votre nom de famille me rappelle quelqu'un…

La Poire inclina doucement la tête en la regardant. Il ne parut pas surpris, quoique peu enthousiasmé, et s'apprêta à lui répondre :

— Ma m…

— Votre père…, le coupa Déborah au même instant. C'est Joseph Rauch ?

La Poire eut l'air plus étonné, mais aussi plus détendu.

— Oui, en effet, acquiesça-t-il en lui souriant.

— Je suis l'une de ses infirmières ! s'égaya soudain Déborah, de façon presque exagérée. Je me déplace souvent chez lui.

— Ah oui ? Je ne savais pas. Mon père et moi, nous ne nous voyons pas très souvent, mais j'essaie de me tenir au courant de son état de santé…

— Il souffre mais il se bagarre, dit Déborah.

Puis elle jeta un regard vers Marion qui, sans intervenir, les observait tous deux attentivement.

— Excusez-moi d'en parler ici, reprit-elle. En tout cas, j'apprécie vraiment beaucoup votre père.

Déborah souriait beaucoup, d'une façon trop nerveuse et trop vive. Après que la Poire l'eut remerciée, elle hésita un instant avant de lui demander, tandis que son visage s'éclairait encore :

— Donc vous êtes le petit *Anthony* ? Votre père m'a montré des photos de vous, dans sa maison.

Bien qu'il s'efforçât de le dissimuler, la Poire sentit une sueur froide lui parcourir l'échine, comme à chaque fois qu'il rencontrait quelqu'un – outre son père ou sa mère – l'ayant connu *avant*.

— Votre père est très touchant quand il parle de vous. Vous êtes adorable sur ces photos… Je ne sais pas si j'aurais fait le rapprochement sans votre nom de famille, ajouta Déborah sans aucune malice et simplement à fleur de peau. Mais maintenant, je vous reconnais…

La Poire songea qu'il fallait mettre un terme au plus vite à cette discussion, d'autant que Marion n'en ratait rien. Et il savait aussi que la cyclothymie de Déborah était la conséquence d'un *état de choc*, et qu'elle en subirait bientôt le contrecoup. Alors, avec diplomatie, il lui fit remarquer qu'elle semblait exténuée et qu'elle devait rentrer chez elle pour se reposer un peu. Déborah parut en effet subitement plus renfermée, et répondit d'une voix dolente. La Poire lui tendit sa carte avec son numéro et lui dit qu'elle pouvait l'appeler quand elle le désirait, et que de toute façon ils se reverraient vite.

Puis ils lui demandèrent si un proche l'attendait et, comme elle était seule, Marion lui proposa de la ramener chez elle. Rassurée, l'infirmière se laissa convaincre, et les deux jeunes femmes quittèrent ensemble le bureau.

2

Le commandant Euvrard se tenait en bout de table dans la salle de réunion. Sans masquer son impatience, il attendait que tous les effectifs de la brigade du viol entrent à leur tour. La Poire et Marion étaient déjà assis, côte à côte.

Ni l'un ni l'autre n'avait dormi de la nuit. Une fois Déborah ramenée chez elle, Marion avait retrouvé la Poire rue Amelot, dans le 11e, à l'adresse du viol. La police scientifique avait fini ses prélèvements et ils purent examiner la configuration de l'immeuble et de l'ascenseur.

Dans la rue Amelot, ils repérèrent ensuite les caméras susceptibles d'avoir *accroché* l'arrivée du violeur, et son départ. Puis un policier municipal de permanence leur montra les différents enregistrements.

Lorsqu'ils rentrèrent au commissariat du 12e arrondissement, 80, avenue Daumesnil, les premières lueurs du jour glissaient déjà sur les toits.

— Je veux qu'on reprenne tout ce qui a déjà été fait avec les précédentes victimes, en ajoutant celle-ci, annonça le commandant Euvrard d'une voix puissante.

Le chef de groupe restait debout, face à la demi-douzaine d'OPJ qui l'écoutaient. Grand et sec, il était âgé d'une cinquantaine d'années.

— Vous allez vérifier si elles ont des activités sportives en commun ou un abonnement – ancien ou récent – à une même salle de sport ; si elles ont travaillé au même endroit, partagé la même formation ou un cursus scolaire, même éloigné ; si elles ont des lieux de sortie en commun : pubs, restaurants, boîtes de nuit, cafés, clubs de bridge, clubs libertins, cours de salsa, parcs de promenade… magasins de vêtements, de lingerie, supermarchés, le même garagiste… Tout, on vérifie tout, parce qu'on n'a rien, conclut-il avant de marquer un temps. N'est-ce pas ?

La Poire gribouillait quelques notes sans véritable application, en rêvassant un peu ; non qu'il se désintéressât du dossier, bien au contraire, mais ces démarches généralistes n'avaient plus de secret pour lui au bout de toutes ces années. Lorsqu'il leva les yeux vers le commandant, il s'aperçut qu'il s'adressait à lui en attendant sa réaction. Alors la Poire se redressa un peu et se racla la gorge, en s'efforçant de pousser sa voix :

— On n'a en effet pas grand-chose. Aucun ADN fiable, ce qui se révèle être un tour de force, en trois assauts. Il garde ses gants, un casque et des vêtements couvrants en plein été, et prend soin d'utiliser à chaque fois un préservatif. On n'a pas encore les résultats des empreintes génétiques relevées cette nuit, mais celles des deux premiers ascenseurs n'ont rien donné. Ils ont trouvé des empreintes, et même trop, provenant de la masse d'individus qui avaient emprunté les cabines depuis leurs précédents nettoyages. Ce qui est sûr, c'est qu'aucune empreinte de délinquant sexuel n'a été identifiée, et qu'aucune n'était même simplement fichée au FNAEG. Surtout, ils n'ont trouvé aucune concordance entre celles des deux premiers ascenseurs. On verra avec le troisième…

— Est-ce que la victime de cette nuit vous a fourni un élément visuel supplémentaire ?

— On exclut toujours évidemment le portrait-robot, vu l'accoutrement du type ; on a juste la confirmation qu'il est blanc, mesure entre 1,70 et 1,75 mètre, avec une carrure normale. Deux victimes disent qu'il a les yeux bleus et une autre est persuadée qu'ils sont marron… Donc le visuel ne nous apporte rien ; en revanche, elles pourraient éventuellement reconnaître sa voix si on la leur soumettait.

— Oui, Marion ? prononça Euvrard, alors que cette dernière levait la main en regardant ses notes.

— Il va quand même falloir se poser la question de médiatiser tout ça ! s'exclama la policière d'un ton ferme. Parce que si on n'arrête pas ce type dans un laps de temps vraiment court, ça ne fait aucun doute qu'il va recommencer…

— L'info a déjà été reprise dans les faits divers, lui dit Euvrard.

— Oui mais trop peu, d'après moi. On sait maintenant que c'est un violeur en série avec un mode opératoire. Avant de tenir poliment la porte d'un ascenseur à un motard qui garde son casque, chaque Parisienne a le droit de savoir qu'un violeur attaque des femmes de cette façon.

— Il y a un risque de psychose et le risque qu'il change de mode opératoire, ce qui peut retarder sa localisation… mais je suis assez d'accord avec toi, c'est très spécifique, en effet, et il vaut mieux communiquer l'info en masse. Je vais voir ça. Bon, et les bandes de vidéosurveillance, qu'est-ce que ça donne ?

— On a pu suivre son trajet à moto sur le 11e, mais il nous manque les autres arrondissements. Avec Anthony, dit Marion en désignant la Poire, on a fait les demandes de réquisitions et on aura les disques durs dans la journée.

— Je crains, dit la Poire, qu'on ne se retrouve dans le même cas de figure que les autres fois : il sait visiblement très bien ce qu'il fait, à tous les niveaux, et il connaît les angles morts dans Paris où apparaître et disparaître. Il ne cible pas les lieux de ses agressions au hasard, et c'est sûrement dans cet axe de recherche qu'on pourra trouver quelque chose.

— À quoi tu penses ? demanda Euvrard.

— À des repérages. Il avait certainement déjà visité ces immeubles, peut-être pas longtemps avant. Il faut fouiller plus loin dans les images, remonter dans le temps pour le chercher…

— D'autant que les trois ascenseurs étaient des modèles anciens, appuya Marion. Avec une fonction d'arrêt, ce qui n'est plus si courant que ça. Et les environnements choisis étaient assez calmes, avec peu de passage…

— Le raisonnement se tient, mettez le paquet là-dessus, approuva Euvrard.

Puis il observa la Poire attentivement et, après une courte hésitation, s'adressa encore à lui :

— Par rapport à ta méthode, Anthony, est-ce que tu as des pistes de recoupement ?

— Pas encore. J'ai ressorti d'anciennes affaires avec des agressions, des braquages ; des cambriolages, aussi, dans lesquels on retrouve un motard, ou un type habillé comme un motard… Et parmi les délinquants sexuels déjà condamnés, je cherche aussi des individus focalisés sur la fellation… Pour l'instant, ça n'a rien donné et j'ai surtout fermé des portes sans en ouvrir.

3

La chaleur était étouffante, un peu avant 13 heures, dans les jardins de Bercy. Le parc était situé tout près du domicile de la Poire, et à seulement quelques minutes à pied du commissariat.

Après avoir pulvérisé son quota d'heures, le policier rentrait chez lui et comptait dormir jusqu'au soir. L'un de ses collègues, Théo, avait insisté pour l'accompagner pendant sa pause, et tous deux déambulaient dans le parc à la recherche d'un banc. Des groupes de Parisiens déjeunaient un peu partout, affalés sur l'herbe ; des adolescents flânaient seuls ou en groupes, et des touristes découvraient les jardins de Bercy tout en cherchant à s'orienter.

Ils trouvèrent un banc libre devant un espace architectural assez moderne, où un canal circulait entre des allées en pierre, sur lesquelles étaient construites des colonnes chapeautées de glycines. Au zénith ou presque, le soleil en ce milieu de mois d'août cognait très fort.

En chemin, la Poire s'était acheté une part de pizza à pâte épaisse, appétissante et bien grasse… Affamé, et tout en appréciant la vue, il décida de l'entamer enfin.

— Tu devrais vraiment stopper ces saloperies, lui dit Théo, au moment exact où il mordait.

La Poire n'avait pas vu le coup venir.

Déjà lancé dans sa mastication, il décida de poursuivre, un peu plus lentement et avec une légère honte, non prévue au programme… En tournant la tête vers son collègue, il vit que ce dernier était totalement dépourvu d'ironie.

Théo était un beau mec de 32 ans. Un bon flic, souvent impulsif mais impliqué dans leurs missions. La Poire éprouvait plutôt de la sympathie à son égard… l'unique problème étant qu'il vouait un véritable culte à la condition physique, à l'hygiène de vie, aux activités sportives et tous les trucs du genre… Il cultivait quotidiennement sa forme – exceptionnelle, il fallait bien le reconnaître –, dont il était très fier et qui l'incitait à porter presque exclusivement des débardeurs. Un peu ébloui par le soleil, la Poire distinguait sur sa droite le bras plié de Théo, qui arborait un biceps de la taille d'un mollet. Par le passé, Théo l'avait déjà coincé pendant vingt bonnes minutes avec tout un éventail de recommandations… Une fois lancé, il devenait intarissable sur le sujet, et la Poire n'avait aucune envie de renouveler l'expérience.

Il savait que si Théo estimait grandement ses qualités professionnelles, sa forme physique le navrait. Ils avaient à peu près le même âge, et ses fesses corpulentes, ses bras flasques et la pauvreté de son cardio indignaient plus ou moins secrètement son collègue. Théo était le seul dans la brigade à l'emmerder sur ce sujet, avec bienveillance toutefois. Et la Poire le laissait faire car, au fond, cette méprise l'arrangeait : que Théo ne voie dans son embonpoint et dans sa faiblesse musculaire que le résultat d'un odieux laisser-aller constituait pour lui la meilleure des diversions.

— Freine sur le gras, mon pote, poursuivit Théo. Tu te sentirais mieux très vite, tu devrais m'écouter.

— Tu ne manges jamais de pizza ? l'interrogea la Poire en continuant de mâcher et uniquement pour donner le change.

— J'évite. Ou alors je compense ; mais je compense vraiment, tu vois ? Grâce au sport..., précisa le policier avec une intensité soudaine et en s'emballant presque. Globalement, j'évite tout ce qu'il y a dans ces machins. Tu sais, j'ai remarqué qu'au bureau, tu grignotes assez souvent... Le sucre, c'est pas bon non plus. D'ailleurs, t'en as plein là-dedans, dit-il en désignant sa pizza.

— Au bureau, qu'est-ce que tu manges, toi, pour te caler ? demanda la Poire, avec l'objectif de clore la discussion sitôt après sa réponse.

— En dehors des repas ? Un fruit ; une banane, une pomme... c'est excellent !

La Poire hocha nonchalamment la tête, en reposant l'assiette en carton sur son genou avec le reste de pizza, et en se promettant de le terminer plus tard.

— Je dois vraiment rentrer chez moi, j'en peux plus, dit-il tout en montrant son épuisement.

Il tapota ensuite l'épaule de son collègue et fit mine de se lever.

— Anthony, attends..., l'arrêta Théo.

Zut...

— Je voulais te parler d'un truc...

— Oui, dis-moi ?

Théo se tourna vers lui et prit un air confidentiel, presque hésitant :

— J'ai un ami flic qui a travaillé avec moi dans le 17e. André Maret. Il bosse à Lyon maintenant, et il a été sur l'*affaire Bucher*, ça te dit quelque chose ?

— Non, répondit honnêtement la Poire.

— Si… Tu sais, ce type dont la femme a été trouvée suicidée dans leur garage, d'une balle dans la tempe. Avec un mot imprimé, et un angle de tir improbable… Ils ont vite pensé que c'était le mari.

— Oui, ça me parle en effet.

— Le mari a été condamné aux assises il y a huit mois. Les avocats n'ont rien pu faire. Pas des mauvais, tu vois, mais ça tenait pas.

— Oui, et alors ? demanda la Poire, sans comprendre.

Théo marqua un léger temps. Son œil se mit à friser et il recommença à scruter son collègue, en cherchant la tournure adéquate.

— Rien n'est confirmé pour l'instant, mais mon ami flic a entendu dire que le mari change d'avocat… Et que ça pourrait bien être ta mère qui reprenne le dossier.

La Poire comprit tout à coup. En y réfléchissant, il lui sembla n'avoir jamais vraiment discuté de sa mère avec Théo. Il se confiait rarement à son sujet, de toute façon, sauf avec Marion bien sûr, ou parfois le commandant Euvrard… Personne n'ignorait qui était sa mère, il n'était pas naïf. La France entière, ou presque, la connaissait, et les policiers davantage encore. Parmi ces derniers, les a priori la concernant étaient très hostiles ; ce qui était parfaitement justifié aux yeux de la Poire.

— Je t'arrête tout de suite, lui répondit-il amicalement : je ne discute jamais de ses affaires professionnelles avec ma mère… Et… de manière générale, je m'efforce tout bonnement de discuter le moins possible avec elle.

Théo parut désappointé.

— Ah bon ? Non parce que… tu vois, elle a quand même une sacrée réputation. Elle a fait acquitter beaucoup de gens…

— Elle est très forte, oui…

— Et en face, forcément, ils sont un peu inquiets qu'elle chamboule tout…

— Elle est brillante mais pas magicienne, nuança la Poire. Elle a un don, ou du moins un vrai talent pour exploiter les failles des dossiers… Mais si ton ami est inquiet, c'est peut-être parce qu'il y en a ?

Théo déglutit, ne sachant si la remarque de la Poire était sarcastique. S'en apercevant, ce dernier ajouta :

— À mon avis, tout est déjà bouclé, mais ils doivent être en tous points respectueux de la procédure, ou effectivement elle se jettera sur la moindre erreur comme une lionne. Et tu sais, précisa-t-il, je n'ai pas vraiment de sympathie pour elle, même si c'est ma mère.

— Elle t'a déçu ? demanda Théo, tout de même étonné.

— Mon histoire familiale est compliquée. Je peux reconnaître ses grandes qualités professionnelles, sans penser que c'est quelqu'un de bien. En tout cas, je ne suis au courant de rien et je ne cherche pas à l'être.

— Pas de souci, je comprends, répondit Théo sans arrière-pensées.

Il ponctua sa phrase d'une tape amicale sur l'épaule de la Poire, qui se voulait réconfortante et qui le surprit un peu, mais lui fit plaisir.

Après un temps de réflexion, la Poire ajouta tout de même :

— Est-ce qu'il y aura des caméras, à ce procès en appel ?

— Si ce sera très médiatisé, tu veux dire ? Oui, sans aucun doute…

— Alors elle y sera sûrement, conclut la Poire avec une pointe d'amusement.

4

Vers 8 h 30, la Poire venait d'entrer dans le couloir de la brigade quand il aperçut Marion qui se dirigeait vers lui.

— J'allais t'appeler, le prévint-elle aussitôt, Euvrard nous attend…

Au même instant, le commandant quitta son bureau et fit irruption dans le couloir, sa veste à la main.

— Ne t'installe pas, Anthony, on repart ensemble tous les trois !

— Où est-ce qu'on va ? l'interrogea la Poire, tandis qu'Euvrard les dépassait et se dirigeait vers l'escalier.

— J'ai reçu un appel d'un collègue du 36… Il s'appelle Thompson.

Euvrard commença à dévaler les marches avec agilité, et les deux policiers tentaient de rester à son niveau.

— Ils sont sur une agression hyperviolente, qui a eu lieu cette nuit dans un appartement de la rue de Malte.

— Rue de Malte ? réagit la Poire. C'est tout près de la dernière attaque du *violeur des ascenseurs*…

— Exactement. Du coup, ils ont fait le rapprochement et souhaitent qu'on y soit nous aussi et qu'on leur dise si ça peut être le même type !

Euvrard gagna le hall du rez-de-chaussée, talonné par les deux capitaines.

— C'est un viol ?

— Oui, mais pas seulement, m'a dit Thompson. Et il a précisé aussi qu'ils n'ont jamais vu un truc de ce genre…

Euvrard prononça ces mots au moment exact où il franchissait les lourdes portes du commissariat, et tous les trois sortirent sous une lumière solaire déjà très vive en ce début de journée. La dernière phrase du commandant avait résonné étrangement et la Poire n'était pas certain d'avoir bien entendu. Un peu essoufflé, il tourna la tête vers Marion qui avançait à ses côtés, et vit qu'elle partageait sa perplexité.

★

Dès qu'il découvrit l'immeuble et plus encore l'appartement où l'attaque avait eu lieu, la Poire comprit que le *violeur des ascenseurs* était étranger à ce qui s'y était produit. Première différence notable : rien ne s'était passé dans l'ascenseur. Le mode opératoire d'un violeur en série pouvait bien sûr évoluer, mais la découverte exhaustive des faits ne ferait que conforter ses doutes.

Situé au quatrième étage, le logement était habité par un jeune couple, de 33 et 28 ans, sans enfant. L'endroit était décoré avec goût, et les murs peints dans des couleurs vives harmonieusement choisies. De nombreuses plantes vertes parsemaient les différentes pièces, et des affiches – essentiellement en lien avec des groupes musicaux – étaient encadrées et exposées un peu partout, ainsi que d'innombrables photos du couple en compagnie de leurs amis et de leur famille.

Toutes les caractéristiques du parfait *nid d'amour*.

Dans la chambre, le drap-housse était maculé de sang. Les salissures centrales étaient le fait d'un écoulement assez soutenu, tandis qu'autour apparaissaient une multitude de plus petites taches lenticulaires. Habitués à voir des horreurs, les trois policiers furent tout de même impressionnés par la vision de ce drap blanc souillé, qui témoignait de l'extrême violence des sévices subis. Ils s'aperçurent ensuite que la zone la plus ensanglantée ne se situait pas sur le matelas mais au sol, juste à côté du lit : une large étendue rouge bordeaux sur le parquet, constituée de sang coagulé. Une hémorragie importante s'était produite à cet endroit, et des traces de frottement indiquaient qu'il y avait eu lutte.

— Sur le lit, le sang est celui de la femme, leur indiqua Thompson. Par terre, c'est celui du mari.

L'intrusion dans l'appartement avait eu lieu en pleine nuit, vers 2 heures du matin. L'auteur de cette boucherie était resté jusqu'aux aurores.

Outre Thompson, deux collègues du 36 étaient encore sur place, et quatre techniciens de la police scientifique poursuivaient les prélèvements un peu partout dans l'appartement.

Tandis qu'il examinait la chambre, le regard de la Poire fut attiré par une nouvelle photo du couple, encadrée, sur une commode. Les deux jeunes gens souriaient à l'objectif, apparemment en vacances au bord de la mer. Elle, petite brune avec de jolis yeux marron et la peau mate, arborait un sourire radieux et semblait éperdument amoureuse de son homme ; bien plus grand qu'elle, voire massif, ce dernier avait un sourire franc et des yeux clairs.

— Il est méconnaissable, glissa Thompson dans le dos de la Poire. Il souffre de multiples fractures au visage, aux bras et aux côtes ; quand il a été pris en charge, il était incapable de parler, semi-comateux, et ils l'ont immédiatement transféré à l'hôpital Saint-Antoine.

— Et sa femme ? l'interrogea Marion, qui s'approchait de lui.

— Son visage n'a rien. Les lésions sont principalement situées dans la zone génitale, ainsi qu'aux poignets et aux chevilles, qui ont été ligotés. Elle était en état de choc… c'est un euphémisme, presque en catatonie. Mais c'est tout de même elle qui a pu nous raconter ce qui s'était passé ; la seule chose qu'elle n'a pas su nous dire, c'est par où l'agresseur est rentré chez eux, et c'est très contrariant, parce qu'on n'en sait rien nous non plus…

— Pourquoi pas par la porte ? s'étonna la Poire.

— Parce qu'elle était fermée, répondit Thompson comme une évidence, en ouvrant grand ses yeux cernés, fatigués et un peu vides. Il n'y a aucune trace d'effraction et elle nous a dit qu'ils n'ont que trois clés. L'une est chez sa mère et n'a pas bougé de son tiroir, on a vérifié… les deux autres, celles du couple, étaient à l'intérieur et le sont encore. Alors ça voudrait dire qu'il aurait chopé un double, sans qu'on sache comment, et qu'il se serait donné la peine de refermer derrière lui en quittant les lieux ?

— Une copie de clé est vite faite, ou son propriétaire ou le syndic ont pu garder un double, suggéra Marion.

— On vérifie. Il n'empêche que la femme ne l'a entendu ni entrer dans l'appartement ni en ressortir. Alors bon… entrer c'est encore compréhensible, vu qu'il les a cueillis en plein sommeil… Mais quand il est parti, elle n'a rien entendu non plus : ni ses pas dans le couloir, ni la porte claquer. Rien, que dalle ! Il a disparu.

— Qu'est-ce que vous suggérez, alors ? demanda Marion.

D'un air dubitatif, Thompson désigna une fenêtre dans la chambre, laissée ouverte.

— Il a fait chaud cette nuit, ils ne l'ont pas fermée…

— On est au quatrième étage, vous rigolez ou quoi ? s'exclama la Poire, avant de se diriger hâtivement vers la fenêtre.

Il plongea sa tête au-dessus du vide pour observer la rue, quinze mètres plus bas. Il ne souffrait pas particulièrement du vertige mais la hauteur pouvait impressionner. La paroi était lisse, sans balcons ni prises apparentes. Au-dessus de sa tête, deux étages encore les séparaient du toit.

— Qui aurait pu grimper une paroi pareille ? demanda la Poire en se retournant.

— Un alpiniste, un surhomme ? Un putain d'homme lézard, qu'est-ce que j'en sais ?

— Qu'est-ce qui vous fait croire qu'il est passé par là, alors ?

Le ton qu'employait la Poire était étonnamment mordant et le surprenait lui-même. Mais venait du fait que lui aussi, au fond, sentait que ce scénario était plausible.

— J'élimine les options, voilà tout. Il ne semble pas être passé par la porte et la fenêtre était ouverte.

Thompson marqua un temps d'hésitation, puis ajouta :

— Le mari était dans les vapes, et la femme était dos au violeur. Il a défait ses liens au niveau de ses poignets, avant de disparaître. Il s'est « comme volatilisé », ce sont ses mots.

Le *grand flic* haussa les épaules en désignant la fenêtre, en signe d'une éventualité.

— Les liens qu'il a utilisés, s'agissait-il de cordes d'alpinisme ?

— Apparemment des cordelettes de type *bondage*. En tout cas, il s'en est servi de cette manière… Après, pour tout vous dire, moi, elles m'ont plutôt fait penser à des cordelettes utilisées pour la voile, au niveau de leur conception et des couleurs. Elles sont en cours d'expertise au labo ; si vous héritez du dossier, vous obtiendrez un échantillon et les analyses. Alors, qu'est-ce que vous en pensez ? Vous voyez des analogies avec le type des ascenseurs ?

— Honnêtement, aucune, déclara Euvrard en leur nom à tous. Le *motard* se cantonne à des fellations et n'a jamais attaché aucune des trois victimes.

— Néanmoins, le mobile ici est très clairement sexuel, intervint la Poire en désignant l'ensemble de la chambre. Le viol me paraît être au centre de tout ; il n'y a pas eu meurtre, et c'est le juge d'instruction qui tranchera, mais je pense que l'affaire doit nous revenir.

Thompson hochait la tête, tout en observant le drap maculé de sang. Il paraissait d'accord avec le capitaine.

— Est-ce que vous pourriez nous faire un topo sur le déroulement des faits, chronologiquement ? lui demanda la Poire.

— Rapidement, alors, parce qu'il faut que je retourne à la *boîte*, dit-il en regardant sa montre et en parcourant ses notes. Tout ce que nous savons provient des premières déclarations de l'épouse : son mari et elle étaient en plein sommeil quand, un peu après 2 heures du matin, elle s'est réveillée ; elle avait sans doute entendu du bruit. Elle dit… avoir senti une présence dans la chambre, s'être redressée un peu et avoir cherché dans l'obscurité si elle voyait quelque chose, sans allumer sa lampe de chevet pour ne pas réveiller son mari. Là, elle a vu une silhouette, très grande nous a-t-elle dit, et immobile… d'un homme en noir qui se tenait en face d'eux. Alors elle a crié en réveillant son mari et aussitôt l'intrus a sauté sur lui et s'est mis à le cogner. Il a tout de suite pris le dessus, sans doute en partie grâce à l'effet de surprise, mais pas seulement, nous a dit la femme : il avait une force incroyable. « *Phénoménale* », c'est le mot qu'elle a utilisé. Il s'est acharné sur le mari, essentiellement sur son visage, et les fractures faciales proviennent de cette première salve de coups. Il l'a mis K-O et une fois le mari neutralisé, il s'est jeté sur la femme qui continuait de hurler et qui avait tenté d'intervenir, sans résultat. Il l'a entraînée sur le lit en saisissant sa gorge et en l'étouffant : elle dit qu'elle s'est vue mourir mais qu'il cherchait juste à l'impressionner, et qu'il a desserré sa prise juste avant. Pour info, ajouta Thompson, le visage de l'agresseur n'était pas masqué.

Un peu haletant face à son auditoire, il tournait les pages de son calepin, d'avant en arrière. La Poire et Marion griffonnaient scrupuleusement dans leurs propres carnets au fil des informations qu'il leur livrait.

— Elle dit qu'il avait les cheveux bruns, et longs, jusqu'aux épaules. Et un visage assez beau mais au regard très dur. Il était entièrement vêtu de noir, comme je vous l'ai dit. Il l'a basculée sur le ventre, puis il a arraché d'un coup sec la nuisette qu'elle portait. Il a sorti les cordelettes – qu'il gardait vraisemblablement dans sa poche car elle ne les avait pas vues avant – et s'en est servi pour l'attacher. Il a ligoté ses poignets et ses chevilles, et a relié le tout en une prise très élaborée et très solide, d'après elle. Il lui était impossible de se dégager ; un genre de bondage, comme je vous disais… Puis il a attaché le mari à son tour et il a bien précisé à ce dernier qu'il tuerait sa femme… qu'il la tuerait, elle, s'il n'ouvrait pas les yeux et s'il ne regardait pas ce qui allait suivre… Ensuite il l'a violée sur le lit en se positionnant sur elle, par-derrière. Il l'a pénétrée par les voies anale et vaginale.

— Un rapport bucco-génital aussi ?

— Non, dit Thompson en se frottant les sourcils. – Des perles de sueur commençaient à couler sur son visage. – Bordel, il fait chaud ici ! s'exclama-t-il en regardant autour de lui, énervé.

— Il portait un préservatif ? demanda Marion.

— Non, il n'en a pas mis.

— Vous avez son ADN, alors ! s'écria la policière.

— On l'aura vite, oui, des tests sont en cours. Les premiers prélèvements tendent à montrer qu'il n'a pas éjaculé, mais on l'aura quand même, et de toute façon il ne portait ni gants ni bonnet ; il a laissé des traces partout, ce con… Si ce fumier est fiché, on saura très vite qui il est !

— Il n'a pas éjaculé, vous dites ? insista la Poire, l'air soucieux. On sait s'il a été dérangé ?

— Non, pas que je sache.

— Pas de réaction des voisins ?

— Apparemment ils n'ont rien entendu, du moins c'est ce qu'ils prétendent. Et… c'est possible car après avoir ligoté la femme pour l'immobiliser, il a enroulé une cordelette autour de son cou, qu'il tournait derrière sa nuque, à l'aide d'un objet dont on ignore la nature pour l'instant… Un genre de garrot, vous voyez ? Et il tordait à sa guise, en jouant avec la respiration de la femme. Il serrait et desserrait, tout en la violant. Elle s'est vue mourir, sauf qu'il voulait juste la torturer. Moi, ça m'évoque des jeux qu'on retrouve dans le sadomasochisme… j'y connais rien, à ces trucs, mais vous, vous êtes sûrement plus renseignés, non ? questionna l'officier du 36 en les jaugeant, intéressé.

— Oui, ça peut faire penser à du *breathplaying*, acquiesça la Poire. Une version extrême… Des serial-killers agissent comme ça également, mais ils terminent généralement par une mise à mort.

— Là, il s'est seulement amusé, ce taré… Il l'a violée en étouffant ses cris. Et il provoquait le mari en même temps, en lui ordonnant de regarder, de pas fermer les yeux ni tourner la tête. Le pauvre homme était cassé de partout et il n'a rien pu faire.

★

L'ascenseur était monopolisé par les allées et venues des policiers scientifiques, aussi empruntèrent-ils l'escalier pour redescendre. À l'aller, ils avaient pu constater que la cabine ne disposait d'aucun bouton d'arrêt.

Quatre étages, tout de même ! songeait la Poire, au fur et à mesure que les cages d'escalier défilaient sous ses yeux et sous ses pas. Si instinctivement il accordait du crédit à la théorie de l'escalade, rationnellement il peinait à y croire. Quel homme aurait pu réussir cet exploit, seul et sans matériel, a priori ?

L'élaboration des sévices infligés à la jeune femme et à son mari glaçait la Poire. Un homme capable de tels agissements avait développé une fantasmagorie très singulière et arrivée à maturité. S'ils ne l'arrêtaient pas vite, il recommencerait, et potentiellement avec encore plus de sauvagerie. Jusqu'au meurtre, peut-être.

Arrivés au rez-de-chaussée, les trois policiers débouchèrent ensuite dans la rue baignée de soleil au point de les aveugler, et le téléphone de la Poire se mit à biper en lui signalant un appel manqué et un message. Sans doute un problème de réseau dans l'escalier de l'immeuble.

Un message vocal, de *Louisa*.

Marion s'approcha de la Poire tandis qu'il examinait son écran, et il lui demanda gentiment de bien vouloir lui accorder une minute ; il les rejoindrait au véhicule.

La Poire consulta sa messagerie, et la voix de Louisa retentit avec son timbre et son débit incomparables. Ses paroles, prononcées sans manifester d'émotion particulière, lui firent l'effet d'un coup de massue :

« Anthony, c'est maman. Mon chat… ton père est décédé ce matin à l'Hôpital américain, après une nouvelle crise. J'étais sur la liste des personnes à joindre en cas de problème et ils m'ont téléphoné un peu avant 11 heures. Bon, tu sais, il souffrait beaucoup trop… c'est mieux ainsi… Tu y étais préparé…

Tu vas devoir prendre contact avec les pompes funèbres, mais je pense qu'il s'est occupé de beaucoup de choses de son vivant. Je ne pourrai pas t'aider, mon chat, je viens d'arriver en Corse pour un procès d'assises extrêmement lourd qui va durer dix jours et je ne peux pas laisser mon client, tu te doutes bien ? Je vais quand même tout essayer pour faire l'aller-retour, le jour de l'enterrement.

Anthony, tu dois absolument t'occuper de la succession et voir avec le notaire ; tu es son seul héritier. Tu dois t'y intéresser, maintenant ! Je dois couper, mon chat, l'audience va bientôt reprendre. Rappelons-nous, d'accord ? Rappelle-moi… »

5

Elle racontait son agression comme si elle en avait été le témoin. Étrangement, elle en revoyait chaque détail avec un regard extérieur, comme une scène dont elle aurait été la spectatrice. Comme si ce n'était pas elle qui avait vécu tout ça. Une autre femme. Une autre Déborah.

On lui avait expliqué qu'il s'agissait d'une impression normale, commune à une majeure partie des victimes de viol : lors d'un assaut sexuel, le choc est tellement intense que le corps, pour se protéger, s'anesthésie lui-même. Et l'esprit se dissocie, se place comme en périphérie de l'action. Il reste conscient de tout ce qui arrive mais prend de la distance et analyse froidement la situation, pour se préserver et chercher une éventuelle échappatoire, un moyen de s'en sortir et de survivre. Inlassablement et sans se plaindre, elle avait fait le récit de ces dix minutes aux divers policiers qui l'avaient entendue, aux médecins, à sa mère et à Jérôme.

Jérôme. Le matin avant son viol, elle s'était posé la question de savoir si elle l'aimait encore, si leur couple avait un avenir… Le soir, après s'être échappée de l'immeuble, il avait été la première personne qu'elle avait mise au courant. Elle lui avait téléphoné, paniquée, tout en s'efforçant de garder son calme pour être intelligible. Jérôme avait pris l'appel… elle semblait le déranger.

Il se trouvait à un dîner en compagnie de partenaires professionnels et de clients, dans un restaurant en Avignon où il était en déplacement. Déborah lui dit qu'elle venait d'avoir un problème. Quelque chose de grave lui était arrivé : l'attaque dans l'ascenseur… le viol. Jérôme ne comprenait pas et se tut. Il n'était pas seul, lui dit-il. Il avait l'air agacé par la nouvelle. *En était-elle sûre ?*

Déborah arpentait comme un spectre le trottoir d'un boulevard fréquenté, en rasant les murs et en baissant la voix dès qu'elle croisait quelqu'un. C'était vrai, après tout, en était-elle sûre ? Tout ça était tellement irréel.

Quelle question stupide ! songea-t-elle enfin, en scrutant les différentes directions qui s'offraient à elle, terrifiée à l'idée de croiser à nouveau son agresseur. Était-il encore là ? Peut-être n'était-il pas vraiment parti… il avait pu la suivre ?

— Tu es là ? demanda-t-elle pour briser le silence au bout du fil.

— Oui, répondit Jérôme à voix basse, avant un autre blanc. Qu'est-ce que tu comptes faire ?

— Il faut que j'aille au commissariat… Ça sert à rien que je rentre, il faut pas prendre de douche ? ajouta Déborah, comme si elle s'interrogeait elle-même.

— Tu ne veux pas rentrer calmement ? Je peux t'appeler dans une heure, je serai beaucoup plus libre.

— Il faut que je porte plainte, Jérôme…

Un ange passa encore, et elle regarda l'écran de son smartphone tandis qu'elle marchait, pour vérifier que Jérôme était encore en ligne.

— C'est emmerdant ! râla-t-il soudain, sans plus chercher à assourdir sa voix. Je suis sur Avignon, tu comprends ? Même si je repars ce soir, je n'arriverai pas avant le milieu de la nuit.

— Oui, et tu as ton meeting demain.

— Oui, comment on peut faire ? demanda-t-il, soulagé mais encore agressif, contrarié par ces événements imprévus. Qu'est-ce que je peux faire de là où je suis ?

— Rien, admit-elle doucement. Je voulais seulement te prévenir.

— Tu vas aller au commissariat ?

— Oui, j'y vais, là. Je dois te laisser, Jérôme.

— Tu me tiendras au courant, hein ? Plus tard… par téléphone. Je rentre demain, tu sais ?

— Oui. L'après-midi.

— Mon train est à 13 h 57. Ma pauvre chérie. C'est horrible, dit-il avec compassion. Je t'aime…

— Je suis arrivée, je te laisse, coupa Déborah.

Elle ralentit et regarda autour d'elle. Elle n'avait pas idée de l'endroit où se situait le commissariat le plus proche.

Elle aurait pu l'envoyer sur les roses. Elle aurait dû ; cent fois dû. Elle sut en raccrochant que le peu d'admiration qu'elle gardait pour Jérôme venait de s'envoler… mais l'idée d'une rupture, d'un changement ou d'une simple dispute lui était insupportable à cet instant.

À l'hôpital, on lui prescrivit trois prises de sang. Même si son assaillant avait utilisé un préservatif, la procédure devait exclure le moindre doute. Le premier prélèvement, effectué dans la nuit, servit à établir si elle était séropositive avant l'agression. Le deuxième était prévu deux semaines après, pour voir si l'agresseur l'avait contaminée. Et le dernier trois mois plus tard, pour vérifier les anticorps.

Le médecin lui délivra une ITT de sept jours. Était-ce peu ou beaucoup ? Elle n'avait pas d'avis sur la question. Elle ne présentait pas de plaies ouvertes ni de fractures ; seulement des contusions au visage et sur le haut du corps, et un état psychologique qualifié de « à suivre ».

La pensée de rester chez elle à ne rien faire pendant une semaine lui était détestable. Imaginer Jérôme qui rentrerait chaque soir, mal à l'aise en la voyant ainsi… Tantôt enclin à la prendre dans ses bras pour la réconforter maladroitement, tantôt à l'exhorter à se ressaisir.

Il avait cherché à la rappeler, plusieurs fois pendant la nuit. Sept appels manqués, auxquels elle n'avait pas donné suite. Elle attendit qu'il rentre, le lendemain dans l'après-midi, après avoir passé la matinée à essayer de dormir. Jérôme débarqua dans l'appartement avec une curieuse expression d'effroi sur le visage. Son bagage, à elle, était déjà prêt. Calmement, elle lui annonça qu'elle partait se reposer chez sa mère, dans son pavillon à Élancourt. Elle aurait pu lui reprocher son attitude de la veille, l'engueuler, même, mais elle n'en avait toujours aucune envie ; au contraire, elle souhaitait que tout se passe le plus doucement possible. Elle reviendrait bientôt et ils parleraient, lui assura-t-elle. Il ne chercha pas vraiment à la convaincre de rester.

Depuis quelques années, elle n'aimait plus beaucoup passer du temps chez sa mère, mais là elle ressentait le besoin urgent d'aller la voir. S'éloigner du vacarme de Paris, de la foule. Élancourt n'était situé qu'à une trentaine de kilomètres, pourtant le changement d'ambiance était radical et évoquait déjà la province.

Sa mère n'avait pas retrouvé de compagnon et ne semblait pas en rechercher. Elle confiait se trouver bien ainsi, seule, sans un homme pour lequel elle devrait sans doute cuisiner ; avec lequel il faudrait composer, intrus dans son petit chez-elle. Les années passées avec le père de Déborah, hormis de brefs et indéniables bons moments, avaient été pour l'essentiel une succession de conflits et d'entraves à sa liberté. Bien qu'elle n'en nourrît aucune hostilité vis-à-vis des hommes et même si elle n'avait pas exclu, tout d'abord, de se remettre en couple, sa situation actuelle l'épanouissait pleinement.

Elle pleura énormément. Déborah, de son côté, ne versa aucune larme. Lorsque sa fille l'avait avertie par téléphone qu'elle lui rendait visite, elle avait d'abord pensé à une rupture avec Jérôme, qu'au fond elle pressentait depuis des mois. Voir sa fille débarquer ainsi chez elle l'avait presque réjouie tout d'abord, d'autant que Déborah n'avait pas voulu en dire plus et masquait le tragique sous une voix douce. À sa descente du taxi, elle aperçut tout de suite les contusions sur le visage de sa fille et comprit qu'il s'était produit quelque chose de grave. Elle ressentit également sa profonde tristesse. Une fois dans le pavillon, Déborah lui demanda de s'asseoir et lui raconta ce qui s'était passé. En s'efforçant de rester calme, et en faisant tout son possible pour ménager sa mère avant elle-même.

Un désespoir insondable s'empara de la mère de Déborah. On s'en était pris à sa fille, on avait usé d'elle contre son gré, on lui avait fait du mal. Elle aurait voulu être aussi forte qu'elle, mais entendre tout ça était trop dur. Déborah s'en voulait de faire ainsi souffrir sa mère. Elle avait retardé ce moment, quitte à se passer de son soutien pendant près de vingt-quatre heures. Sa mère, d'ailleurs, lui en fit le reproche empreint d'amour.

Était-ce pour communier davantage avec sa fille ? Ou pour se libérer d'un secret, devenu trop lourd à cet instant ? En essuyant ses larmes sans vraiment y parvenir, sa mère lui confia avoir elle aussi subi des violences. À l'adolescence. Deux garçons.

Déborah trouva cette confidence maladroite. Elle la comprit néanmoins et n'eut d'autre possibilité que de l'écouter, avec malaise. Une fois leur discussion achevée, elle monta dans sa chambre et y déposa sa valise, puis ferma vite sa porte.

Peu de choses avaient changé. Ses trophées étaient toujours disposés sur une étagère, alignés. Les plus prestigieux, en tout cas ; les autres étant entassés dans un placard entier, à la cave. Elle se sentait bien dans cette pièce et était décidée à ne pas en sortir avant le lendemain matin. Il n'était que 17 heures, pourtant Déborah ferma les rideaux, enleva ses chaussures et s'allongea sous la couette. Elle put récupérer de longues heures de sommeil, dépourvues de cauchemars. Parsemées de micro-réveils. Dans l'obscurité, sa mère venait parfois vérifier si elle dormait ou si elle n'avait besoin de rien.

À son réveil, Déborah se sentit reposée et se leva du bon pied. Elle se dit qu'elle était forte et qu'elle s'en sortirait. Qu'elle n'était ni malade ni dépressive.

Elle prit un bon petit déjeuner, servi par sa mère. Puis elle partit chercher sa *planche*, son long-board d'adolescente, qu'elle avait aperçu la veille avant de se coucher.

Élancourt offrait une multitude d'immenses pistes cyclables, qu'elle entreprit chaque jour de parcourir à un rythme de sportive. Son corps longiligne et ferme arpenta des dizaines de kilomètres, avec l'appui de son souffle sûr. L'effort lui faisait du bien. La douleur aussi.

Durant ce temps passé chez elle, sa mère fit assez peu d'allusions directes à l'agression, ce qui lui convint tout à fait. Parfois, elle lui demandait seulement si elle avait des nouvelles de l'enquête. Et de Jérôme.

Au bout de sept jours, Déborah repartit pour Paris après avoir longuement étreint sa mère.

★

Elle recommença à travailler le lundi, avec la volonté de ne rien changer et de reprendre sa vie en main. D'être une battante, comme elle l'avait toujours été, lorsqu'elle se démenait sur les courts de tennis pour arracher la victoire. Ne pas se laisser abattre même lors des moments les plus durs, les plus cruels. Lorsque le genou lâche… Quand tout ce que l'on a mis des années à bâtir s'envole.

À l'époque, déjà, elle s'était relevée, réadaptée et n'avait pas flanché. Elle s'était réorientée dans le médical, un domaine qu'elle respectait ; celui de tous ces hommes et ces femmes qui l'avaient tant soutenue lorsqu'elle était au plus bas, physiquement et moralement.

Déborah attaqua cette première journée avec détermination, son carnet rempli de visites à domicile. Pratiquement toutes situées dans des immeubles équipés d'ascenseurs… Elle allait les emprunter et y tenait même absolument, dans le refus que cela devienne une phobie. Pour se battre.

Et la première fois, tout se déroula sans anicroche. Elle réussit ! Rien n'avait changé chez elle ; ce salaud ne l'avait pas transformée ni diminuée. Jamais il n'aurait ce pouvoir…

Les fois suivantes, en revanche, les choses se compliquèrent. Même seule dans l'ascenseur, elle se sentait atteinte de claustrophobie. L'angoisse étreignait sa poitrine et l'empêchait de respirer. Elle était mal… La sensation d'étouffer, inexplicable, et qu'elle s'efforçait de contrôler… de rationaliser, sans résultat. Au prix d'un immense effort, elle parvenait aux étages, les jambes coupées, exsangue. Dès le milieu d'après-midi du premier jour, elle se résigna à prendre les escaliers.

À Élancourt, elle avait été protégée en ne croisant presque aucun piéton. À Paris, la foule l'oppressait. Elle avait l'impression d'être suivie, surveillée de loin. Elle était assaillie par la peur constante de croiser son agresseur dans la rue ; sans pouvoir s'empêcher pourtant de le chercher, de scruter chaque direction pour guetter un motard, une silhouette avec un casque qui pouvait lui ressembler.

Il était dehors. Les policiers ne l'avaient pas arrêté. À chaque instant, il pouvait à nouveau s'en prendre à elle.

Lorsqu'elle entrait dans le métro ou dans la salle bondée d'une quelconque administration, elle dévisageait les hommes, un peu comme l'aurait fait un agent secret tel qu'elle se l'imaginait. Parfois, elle croisait leurs regards et discernait leur surprise, eux qui auparavant lui souriaient. Ils avaient l'air embarrassé par l'expression sur son visage à cet instant. Elle se mit à craindre les hommes, elle qui ne les avait jamais fuis. La présence de ses patients masculins, même si elle les connaissait, lui devenait de plus en plus désagréable. Là encore, rien n'était conscient, le problème était physique. Mais il fallait qu'elle travaille, qu'elle masque… qu'elle demeure professionnelle.

Lorsqu'une rue était peu fréquentée et qu'un homme seul arrivait en face, Déborah changeait de trottoir ; lorsqu'elle franchissait la porte d'un immeuble et qu'un homme approchait, elle refermait vite, quitte à lui claquer la porte au nez. Parfois, elle voyait dans leur regard qu'ils la prenaient pour une folle !

Prudence. Phobie. Elle s'en voulait tellement d'avoir laissé le motard entrer derrière elle. De lui avoir poliment tenu la porte. De l'avoir laissé pénétrer à ses côtés dans l'ascenseur… Elle l'avait laissé faire. Il lui avait dit de s'agenouiller et elle l'avait fait. D'ouvrir la bouche. Elle avait obéi, par peur pour sa vie. Elle se détestait de n'avoir pas plus résisté. Une culpabilité qui montait en elle et lui tordait les entrailles, chaque jour un peu plus.

Elle aurait dû mordre. Elle était grande et forte, elle aurait dû lutter. Lui arracher les yeux.

Mardi soir, elle se sentit épuisée. Ces deux premiers jours avaient été atroces et interminables. Son travail s'en ressentait car elle était ailleurs, distraite. Moins apte. Combien de temps tiendrait-elle ainsi ? Pourtant elle ne pleurait pas, n'y parvenait pas et n'en éprouvait même pas l'envie.

★

L'hôpital la prévint le mercredi. Joseph Rauch venait de décéder, ce qui mettait un terme à ses visites hebdomadaires chez ce patient placé en HAD – hospitalisation à domicile.

La nouvelle attrista énormément Déborah, qui ressentait une affection particulière pour cet homme très malade et pourtant si positif et agréable. Elle avait commencé ses soins alors qu'il était encore en activité, dans les locaux de son industrie. Son cancer du pancréas venait d'être diagnostiqué, néanmoins il continuait de se rendre chaque jour à son bureau et semblait décidé à tout sauf à se laisser abattre. L'homme, quoique puissant et riche, était très simple dans son rapport aux autres. De nature avenante, il aimait plaisanter et s'intéressait à Déborah. Jamais dans la séduction ni dans la domination. Très curieux de son passé de sportive de haut niveau, il la questionnait souvent sur ses débuts, ses victoires et la dureté de son entraînement. Il éprouvait beaucoup de compassion pour ce destin de championne avorté.

Joseph Rauch était passionné de sport. Non qu'il fût lui-même un grand sportif, mais il adorait suivre l'actualité de ses sports préférés, et le tennis en faisait partie. Chaque jour, il dévorait le journal *L'Équipe* – de préférence dans les toilettes, après le déjeuner, le seul endroit où ses collaborateurs le laissaient tranquille, confiait-il avec humour. Il disait que si tout était à refaire, il choisirait le sport. Il serait entraîneur, soigneur, journaliste, commentateur… peu importait ! Plus jeune, il avait écouté sa mère, fait ce que l'on attendait de lui, et n'aurait peut-être pas dû. Il n'aimait pas son domaine d'activité et ne l'avait jamais aimé. Mais il n'avait aucune raison de se plaindre, relativisait-il en souriant ; il avait eu une belle vie, plus belle que beaucoup d'autres. Qu'énormément de gens, sans aucun doute.

Sa santé déclina et rapidement il ne fut plus en état de travailler au siège de sa société, dans le 11e arrondissement. Décidé à vendre, il s'appliqua à finaliser les derniers termes de sa succession depuis son domicile de Neuilly-sur-Seine, et passait le reste du temps alité. Neuilly-sur-Seine était éloigné du secteur de Déborah, mais Joseph Rauch insista auprès d'elle et de l'hôpital pour qu'elle continuât à lui rendre visite en remplacement des deux autres infirmières, le vendredi en général. Il prendrait en charge les déplacements ; l'argent était tout sauf un problème, disait-il.

Il habitait une magnifique maison de deux étages, donnant sur un somptueux jardin fleuri par un jardinier. L'intérieur était décoré avec un luxe discret, beaucoup de goût mais dans un style légèrement daté et comme figé quelques décennies plus tôt. L'homme d'affaires vivait seul. Sa solitude surprit Déborah. Lui qui était si gentil et bienveillant résidait dans une vaste maison dépourvue de joie. Chaque semaine, il accueillait la visite de Déborah avec bonne humeur et entrain. Il la remerciait beaucoup de venir d'aussi loin, même quand la douleur physique devenait si intense qu'elle en était visible. Déborah le soulageait en renouvelant l'ampoule de sa pompe à morphine. Puis elle prélevait son sang. Ensuite ils parlaient encore, de sport le plus souvent. De Roland Garros, de Wimbledon et des *grandes*, celles qui avaient précédé Déborah et fait l'histoire de ce sport. Son père à elle n'y connaissait rien de son vivant. Joseph Rauch, lui, était incollable ; ses connaissances, y compris sur le tennis féminin, dépassaient largement celles de Déborah alors qu'elle avait dévoré tous les livres qu'elle pouvait trouver du temps où ses ambitions étaient au plus haut.

Elle ne comptait pas ses heures ; cette visite était une parenthèse agréable, loin du 11e arrondissement qui l'étouffait parfois.

L'ex-épouse de Joseph Rauch était Louisa Rauch, la célèbre avocate pénale, souvent invitée sur les plateaux de télévision. Déborah avait lu un bref passage concernant leur union, sur Internet. Elle n'avait pas questionné son patient sur ce sujet, et lui ne l'avait jamais abordé non plus. Il avait seulement parlé de son fils, Anthony.

Des photos encadrées du petit garçon ornaient plusieurs commodes de l'immense salon. Un enfant qu'elle trouvait magnifique, blond, les yeux bleus. Un vrai petit ange, au sourire éclatant.

Il ressemblait à sa mère, songeait Déborah, telle qu'elle l'avait vue en photo sur Google images, auréolée par ses premières victoires, en robe d'avocate.

La plupart des photos d'Anthony Rauch avaient été prises pendant l'enfance. Une ou deux le montraient plus tard, à l'adolescence, grand gaillard qui ne souriait plus ; sombre même, parfois. Aucune à l'âge adulte.

Observant l'intérêt de Déborah, Joseph Rauch avait de temps à autre évoqué son fils, sans s'y attarder. Elle sentait un changement lorsqu'il parlait de lui. Des regrets. Il disait n'avoir pas été assez présent et avoir échoué sur bien des choses. « Il souffre beaucoup. On ne parle pas assez, lui et moi. » Déborah n'insistait pas.

Elle ne l'avait pas reconnu tout de suite. Elle n'avait même pas réalisé en entendant son nom, tellement elle était déphasée. Il avait tant changé ! Il n'avait plus grand-chose de l'enfant angélique sur les photos et n'avait gardé de l'adolescent que son air triste. Son corps était plus rondouillard, lui qui paraissait très sportif à l'adolescence. Mais en l'observant plus attentivement, elle reconnut ses beaux yeux bleus, et ses cheveux blonds.

De tous les intervenants qu'elle avait été amenée à rencontrer lors de cette nuit sans fin, Anthony Rauch avait été celui dont la présence l'avait le plus rassurée. Les médecins avaient été assez froids, et parfois suspicieux. Le premier policier qui avait pris sa plainte était à son écoute et disponible, cependant Déborah ressentait son trouble, un malaise qui exacerbait le sien… La policière et collègue du capitaine Rauch était très professionnelle et compétente ; mais agitée, moins posée que lui. Malgré son côté lourdaud, Déborah s'était sentie mieux à son contact. Il était grand, armé ;

elle se sentait en sécurité. Il dégageait une force tranquille et une compassion palpable, sans exagération. Il ne jouait aucun rôle, il était professionnel. Il l'écoutait et la comprenait, du moins en avait-elle l'impression.

★

L'enterrement eut lieu le vendredi après-midi, à la paroisse Saint-Jean-Baptiste de Neuilly-sur-Seine. Lorsque Déborah pénétra dans l'église, la messe touchait à sa fin. Elle avait fait le nécessaire pour se libérer et arriver au plus vite, mais la cérémonie semblait avoir été moins longue qu'à l'accoutumée. Relativement peu de gens étaient présents, eu égard aux fonctions et au pouvoir qui étaient ceux de Joseph Rauch. Déborah s'attendait à voir une foule importante chérir sa mémoire, mais l'église n'était que partiellement remplie.

Elle aperçut Anthony Rauch au premier rang. Un vieil homme était assis à sa droite, accablé. Sur sa gauche, Déborah eut la surprise de reconnaître la policière, Marion Mesny.

Était-elle sa femme ? s'interrogea Déborah. À aucun moment elle ne l'avait soupçonné pendant l'audition, même si la jeune femme paraissait en admiration devant lui. Ils ne portaient pas le même nom, mais ils pouvaient être simplement en couple… Ou peut-être avait-elle le béguin pour lui, sans qu'il le soupçonnât ? Déborah la trouvait très jolie, bien qu'un peu petite. Elle touchait le bras d'Anthony et le soutenait dans cette épreuve. Régulièrement, la capitaine Mesny tournait la tête vers lui et observait son visage, tandis que le prêtre parlait. Lui demeurait immobile, sans pleurer.

La messe terminée, Déborah prit place parmi ceux qui faisaient la queue pour la bénédiction du cercueil. Depuis la file d'attente, elle observait Anthony Rauch et le vieil homme encore à ses côtés, qui s'étaient levés et recevaient les condoléances. Marion Mesny était également debout et restait non loin de son collègue.

La policière l'aperçut en premier, en parcourant la file de ses grands yeux. Elle eut l'air troublée en la voyant, et sembla chercher dans sa mémoire qui était cette femme qu'elle connaissait. Déborah lui adressa un petit geste de la main, et Marion parut enfin se souvenir ; et comprendre ce qu'elle faisait là. Son visage s'adoucit aussitôt en un sourire, et elle lui renvoya le même geste amical. La policière était très expressive, Déborah l'avait déjà remarqué. Ses sentiments – virulents parfois – apparaissaient sans filtre ou presque sur son visage, contrairement à ceux d'Anthony Rauch.

Marion chuchota quelques mots à l'oreille de ce dernier, qui se tourna dans sa direction. Alors il la salua de la tête.

Lorsque son tour arriva, Déborah fit le signe de croix avec une tendre pensée d'adieu pour Joseph Rauch, puis elle reposa le goupillon.

Le septuagénaire au côté d'Anthony échangeait des paroles émues avec une dame de son âge. Déborah les dépassa et vint se placer devant le fils de son ancien patient. À présent, il lui souriait doucement ; et elle s'adressa à lui d'une voix émue :

— Je suis venue parce que j'aimais beaucoup votre papa, lui dit-elle, en sentant les larmes lui monter au coin des yeux.

Anthony Rauch s'en rendit compte et hocha gentiment la tête en la remerciant. Sans l'avoir prémédité, elle écarta les bras pour lui proposer une étreinte, que le policier accepta.

Dès qu'elle fut contre lui, l'émotion submergea Déborah. Quelque chose de brutal, d'inexplicable. Ses larmes sortirent soudain, par flots hors de contrôle, tandis qu'elle sentait l'étreinte du policier refermée dans son dos.

Quelle honte ! songeait-elle, horrifiée ; mais elle n'y pouvait rien…

Et ce moment lui faisait du bien… Tellement de bien.

6

Il ne faut jamais négliger le facteur chance, dans la résolution d'un dossier criminel. La Poire aurait pu faire sien cet aphorisme, que lui répétait souvent un ancien de la PJ à ses débuts.

Trois jours après les obsèques de Joseph Rauch, le *violeur des ascenseurs* fit une nouvelle victime. Leïla, une étudiante en médecine de 19 ans. Après une soirée passée chez une amie, Leïla gara sa voiture dans le parking souterrain de son immeuble. Un motard qu'elle ne connaissait pas s'approcha d'elle alors qu'elle attendait l'ascenseur au sous-sol. L'affaire avait été médiatisée et Leïla préféra ne pas monter avec lui et emprunter les escaliers. Le motard la rattrapa, sortit son couteau, la frappa et menaça de la tuer. Avant de la traîner par terre, dans une cage d'escalier en béton.

Après l'avoir violée, il fouilla son sac et vola le peu d'argent qu'elle transportait, moins de dix euros… La somme n'étant visiblement pas à la hauteur de ses attentes, il franchit un nouveau palier en dérobant sa carte bleue et en exigeant que la victime lui donne son code, ce qu'elle fit avant qu'il ne prenne la fuite.

Trois cents euros, le montant maximum autorisé, furent prélevés dans une tirette. Avec sa prudence habituelle, l'individu se présenta devant le distributeur en gardant son casque et sa tenue de motard, et les images enregistrées par les caméras n'apprirent rien de plus aux policiers. Mais consigne fut donnée à la nouvelle victime de ne pas clôturer son compte, afin de laisser l'agresseur libre de s'en servir et de commettre une erreur potentielle. Et celle-ci survint, dès le week-end suivant.

En examinant les relevés bancaires de Leïla, les policiers découvrirent – avec un léger temps de retard – l'achat d'un billet de train à Paris, gare de Lyon, avec la carte volée. Contactée, la SNCF informa les policiers que le détenteur de la carte bleue s'était servi de l'une des bornes en libre-service, et avait d'abord acheté un aller simple en direction d'Annecy (le samedi matin à 10 h 51) avant de se rétracter et de prendre un billet pour Dijon (à 11 h 16). Sans doute pour ne pas épuiser le peu d'argent disponible sur la carte, le *motard* avait procédé à un échange de billets, en glissant celui pour Annecy dans une borne, avant de se voir rendre l'autre pour Dijon.

Le temps que la banque, la justice et la SNCF se coordonnent, le violeur en série avait depuis longtemps atteint Dijon et en était même probablement déjà reparti. Après l'achat du billet de train, il n'utilisa plus jamais cette carte bleue. Les policiers examinèrent avec attention les images de vidéosurveillance des deux gares… qui ne donnèrent rien car l'homme dissimulait toujours son visage, sous une casquette cette fois. Les policiers s'intéressèrent ensuite aux bornes d'achat de la SNCF : leurs vitres électroniques ne pouvant fonctionner avec des gants, isoler une empreinte digitale fut un temps envisagé… avant d'être exclu au vu du nombre de clients qui se succédaient chaque jour.

Demande fut faite à la SNCF de retrouver le tout premier billet, celui pour Annecy, que le *motard* avait échangé dans la borne. Dès le lundi, ce fut chose faite, et le papier cartonné fut aussitôt confié aux soins de la police scientifique pour expertise. Dans les heures qui suivirent, une empreinte digitale – utilisable ! – fut isolée sur la bande magnétique du billet. Comparée avec le fichier automatisé des empreintes digitales, la trace papillaire *matcha*.

La photo de *Steve Bouchard* le montrait à l'époque de sa première arrestation, à l'âge de 18 ans, avec ses cheveux clairs coupés très ras. Outre le restant d'acné qui ornait ses joues et malgré son air renfrogné – il tirait carrément la gueule sur la photo ! –, ses traits étaient assez doux, et la Poire trouva qu'il avait globalement une *bonne tête*. Pas l'idée que le commun des mortels se faisait d'un danger public. Récemment diplômé d'un CAP de cuisinier, il avait été arrêté peu de temps après sa majorité à la suite de la plainte d'une jeune fille de 16 ans, à laquelle il avait infligé des coups et blessures et des attouchements sexuels. Condamné à quatre ans de réclusion et sorti au bout de vingt-huit mois, il travaillait depuis en tant que commis de cuisine au restaurant Les Alouettes, dans le 11e arrondissement.

— Vous voulez pas attendre au moins un jour ou deux ? demanda Théo aux autres policiers autour de lui. On pourrait le filocher, et le mettre sur écoute…

Marion, le commandant Euvrard, la Poire et Hervé – le binôme de Théo – étaient réunis dans un bureau de la brigade du viol. Il était environ 19 h 30 et l'identité de Steve Bouchard était tombée une heure plus tôt. La Poire avait déjà téléphoné au juge d'instruction pour l'informer de l'identification du suspect, et de son intention de l'arrêter dans la soirée sous commission rogatoire, ce à quoi le magistrat ne s'était pas opposé.

— Tu te rends bien compte que le type est un violeur en série, et qu'il opère exclusivement le soir ? lui répondit Marion sans ménagement. Sa dernière attaque remonte à une semaine… donc si ça se trouve, il a déjà prévu de recommencer cette nuit, juste après son boulot…

— Je suis au courant, merci, j'ai conscience de tout ça…, lui dit Théo en se penchant en avant et en plantant ses coudes sur la table.

Il ouvrait grand ses larges mains tandis qu'il argumentait, et les muscles de ses bras saillaient.

— Le truc, c'est qu'à part sa foutue empreinte, on n'a rien ! Nous tous, ici, on sait que c'est ce mec… mais aux Assises, l'empreinte sur le billet, ce sera léger…

— Avec son passé de délinquant sexuel, ce sera très dur pour lui de s'en sortir, objecta calmement la Poire.

— Dur mais pas impossible… La seule chose que je dis, c'est qu'avec quelques jours d'enquête supplémentaires, maintenant qu'on a son identité, on pourrait sûrement trouver d'autres *biscuits*. Le must étant de le choper avec sa tenue de motard !

— On ne prend pas un tel risque avec un type aussi dangereux ! intervint Marion encore une fois, indignée.

— Mais il serait sous filature !

— Et tu n'as jamais perdu une filature, toi, peut-être ? Sois honnête, ça nous est déjà arrivé à tous ! Suivre une moto, c'est très dur, d'autant que le type est habile, on l'a bien vu avec les caméras de surveillance.

Pas totalement convaincu, Théo l'écoutait tout de même avec attention.

— Tu feras quoi s'il nous sème, et si demain une nouvelle fille vient te voir parce qu'un type l'a tabassée dans un ascenseur ou une cage d'escalier ? Sans parler du reste… hein ? Pas question de courir ce risque, pour moi c'est impensable.

Théo se frotta le front, puis leva les mains en signe d'apaisement et pour ne pas paraître sans cœur.

— On le tient, on le chope ; c'est mon avis, termina Marion.

— Et toi, Laurent, quel est le tien ? demanda la Poire à son supérieur.

Le commandant Euvrard, resté calmement dans son fauteuil à écouter les uns et les autres, prit enfin la parole :

— Les deux ont raison, malheureusement ; on pourrait obtenir davantage, et en le *tapant* ce soir on court le risque de se contenter de ce qu'on a. Mais il est dangereux, et des *biscuits*, on pourra en trouver chez lui pendant la perquisition. À vous d'être bons, et de bien le cuisiner – sans jeu de mots – pour lui soutirer des aveux. Anthony et Marion, vous êtes sur cette affaire depuis le début ; c'est la vôtre, vous choisissez.

★

La salle du restaurant Les Alouettes comprenait vingt-cinq tables. Sa cuisine était appréciée de sa clientèle et estimée des critiques – le guide Michelin lui attribuait une étoile.

Le serveur à l'accueil fut extrêmement embarrassé par l'intrusion des quatre policiers, la Poire en tête, qui brandissait sa carte de police en lui demandant où se trouvait la cuisine.

Dès qu'ils y pénétrèrent, la Poire informa le chef qu'ils recherchaient Steve Bouchard ; une dizaine de cuisiniers et d'apprentis, tout de blanc vêtus, étaient présents et soudain l'un d'entre eux, de dos et alors qu'il tenait un couteau, effectua un déplacement en trébuchant. Il paraissait avoir la vingtaine, les cheveux ras et clairs ; Théo et son binôme coururent dans sa direction, l'agrippèrent sans ménagement puis le plaquèrent au sol pour l'immobiliser.

— C'est pas lui ! C'est pas lui ! cria le chef.

La Poire détourna la tête, balaya la salle du regard et aperçut Marion qui avançait vers le fond de la cuisine, en direction d'un jeune type qui ressemblait lui aussi à l'individu recherché. Il paraissait effrayé et reculait lentement.

— Steve ? lui demanda Marion. Arrête-toi…

Mais le jeune cuisinier fit volte-face et fonça vers une porte à l'arrière, qui donnait sur la cour.

— ARRÊTE-TOI ! lui cria à nouveau la policière, alors qu'elle s'élançait à ses trousses.

La Poire se précipita pour soutenir sa collègue.

Après avoir examiné le visage du cuisinier interpellé et s'être aperçu de son erreur, Théo se redressa et partit à son tour en courant derrière eux, tout en poussant des jurons. Hervé, son binôme, tenait le reste de l'équipe de cuisine en respect avec son arme, en intimant à tous l'ordre de ne pas bouger.

La Poire quitta la cour étroite au gré d'un virage donnant sur une longue ruelle. Au loin, il distingua la silhouette de Marion qui fonçait derrière le fuyard. Tous deux étaient bien plus rapides que la Poire, mais il s'efforçait de garder le rythme. Avant son traitement, il aurait réussi à les rattraper sans problème, lui qui faisait partie des tout meilleurs sprinters lorsqu'il jouait au rugby pendant ses études. Marion était pour sa part en totale possession de ses moyens, et le fuyard se demandait probablement comment semer cette petite femme aussi déterminée qu'un pitbull. Elle gardait son arme à la main sans s'en servir ; autant par envie de l'arrêter vivant que par crainte des sanctions hiérarchiques.

Pourvu qu'il n'ait pas de couteau…, priait la Poire en continuant de courir à perdre haleine.

Arrivé au bout de la ruelle, il déboucha sur une rue plus fréquentée. Au loin, il vit Marion qui alpaguait enfin le fugitif en pleine course et le faisait chuter sur le bitume, sous les regards ahuris des passants. Au bord de l'asphyxie, la Poire fut dépassé par Théo, bien plus tonique et rapide que lui, et il profita de ce passage de relais pour ralentir et reprendre son souffle en observant la scène de loin. Parvenant à se dégager de la prise de Marion, Steve Bouchard se releva et tenta d'affronter la policière qui revenait sur lui. Ignorant qu'elle était deuxième dan de taekwondo, Bouchard eut la surprise de recevoir un premier coup de pied latéral en pleine figure, qui le fit s'affaisser. Il ignorait également tout des compétences de la jeune femme en jujitsu et, alors qu'elle le travaillait au corps pour lui faire une clé de bras et qu'il résistait, Marion bascula sur lui de tout son poids pour le contraindre à se coucher. Bouchard s'effondra la tête la première sur le trottoir ; le choc lui brisa deux dents.

La Poire les rejoignit enfin. Théo passait les menottes à Bouchard, couché face contre terre. À leurs côtés, Marion s'était relevée et attendait son binôme avec un air à la fois embêté et malicieux. Elle vint à sa rencontre, tandis qu'il finissait de s'approcher.

— J'ai pas fait exprès, je te le jure, lui dit-elle.

Le fuyard gémissait au sol, la bouche en sang, au milieu des passants qui photographiaient la scène avec leurs smartphones.

— Je te le jure, continuait de lui assurer sa collègue, avec ses yeux grands ouverts et le sourire d'un enfant qui aurait fait une bêtise, mais fier de lui tout de même.

Elle avait beaucoup de charme à cet instant.

La perquisition du domicile de Steve Bouchard eut lieu pendant les heures où il resta à l'hôpital, après son arrestation. Il habitait une chambre de bonne rue de Lancry, dans le 10e. Les policiers trouvèrent un casque de moto noir, qui correspondait à la description ; à part ça, ils ne découvrirent aucun indice probant. Pas de trace de la carte bleue ni rien qui puisse relier le cuisinier aux jeunes femmes, ni aucun papier ou coupure de presse concernant l'affaire. Son ordinateur et tout son matériel électronique furent placés sous scellés pour des analyses.

Son emploi du temps du dernier mois n'empiétait pas sur les horaires des différents viols. Il pouvait donc tout à fait être le *violeur des ascenseurs*.

Steve Bouchard disait souffrir énormément à cause de ses deux incisives brisées. Aucune autre blessure sérieuse n'était à déplorer, à part un important hématome sur sa joue ; aussi, soulagé par des anti-douleurs, il fut placé en garde à vue dès sa sortie de l'hôpital, et transféré dans le commissariat du 12e arrondissement.

Son mode de défense était très simple : tout nier. Puis, quand il fut mis devant l'évidence de son empreinte sur le billet de train, Bouchard finit par avouer qu'il avait bien utilisé la carte bleue volée. Mais il démentit l'avoir dérobée lui-même. C'était, jurait-il, un autre jeune homme qui lui avait donné la carte ainsi que le code. En échange d'un service. Une histoire de trafic de shit. S'il contestait toute implication dans un quelconque viol, il admettait parfois dealer pour arrondir ses fins de mois. Il ne connaissait pas le nom du gars, bien sûr, ni son adresse. Il consentait en revanche à le décrire ; Bouchard souhaitait coopérer… Les problèmes avec la justice, tout ça, c'était derrière lui. S'il avait fui, c'était seulement à cause de ces histoires de shit ; il avait eu peur, bêtement.

— Il *chique* ! conclut Théo en sortant du bureau au terme d'une journée de garde à vue. Sa première condamnation l'a rendu moins con, on n'aura pas d'aveux spontanés ! Même les pauses clopes ne donnent rien avec lui…

— On va le passer à l'*attendrisseur* et le laisser réfléchir, dit la Poire.

Ils surnommaient ainsi la cellule de garde à vue, car « une planche en bois, ça attendrit son homme ».

— Il a besoin de repos, de toute façon, et nous aussi.

À 5 h 30 du matin, Steve Bouchard fut extrait de sa cellule et à nouveau conduit jusqu'à un bureau ; il but le café et mangea le croissant que les policiers lui offrirent, puis la Poire lui intima l'ordre d'enfiler son casque de moto et de lire à voix haute une dizaine de lignes de texte dactylographiées, devant un magnétophone que le policier enclencha. Le gardé à vue eut pour consigne de les prononcer sur deux tons différents : fort, puis à voix basse. Les phrases, très agressives, étaient extraites des auditions des victimes : « *Si tu cries, je t'égorge, je te saigne* » ; « *Ouvre ta bouche* » ; « *Maintenant suce-moi et obéis...* » Et d'autres.

Effectuer un *tapissage* classique en exposant Bouchard à la vue des victimes étant inutile, la Poire comptait renforcer le dossier en effectuant un *tapissage vocal*, à l'aide du texte enregistré par Bouchard et par d'autres hommes anonymes.

★

La Poire sortit de son bureau avec Leïla, la dernière des victimes, et la raccompagna dans le long couloir de la brigade. Bien que particulièrement résistante pour son âge, l'étudiante n'avait pu retenir ses larmes à l'écoute des enregistrements.

En chemin, ils croisèrent Déborah qui patientait sur une chaise. Les deux femmes ne s'adressèrent pas la parole, mais la Poire vit que Déborah fixait Leïla avec beaucoup d'attention.

Une fois cette dernière reconduite, la Poire revint vers Déborah, déjà debout. Avec son 1,82 mètre, leurs regards étaient à la même hauteur.

— Cette jeune fille, questionna Déborah, elle fait partie des victimes ?

— Oui. C'est grâce à sa carte bleue qu'on a arrêté le suspect.

— La pauvre..., réagit Déborah, sincèrement peinée. Elle a l'air vraiment jeune ?

— 19 ans.

Déborah continuait de regarder vers le fond du couloir, désormais vide. En l'observant, la Poire songea qu'elle semblait plus attristée pour cette inconnue que pour elle-même.

Déborah ne manifesta pas de réaction particulière à l'écoute des deux premiers enregistrements. Mais au troisième, elle se crispa nettement. Elle leva le doigt à l'intention de la Poire, pour lui signifier que la voix qu'ils entendaient lui paraissait être la bonne.

— C'est difficile à dire car le casque donne un timbre très particulier, mais j'en suis presque sûre. Et son élocution était la même, elle aussi.

Aucun des enregistrements suivants ne lui fit le même effet et cela conforta l'infirmière dans son appréciation.

— Je crois que c'est le numéro trois... ça peut tout à fait être le numéro trois.

Il s'agissait bien de la voix de Steve Bouchard, et le policier le lui apprit.

— Que va-t-il se passer maintenant ? lui demanda la jeune femme, soulagée d'avoir fait le bon choix.

La Poire regarda sa montre.

— Il est en garde à vue depuis un peu plus de trente heures. Il ne nous reste plus beaucoup de temps mais nous allons continuer d'essayer de le faire craquer. Ensuite, il sera très certainement placé en détention provisoire et le juge prendra le relais.

Déborah, pensive, ne paraissait guère pressée de quitter le bureau.

— Vous avez pris un avocat ? lui demanda la Poire.

— Pas encore.

— Vous devez, c'est très important, sinon vous serez uniquement entendue comme témoin.

— Oui, c'est ce que j'ai compris, répondit-elle d'une petite voix.

— Vous devez vous porter partie civile, insista le policier, et demander à toucher une indemnisation pour le préjudice subi. Vous y avez droit.

Elle hocha la tête.

— D'accord ? conclut-il en souriant.

Elle acquiesça et il lui fit signe de se lever, puis la raccompagna jusqu'à la porte. Sur le point de sortir, elle s'arrêta soudain et se tourna vers lui, alors qu'ils étaient tout près l'un de l'autre.

— Quand est-ce que je vous reverrai ?

— Je ne sais pas.

— J'aimerais bien vous revoir, si vous n'avez rien contre…

Elle avait prononcé ces mots sous une impulsion. Sans timidité particulière.

— Comment ça ? demanda la Poire, sans comprendre.

— Je sais pas, pour discuter. Et pour vous remercier de tout ce que vous faites…

— Vous n'avez pas besoin de me remercier, Déborah… Je fais mon travail, c'est tout…

Les yeux de Déborah étaient braqués sur les siens et l'intimidèrent un peu, cette fois. Il remarqua à quel point ils étaient beaux, d'un vert très clair, et plus charmeurs qu'à l'accoutumée.

— En fait, je me sens mieux avec vous. N'y voyez rien d'autre… je suis simplement bien en votre présence, sans trop savoir pourquoi… Sans doute en partie à cause de votre père, je ne sais pas, en fait. Alors, je me disais comme ça qu'on pourrait boire un verre, un jour, si vous avez du temps…

Elle le draguait, il en était presque sûr, sans comprendre pourquoi. Il lui fallait s'en débarrasser, au plus vite. Elle était magnifique, encore plus lorsqu'elle était offensive. Mais s'il pouvait l'apprécier et la trouver très belle, la Poire n'éprouvait aucun désir. Pire, elle risquait de le mettre en danger.

L'échappatoire qu'il recherchait survint en la personne d'Hervé, qui toqua à la porte. Le binôme de Théo était agité et paraissait inquiet.

— Je peux te parler ?

— Bien sûr, dit la Poire, en s'excusant auprès de Déborah.

Dans le couloir, Hervé le prit à part.

— Steve Bouchard vient de changer d'avocat.

— Comment ça ? demanda la Poire, incrédule. Il a déjà un avocat commis d'office, il ne peut pas en changer.

— Le nouveau n'est pas commis d'office, répondit Hervé en le fixant intensément. Elle s'est présentée spontanément et Bouchard a accepté de la rencontrer. Elle s'entretient avec lui dans un bureau en ce moment même…

— Depuis combien de temps ?

— Dix minutes environ… Le truc, c'est que c'est pas n'importe qui…, précisa Hervé en dévisageant son collègue.

La Poire s'assombrit. À la tête que tirait Hervé, il pressentait sa réponse mais lui demanda quand même :

— De qui il s'agit ?

À ce moment-là, une voix puissante, accompagnée du claquement de hauts talons, résonna dans le couloir :

— Bonjour, mon chat !

En tournant la tête, la Poire aperçut sa mère qui avançait d'un pas déterminé, sa sacoche Hermès à la main et sa veste Escada par-dessus sa robe d'avocate qui, en élargissant ses épaules, lui donnait une allure conquérante.

Louisa finit de rejoindre son fils et vint se poster face à lui, les yeux brillants et l'air enjoué.

7

Très régulièrement, la Poire avait entendu des collègues pester contre sa mère, et ne pas comprendre pourquoi elle s'obstinait à défendre les pires ordures. La Poire, en général, se contentait d'acquiescer légèrement, sans chercher à polémiquer ; mais au fond de lui, il savait parfaitement pourquoi.

Sa mère était pétrie de défauts : narcissisme, cynisme, égoïsme, et toute une brochette d'autres ; en revanche, elle était tout sauf une imbécile. S'émouvoir qu'elle défende ceux que la foule qualifiait communément de *monstres* revenait à s'étonner qu'un excellent alpiniste entende gravir l'Everest. Pour une virtuose des assises, innocenter un innocent ne suffisait plus, rien n'était indéfendable.

Si Adolf Hitler avait été jugé et si elle avait eu la possibilité d'être son avocate, Louisa Rauch aurait accepté de le défendre, l'avait souvent entendue répéter son fils. Et sans pouvoir être soupçonnée de partager ses opinions, elle, la célèbre humaniste de gauche.

Défendre, seulement défendre, et plus la tâche était ardue, plus le mérite était grand. Les états d'âme, Louisa les laissait aux faibles ; pour elle, tout accusé pouvait – *devait !* – être défendu. Sur ce point elle avait raison, et la Poire le comprenait. Professionnellement, sa mère était brillante ; et si tout ce qu'elle faisait n'avait pas suinté le calcul, sans doute aurait-il pu l'admirer.

Dans le cas du *violeur des ascenseurs*, l'intérêt de Louisa s'avérait plus surprenant : Steve Bouchard avait beau être une sacrée ordure, il s'agissait somme toute d'un spécimen assez médiocre dans son genre. On était loin du niveau des grandes affaires criminelles dans lesquelles Louisa Rauch avait plaidé. La Poire n'était donc pas dupe de sa motivation : si sa mère avait le chic pour se faire totalement absente quand il avait besoin d'elle, elle s'efforçait d'être collante quand il ne le fallait pas.

Elle avait suivi l'affaire du *violeur des ascenseurs* de loin. Lorsqu'elle avait eu vent de l'arrestation de Steve Bouchard, elle s'était empressée de se présenter auprès de lui afin de lui proposer ses services. Gratuitement. À son tour, Bouchard s'était empressé d'accepter cette offre inespérée et avait remercié du même coup maître Paindavoine, son balbutiant avocat commis d'office, âgé de 28 ans.

La Poire décida de mettre aussitôt un terme à la garde à vue. Connaissant sa mère, et même si elle n'avait pas encore une excellente maîtrise du dossier, il ne doutait pas qu'elle ait mis à profit son tête-à-tête avec Bouchard pour lui enjoindre de garder le silence. Les policiers ne tireraient plus rien de lui, et les heures de garde à vue restant avant les quarante-huit fatidiques pourraient leur être plus précieuses après.

Louisa ne masqua pas sa déception devant la diligence de son fils à tout stopper. Contrainte de suivre son client jusqu'au Palais de justice pour son interrogatoire de première comparution, elle insista tout de même auprès de la Poire pour le revoir très vite :

— On n'a pas discuté depuis trop longtemps, je veux déjeuner avec toi. Si je te fais venir quelque part, je te connais, tu trouveras une excuse pour reporter ; alors je vais me déplacer ici, moi-même, il y a des brasseries très correctes dans le coin…

Ne laissant pas le temps à son fils de trouver une dérobade, elle ajouta avant de partir :

— Rendez-vous demain à 13 h 30. Je serai ponctuelle, sois-le aussi.

★

Le serveur se tenait prêt à prendre leur commande. La Poire opta pour un confit de canard accompagné de pommes de terre sarladaises, et Louisa pour une entrecôte saignante avec un gratin dauphinois. La sexagénaire choisit elle-même le vin, un pommard premier cru.

Ils se trouvaient à la terrasse d'une brasserie raffinée, sans être tape-à-l'œil. Un silence suivit le départ du serveur. Ils n'avaient jusqu'ici échangé que des banalités.

— Comment va ton client ? demanda la Poire, déclenchant les hostilités. Il ne s'étonne pas d'être défendu par la mère du flic qui l'a coffré ?

— Il est défendu par la meilleure des avocates de France, c'est tout ce qui lui importe. Il n'a pas à se soucier du reste.

— Ta modestie légendaire ! dit la Poire avec un sourire désabusé et en s'enfonçant plus confortablement sur sa chaise.

— Ai-je dit quelque chose de faux ? demanda Louisa, elle aussi en souriant.

Sa mère avait toujours eu une immense opinion d'elle-même et ne se privait jamais de faire l'étalage de ses capacités, que ce soit dans les cours d'assises, dans les dîners mondains ou devant les caméras de télévision. Et pourtant, elle concluait régulièrement ses hâbleries avec l'œil qui frisait et un air cabotin. La Poire était persuadé qu'au fond, elle savait qu'elle en faisait des tonnes… Elle s'amusait de tout cela et depuis le début de sa carrière elle jouait un rôle, comme au théâtre, sauf que le rôle avait fini par devenir la véritable Louisa Rauch.

— Tu comptes t'occuper de son dossier toi-même, ou tu vas le confier à l'un des très nombreux sous-fifres qui habitent ton cabinet et qui se coltinent quatre-vingt-dix pour cent de ton travail, c'est-à-dire tous les dossiers de tes « petits » clients ?

— Comment peux-tu imaginer, Anthony, qu'on puisse arriver à mon niveau sans s'entourer ? Tous les grands avocats ont des collaborateurs, et nous débordons tous de travail.

— C'est une véritable entreprise, que tu gères.

— Lors des plaidoiries, je suis seule et bien seule, répondit-elle sans se démonter. En l'occurrence, sache que je compte m'investir tout particulièrement dans cette affaire. Et de ce que j'en ai vu hier avant l'IPC, votre dossier regorge de faiblesses. Peut-être même de vices de procédure, vous en faites si souvent !

Tu devrais être plus méticuleux, Anthony… Je pensais que tu le serais devenu davantage en vieillissant et que tu tiendrais au moins ça de moi…

— La seule chose que j'ai héritée de toi, c'est ton cynisme.

— Je ne suis pas cynique, répondit sa mère avec un étonnement non feint.

— Tu ES le cynisme !

— Tu dis vraiment n'importe quoi, commenta Louisa en regardant ailleurs, avec un amusement désabusé. Tu me juges sur des broutilles, et tu ignores tout de mes combats… des grands procès que j'ai gagnés, et qui ont fait avancer énormément de choses, sur le plan sociétal.

— Avec une crapule comme Steve Bouchard, tu risques de bien faire avancer les choses, en effet, dit la Poire.

— Il y a toujours quelque chose à plaider, même avec les coupables – en admettant qu'il le soit, riposta l'avocate, soudain plus solennelle et offensive. Lorsqu'on défend quelqu'un, il faut le ramener à sa condition d'homme et montrer qu'il n'est pas l'abominable personnage que tout le monde croit. Il faut voir et faire voir que ce qui l'a poussé à mal agir est le résultat d'une somme de raisons très complexes, qu'il faut aller chercher dans son passé ou sur le plan psychologique.

— Je connais déjà ta rhétorique humaniste, maman… merci, répondit la Poire en tapotant la table du bout de ses doigts.

— Humaniste… parfaitement, oui ; c'est ce que je suis.

— Tout à fait, maman, dit-il avec ironie. Mais j'ai une seule question : es-tu pour ou contre la peine de mort ?

La pique avait été lancée sur un ton doux, mais il fixait sa mère d'un œil perçant. Louisa, généralement prompte à la repartie, entrouvrit la bouche puis se ravisa. Elle pâlit.

— Je n'irai pas sur ce terrain-là avec toi, rétorqua-t-elle après avoir repris contenance. – Irritée, elle ajouta : – Tu ne fais que te plaindre, de toute façon. Tu es revanchard, dans la revendication perpétuelle…

— Ma question est pourtant simple…

— Simple comme une question piège. D'une part, je ne vois pas ce que tu sous-entends, dit-elle en articulant bien la fin de sa phrase. D'autre part… si j'ai pu agir avec radicalité – une fois dans ma vie ! – c'était uniquement dans ton intérêt. Pour te protéger.

— En es-tu sûre ?

Louisa leva soudain les yeux au ciel en hochant maintes fois la tête, avec un air dépité et attristé que la Poire lui connaissait bien et qui l'agaçait prodigieusement.

— Tu as vraiment une mère terrible, hein ? Je suis pire que tout, à tes yeux…

— Oh, je t'en prie ! Tu trouves tout ça normal ? Quelle mère ferait ce que tu fais en ce moment, venir défendre le criminel que son fils a arrêté ? S'efforcer de saper son travail. Quel genre de mère ferait ça ?

— Et toi, dis-moi, quel fils abîmerait ainsi son corps ? riposta Louisa en s'énervant soudain et en le désignant d'un geste.

— Je vois pas le rapport…

— Moi j'en vois un ! dit-elle en criant presque, pour faire son effet. – Puis, après un temps : – Et tout accusé a droit à une bonne défense, bon sang ! Vous les flics, vous n'arriverez jamais à comprendre ça !

— Tu as pris cette affaire parce que c'était la mienne, dit la Poire en se penchant au-dessus de la table. Dès que je m'éloigne de toi, tu fais tout pour venir t'imposer…

— Tu t'éloignes de moi, en es-tu sûr ?

Le ton était soudainement beaucoup plus doux, et perçant.

— Je te signale que tu as choisi de devenir policier, un métier où tu pouvais me croiser. Et tu es venu travailler à Paris, là où j'exerce, alors que toute la France s'offrait à toi…

— Je travaille ici parce que les meilleures affaires sont là !

— Laisse-moi en douter, conclut sa mère avec un sourire.

Il la dévisagea un temps, ahuri par son aplomb. À son tour, il hocha la tête négativement et regarda ailleurs.

— Crois-moi, dit-il enfin, je préférerais ne pas te voir parasiter mes gardes à vue mais que tu daignes venir à l'enterrement de mon père (et de ton ex-mari), par exemple.

— Que voulais-tu que je fasse, exactement ? La vie d'un homme était en jeu ; celle de ton père était finie !

La Poire sursauta en entendant cette phrase et le ton tranchant que sa mère employait.

— Je n'ai pas besoin de me rendre à son enterrement pour me souvenir de ton père, reprit-elle plus doucement. Il reste dans mon cœur. Ce genre de commémoration est faite pour les vivants ; les morts, au fond, s'en fichent ou bien *ils savent*.

Voyant que son fils choisissait de ne plus la regarder et de se taire, Louisa reprit, d'une voix qui restait calme :

— Est-ce qu'il y avait du monde aux funérailles ?

— Pas vraiment, non. Surtout des gens de sa société.

— Pas de famille ?

— Oncle Georges était là. Et quelques cousins, c'est tout.

— Et ils n'ont pas fait une drôle de tête, en te redécouvrant dans cet état ?

Elle avait lâché cette phrase avec un sourire goguenard, en désignant son corps. À la tête que fit son fils, Louisa parut satisfaite et il s'apprêtait à répondre quand le serveur les interrompit en apportant leurs plats.

Soudain, la Poire aperçut Marion qui avançait sur le trottoir et qui se dirigeait vers eux. Souriante, elle se frayait un passage entre les tables pour venir les saluer.

— Je t'ai vu de loin, lui dit-elle. Tout se passe bien ?

— Oui, je déjeune avec ma mère.

— Bonjour, maître, dit Marion à Louisa en lui tendant la main.

— Bonjour, capitaine Mesny, et félicitations, dit l'avocate en lui tendant la sienne.

— Pourquoi ?

— Pour votre professionnalisme, répondit Louisa avec une ironie non dissimulée. Venant d'une femme, on pourrait s'attendre à moins de brutalité policière, mais non… Vous avez sculpté un joli sourire à mon client.

La Poire, qui goûtait le vin servi dans son verre, vit Marion rougir, surprise par cette pique inattendue. Il savait sa collègue prompte à *monter dans les tours*, mais elle se tempérait visiblement à cet instant.

— Sauf votre respect, répondit poliment la policière, il était en fuite lorsque c'est arrivé. Il m'a lui-même contrainte à utiliser la force.

— Vous aurez mon respect lorsque vous travaillerez avec un minimum de déontologie. Et quand vous ne jouerez plus les cow-boys, davantage encore que vos collègues masculins, afin de vous faire accepter d'eux.

S'ensuivit un échange de regards appuyés entre les deux femmes. Puis Marion s'abstint de répondre et se tourna vers la Poire.

— T'as fini ton service ?

— Pas encore, dit-il en lui faisant signe de ne pas s'offusquer des remarques de sa mère, et que tout était normal.

— Tu te souviens, on s'était dit que tu viendrais peut-être dîner chez moi ce soir, et qu'on se ferait un ciné pour voir le dernier Woody Allen ?

— Oui, avec plaisir, répondit-il, enthousiaste. J'ai bien envie de le voir.

— Vous aimez le cinéma ? intervint Louisa, soudain plus guillerette.

— Oui, comme la plupart des gens, répondit Marion, désormais sur la réserve.

— Eh bien, j'ai quelque chose pour vous !

Enjouée, l'avocate prit sa sacoche et en fouilla le contenu, puis en retira un carnet d'une dizaine de tickets d'invitation.

— La Cinémathèque organise une rétrospective des films de Pierre-Yves Sully, tu as vu ça ? dit-elle à son fils en accompagnant sa phrase d'un rire. Pierre-Yves Sully a été mon mari, informa-t-elle Marion. Un cinéaste magnifique, brillant ! Mais un être humain assez peu recommandable.

Marion l'écoutait avec plus d'intérêt.

— Comme je suis sa veuve, les organisateurs ont eu la délicatesse de m'envoyer ces invitations, dont je n'ai que faire, alors je vous les donne et vous n'aurez qu'à vous les partager entre collègues, qu'en dites-vous ?

Marion accueillit l'offre avec une joie non feinte, et remercia Louisa en précisant qu'elle appréciait les films de ce réalisateur.

— La Cinémathèque, ce n'est pas loin d'ici en plus, je crois ? demanda Louisa en regardant son fils, contente de son effet.

Lui paraissait navré, enfoncé dans son siège.

★

— Tu la vois ce soir ? commenta Louisa, en mordant un bout de son entrecôte saignante. Ne me dis pas… Ne me dis pas, je ne pourrais pas le croire…, ajouta-t-elle en ouvrant grand les yeux et en écartant les mains.

— C'est simplement une amie.

Louisa hocha la tête, en coupant un autre morceau.

— Tu es au courant qu'elle se languit d'amour pour toi, ou tu ne vois rien ? C'est la troisième fois que je la rencontre, et ça crève les yeux. Cette petite va bientôt défaillir, si tu ne lui donnes pas ce qu'elle attend…

Sait-elle au moins que tu en es incapable ? lui demanda sa mère d'un ton cinglant.

La Poire mâchait lentement son canard, l'air impassible. Soudain, amusée, Louisa reprit :

— Elle avait l'air mortifié tout à l'heure, quand j'ai critiqué son travail. Apparemment, elle hésite sur le comportement à adopter avec moi : une attitude hostile, qui refléterait sa vraie pensée ? Ou une hypocrisie courtoise, qui sied aux rapports entre belle-fille et belle-mère…

— Tu lui as balancé tout ça pour t'amuser ou tu le pensais ?

— Je le pensais, bien sûr. Tu sais bien que mon estime pour les policiers est proche du néant.

— Je te rassure, ils te le rendent bien.

Louisa ricana un instant, puis elle but une gorgée de pommard, pensive.

— Pour en revenir à cette fille, tu devrais bien y réfléchir. Je t'avoue qu'elle a du mérite, au vu du corps que tu t'infliges. Je me demande bien ce qu'elle te trouve ! Quelqu'un qui t'aime dans ton état, il ne faut pas la laisser passer !

La Poire reposa ses couverts, son appétit s'étant dissipé.

— Tu prendras un dessert ?

— Non, ça ira pour aujourd'hui.

Louisa, tout en continuant de mâcher, l'examinait, l'air dur. Le visage fripé d'un vieux singe, songea la Poire ; sa beauté d'antan, remarquable et remarquée, était désormais loin derrière elle.

— Jusqu'à quand cela va-t-il durer, Anthony ? Regarde-toi !

La Poire l'observait sans répondre, sombre.

— Tu étais beau, mon fils ! dit-elle en s'avançant. Tu es devenu… – Louisa hésita un instant, les mots s'avérant pénibles à trouver : – … cet être… bizarre. Que crois-tu que je ressente en te voyant ainsi ? Je t'ai porté neuf mois dans mon corps, et élevé toutes ces années pour contempler ça maintenant.

— Je me sens mieux comme ça.

— Je ne peux pas le croire, prononça Louisa en hochant la tête. Tu n'as plus de vie de couple, tu n'es plus un homme. Tu étais intelligent, comme moi. Tu aurais pu faire cent fois mieux ! Juge, si tu refusais de *défendre*… ou tout autre chose ! Mais flic…

Elle prononça cette phrase avec le plus grand dédain, presque un écœurement.

— Tu rejoins tous ces sbires, contre lesquels je me suis toujours dressée en rempart.

— Je ne suis pas comme toi. J'aime ce métier, et je suis bon.

— Que vas-tu faire de ton argent, Anthony ? Tu hérites, et c'est un luxe incroyable. Tu n'auras plus besoin de travailler, si tu le souhaites. Tu peux changer de pays et tout reprendre de zéro. Quitter la police, redémarrer autre chose, une affaire… En étant qui tu es vraiment… Et je t'y encourage.

Songeur, la Poire ajouta finalement :

— Je ne redeviendrai plus jamais comme j'étais avant. Tu vas devoir t'y faire car je ne veux pas.

— Passe à autre chose ! l'exhorta soudain Louisa. Arrête de te mortifier, tu n'es pas responsable de tout ! AVANCE ! La perpétuité réelle n'existe pas, et tu ne la mérites pas.

8

En fin de journée, la Poire prévint Marion par message qu'il partirait du commissariat avec une heure de retard environ. Elle lui répondit que ce n'était pas grave, et qu'ils pourraient se rendre à la dernière séance, ou même reporter s'il le fallait ; qu'il ne se presse pas, elle ne faisait rien de particulier.

Après être rentré chez lui se laver et se changer, il gagna l'appartement de Marion, qui n'était séparé du sien que d'une centaine de mètres. Elle lui ouvrit la porte et il la trouva épatante : elle avait enfilé une robe à fleurs, longue et qui lui allait délicieusement bien, avec des sandales à lanières ; appliqué un peu de maquillage sur ses yeux et sur sa bouche, et coiffé ses cheveux de façon à dégager son front, comme il l'aimait. Ses accès de coquetterie amusaient et ravissaient la Poire, car il savait qu'elle les lui destinait. Le contraste était saisissant avec les tenues qu'elle portait au travail ; elle pouvait être très féminine quand elle le décidait. Et Marion faisait partie de ces femmes, petites, qui passé 35 ans gardaient l'air juvénile d'une fille à qui l'on en aurait donné 19. Il la complimenta et vit que ça lui faisait plaisir.

Ils habitaient cour Saint-Émilion, un quartier situé près de Bercy et que la Poire adorait. L'endroit donnait sur de grands parcs parsemés de points d'eau, où les promeneurs affluaient. Assez proche du commissariat, le lieu proposait une offre multiple de restaurants, modernes sans être huppés, tous situés dans une rue piétonne qui débouchait sur un multiplex de cinéma.

Le cinéma était devenu la principale passion de la Poire, outre son métier. Un exutoire. Une bulle, dans laquelle il avait entraîné Marion quand ils étaient devenus plus proches. Elle avait commencé à l'accompagner, de plus en plus souvent, jusqu'à ce que cela devienne un rituel entre eux. Ils aimaient faire de longues balades ensemble, partager un restaurant, voir un film – parfois deux –, pendant leurs jours de repos ; puis débattre, sans prétention aucune, de ce qu'ils avaient vu. Leurs goûts portaient sur les films populaires qui gardaient une ambition et une exigence ; mais en réalité ils voyaient un peu de tout, des grosses machines commerciales aux films d'auteur. Ils appréciaient autant le cinéma américain que le français, ou européen. La Poire savait que cette passion était avant tout la sienne et que Marion, au fond, s'était adaptée de bon cœur pour passer du temps avec lui.

C'était lui qui avait souhaité qu'elle habite tout près. Il lui avait parlé de cet appartement qui se libérait, à quelques rues du sien. Ainsi, elle se rapprocherait de leur travail, et ils seraient voisins. Elle avait fait mine de réfléchir quelques minutes, puis s'était empressée de contacter le propriétaire. Le soir même, Marion avait visité l'appartement et effectué les premières démarches. L'emménagement avait été rapide.

Il savait qu'elle s'était imaginé des choses. La Poire sentait qu'elle le jaugeait et qu'elle s'interrogeait sur ses motivations. Mais lui considérait seulement l'aspect pratique, pour la voir plus commodément et plus souvent. Sans coucher avec elle, bien sûr. Il aimait le temps passé avec elle, et elle était devenue sa meilleure amie. Elle lui avait confié beaucoup de choses, très intimes, et il avait quant à lui livré ce qu'il pouvait. Elle l'apaisait, sans qu'il y ait d'ambiguïté de son côté.

— Je vous connais, non ? Vous êtes sûre ? Votre visage me dit quelque chose…

Ils étaient assis à la terrasse d'un restaurant, cour Saint-Émilion. La gérante, une dame d'une quarantaine d'années, très avenante, prenait leur commande. Puis elle était tombée en arrêt devant Marion et s'était mise à chercher dans sa mémoire d'où elle la connaissait.

— Je ne sais pas, dit Marion. J'habite le quartier, alors…

— Oui, mais…, insistait la patronne en hésitant. Vous me rappelez quelqu'un… comme une amie d'enfance, vous voyez ? Que j'aurais pas vue depuis longtemps…

— Ah, je ne crois pas, dit Marion avec un sourire gentil. Je ne suis pas parisienne d'origine, j'ai grandi en région Rhône-Alpes.

— Ah…, fit la dame, j'ai pourtant une très bonne mémoire des visages… il y a sûrement quelque chose, mais là, je ne vois pas ! Peut-être que ça me reviendra, fit-elle en gardant sa bonne humeur, avant de se diriger vers une autre table.

Marion tourna doucement la tête vers la Poire, en inspirant et en souriant, l'air de rien. Il lui adressa un clin d'œil affectueux. Marion avait très vite compris quel était le souvenir que cherchait la gérante en se creusant les méninges. La Poire aussi, du même coup. Délibérément, Marion n'avait rien fait pour aiguiller son interlocutrice : pas envie de percevoir une gêne dans son regard ou, pire, une avide curiosité. Elle reprit leur discussion comme si de rien n'était, sans faire allusion à ce contretemps, et son ami respecta son choix.

C'était cela aussi, qu'il appréciait dans leur relation : les non-dits bienveillants.

Tous deux mangèrent la même chose : un cheeseburger maison avec supplément bacon et des pommes-frites. La Poire ne se privait pas en compagnie de ses collègues, car cela lui permettait d'entretenir son secret en y apportant une vraisemblance. La malbouffe justifiait la largeur de ses fesses, et le gras sur ses épaules et sa poitrine.

Marion et lui s'apprêtaient à commander les desserts. cheesecake pour elle, dame blanche pour lui.

Tout à coup, il sentit la bouffée de chaleur arriver. Une *redoutable*, plus forte que d'habitude ; fortuite, bien sûr – ces saloperies survenaient sans prévenir. L'un des effets secondaires les plus désagréables inhérents à son traitement.

Il ne connaissait que trop bien l'air pathétique que ces suées lui donnaient ; plusieurs fois, il s'était vu dans le regard décontenancé d'autres personnes.

S'éclipser, au plus vite.

Prétextant une envie pressante, la Poire quitta la table en priant Marion de bien vouloir commander pour lui. Il gagna rapidement les toilettes et s'enferma dans le box réservé aux handicapés. Plus d'intimité et plus d'espace.

Il imaginait sa mère, avec un rictus, qui lui dirait que de toute façon, vu son état, il y avait droit.

Chaud, chaud, il avait chaud ; il déboutonna hâtivement sa chemise ; il transpirait déjà beaucoup. *Putain de sudation, putain de bouffées de chaleur*, rageait la Poire en silence.

Il s'empara d'un vieux journal laissé sur place et entreprit de s'éventer, tout en s'aspergeant le torse d'eau ; assez vite, il se sentit un peu mieux. Il avait l'habitude, cela passait, mais moins les gens qui le côtoyaient le voyaient ainsi et plus il se protégeait.

Il s'observa un moment dans le miroir puis essuya son torse dégoulinant d'eau et de sueur. La zone était totalement glabre, comme ses joues. À maints endroits – sauf sur son pubis – les poils avaient disparu pour renaître, d'une certaine façon, sur son crâne en des cheveux plus soyeux qu'auparavant. Dès la fin de l'adolescence, il avait connu un tout début de calvitie sur le haut des tempes, qui aurait dû normalement s'accentuer car sur ce point il tenait de son père, et ce dernier avait commencé à perdre ses cheveux très jeune. Désormais, ses beaux cheveux blonds restaient l'un de ses rares atouts physiques, avec ses yeux bleus qui n'avaient pas changé. Les deux dernières choses qu'il appréciait chez lui lorsqu'il se regardait dans le miroir, lui qui voyait avant tout une silhouette en forme de poire, qu'il détestait.

Il retourna sur la terrasse quelques minutes après. La crise était passée et il se sentait beaucoup mieux. Alors qu'il se frayait un passage entre les tables il aperçut Marion, de loin, et vit que quelque chose n'allait pas. Elle arborait un air soucieux et dur.

— T'as reçu un message, lui dit-elle, sitôt qu'il fut assis.

En effet, la Poire constata que son smartphone était légèrement tourné vers elle. Même si son téléphone était protégé d'un code, le contenu des messages reçus s'affichait sur son écran, quelques instants après la réception.

J'aimerais vraiment vous inviter à dîner, votre soir sera le mien. Nous avons été interrompus la dernière fois, et nous n'avons pas pu finir notre discussion. Je vous embrasse, D.

La Poire leva les yeux vers Marion, qui le dévisageait en scrutant sa réaction. Il ne put s'empêcher de sourire devant son air inquisiteur. La jalousie suintait par tous ses pores, et elle s'avérait incapable de la dissimuler.

— C'est Déborah Joubert.

Marion ne répondit rien pendant un instant ou deux, surprise.

— Mais… qu'est-ce qu'elle veut ? demanda-t-elle.

— Je sais pas. Rien a priori, seulement me remercier. Mais… tu l'as vue à l'église, je la trouve des fois un peu spéciale avec moi.

— Tu dois pas accepter de la fréquenter en dehors du commissariat, trancha Marion sans attendre. C'est pas sain de fréquenter une *cliente*, une victime.

— Oui, je sais.

— Tu ne dois pas la laisser entrer dans ta vie, poursuivit-elle, tout aussi péremptoire.

— Elle propose un dîner, pas d'entrer dans ma vie…

— Anthony, tu sais bien qu'elle n'est pas elle-même.

Marion ouvrait grand les yeux et le fixait d'un regard intense ; difficile de savoir quoi, de la jalousie ou la raison, guidait ses paroles.

— Elle est en état de stress post-traumatique ; c'est un nid à emmerdes, pour toi comme pour elle… Il faut absolument que tu restes dans ton rôle de policier.

— Je n'ai aucune envie d'en sortir ! la rassura la Poire.

— Aller à l'enterrement de ton père et pleurer dans tes bras, c'est une chose. Te voir en dehors du commissariat pour des dîners, c'est pas nécessaire.

— Oui, je suis d'accord avec toi.

— Elle fait un transfert. Elle croit trouver chez toi quelque chose qui lui manque certainement, mais elle ne le trouvera pas… Elle n'est plus elle-même, et ne le sera pas avant des mois ou des années.

La Poire n'acquiesçait ni ne la contredisait. Marion continuait de le fixer et ajouta, sur un ton presque dur :

— Elle est très belle, même si un peu grande…

— Et alors ? demanda la Poire en levant les yeux vers elle.

— Rien, fit la jeune femme en haussant les épaules.

— Tu sais que je mélange pas le travail et la vie privée…

— Je sais, oui, répondit-elle.

★

La dernière séance se termina peu avant une heure du matin. La Poire et Marion foulaient les pavés proéminents de la cour Saint-Émilion, parmi une petite foule composée d'une grande partie des spectateurs du film auquel ils avaient assisté. Les gens regagnaient le métro, leur véhicule ou un taxi. À cette heure-ci, boutiques et restaurants étaient fermés, et les lumières des quelques lampadaires étaient assez faibles.

Les deux collègues et amis avaient apprécié le long-métrage. Tous deux estimaient qu'il s'agissait d'un *bon Woody Allen*. Ils s'accordèrent toutefois sur le fait qu'en ce qui concernait l'humour et le romantisme, il n'égalait pas *Manhattan*, leur préféré, même si Allen l'avait renié un temps. Il n'était pas non plus à la hauteur de *Match Point*, ajouta la Poire, un film qui tenait une place à part dans son cœur ainsi que dans la filmographie du maître.

Ils s'écartèrent du flot de gens pour rejoindre l'immeuble de Marion, en longeant le bord d'un grand parc, obscur et assez inquiétant à cette heure-ci. Marion lui proposa de monter un moment chez elle, avant de rentrer. Il accepta ; il avait bien envie d'un verre en rêvassant sur de la musique.

Affalé sur le canapé, il sirotait le verre de whisky que Marion lui avait offert. Il aimait qu'elle se charge du choix de la musique, qu'elle le surprenne. Les Doors lui allaient très bien, ce soir. Elle avait tamisé les lumières ; après s'être servi une bière aromatisée, elle vint s'asseoir auprès de lui.

Elle rompit le silence en premier :

— Tu as réfléchi, pour Déborah Joubert ?

— Oui, je m'en tiendrai à des rapports professionnels, ne t'inquiète pas.

Elle se redressa, encore un peu plus contre lui.

— Mais tu dois lui parler, ou au moins lui écrire, insista-t-elle. Tu dois la ménager, car elle a l'air d'y tenir beaucoup.

— Je vais m'en occuper, ne t'inquiète pas, tu as raison.

De toute façon, songeait la Poire, il n'avait jamais eu l'intention de fréquenter cette femme en dehors des heures de bureau. Non qu'il ne l'appréciât ou que son sort ne l'intéressât, bien au contraire… Mais elle avait vu des photos de lui enfant, et depuis le premier jour il se méfiait d'elle. Que savait-elle exactement ? Qu'avait-elle compris ? Elle était infirmière…

D'une manière générale, il évitait autant que possible de revoir les personnes l'ayant connu jeune. Cloisonner.

Marion s'était presque assoupie, sa tête contre son épaule et ses jambes recroquevillées sur le canapé. La Poire relisait le message de Déborah en réfléchissant à une réponse, quand soudain son écran changea de couleur pour signaler un appel entrant. *Euvrard.*

— Oui ? dit-il en portant le combiné à son oreille.

Marion rouvrit les yeux et se redressa un peu en le regardant. La Poire paraissait très attentif et contrarié.

— Merde… Bon, on arrive, répondit-il à son interlocuteur. Elle est avec moi, là, je suis chez elle. Je lui dis tout de suite.

La Poire, embarrassé, se sentit obligé d'ajouter :

— On a vu un film ensemble…

Marion s'était mise debout et attendait de connaître l'objet de l'appel. Après avoir raccroché, la Poire se leva à son tour.

— Il vient d'y avoir une attaque hyperviolente, dans un appartement. La PJ est persuadée que c'est le *lézard*.

9

Il avait quitté l'hôtel aux environs de 18 heures. Un *deux étoiles*, situé près de la rue Blanche. Quatre-vingt-dix-sept euros la nuit. Une décoration à chier mais une hygiène assez correcte. Lui qui avait dormi pendant des mois dans des cabines de toutes sortes, ou dans les chambres des hôtels, étouffantes et moites, des provinces affamées du monde entier, savait se contenter de peu. La télévision était son seul luxe ; quand il n'était pas dehors ou qu'il ne dormait pas, il aimait la regarder pendant des heures. Zapper.

Il garderait cette chambre encore le lendemain, et y avait laissé ses affaires. Mais il lui faudrait vite trouver un autre endroit. Un grand type comme lui, aux cheveux longs, finirait forcément par attirer l'attention. Un portrait-robot allait circuler, si ce n'était déjà le cas. Et puis… quelqu'un qui disparaissait chaque nuit et qui dormait le jour, ça pouvait susciter la curiosité. Tous les matins, les femmes de chambre s'évertuaient à entrer dans la sienne, pour s'acquitter de leur boulot d'esclaves. Il avait beau prendre l'aimable précaution de mettre l'accroche-porte « Ne pas déranger », elles finissaient quand même par entrer, en retardant seulement le moment. Alors il dormait nu, son long corps allongé sur le lit, sans drap. Dès qu'elles l'apercevaient, elles ressortaient très vite ; parfois en marmonnant quelque chose, un couinement incompréhensible, avant de filer. Ce midi, à nouveau, il avait entendu la porte s'ouvrir ; puis aperçu la travailleuse immigrée qui entrait sur la pointe des pieds, balayant du regard la chambre aux rideaux tirés.

Elle avait fait une de ces gueules, en l'apercevant, nu comme un ver et qui la fixait, dans le noir, immobile… Il avait bien ri, intérieurement, avant de se rendormir.

Son séjour à Paris était comme un roman qu'il écrirait, sans en connaître le dénouement. Peut-être une fin totale : celle de sa vie. Il n'en avait pas grand-chose à faire, à bien y réfléchir. Il avait visité chaque continent. Navigué sur toutes les mers. Il s'était *bien rattrapé*.

Les métropoles se ressemblaient, les bleds paumés aussi. Certains n'y voyaient jamais la même chose : des poètes s'extasiaient devant une lumière, un verre à la main au détour d'une biture. *Un peuple tellement souriant*, disaient-ils, qui nous ramenait aux *vraies valeurs*. Lui n'y voyait partout que la même immondice. De pauvres hommes avec les mêmes misérables attentes ; la même vacuité. Le cancer de la planète ; il disparaîtrait un jour, sans aucun doute, songeait Alpha.

En d'autres temps, un homme comme lui aurait pu être heureux ; sa vie aurait eu un sens. En des âges barbares – guerriers tout du moins – où l'homme était encore debout et où la loi du plus fort était unique. Les qualités d'Alpha auraient été prédominantes. Tuer. Avilir l'adversaire, le réduire en esclavage. Prendre ses femmes, ses filles et les violer. Tout ce qui faisait de lui un monstre avait autrefois constitué l'essence d'un grand chef.

Au XXIe siècle, qui fallait-il être pour se comporter en psychopathe glorifié ? Posséder les vaincus ; les voir s'agenouiller et se soumettre ? Les grands hommes d'affaires avaient désormais ce pouvoir, et étaient encensés pour ça. Des types qui jouaient des coudes en serrant des mains et en tapotant des épaules. Enfermés dans des bureaux, le compte en banque bien rempli, mais entourés de jeunes mecs malingres et aux dents longues, hypocondriaques et hypocrites, ou par leurs homologues féminins, pétasses en tailleur et talons hauts.

S'il n'avait pas vu le jour dans le taudis que le démiurge avait choisi pour lui, peut-être serait-il devenu l'un d'eux. Il n'était pas moins intelligent qu'eux. Mais il était un homme *debout*, qui ne baissait jamais le regard.

Qu'est-ce que la vie avait à lui apporter, dans la société actuelle ? Une femme, des enfants ? Une retraite, un smartphone ?

Pauvres cafards...

En mer, il s'était senti bien. Là, oui, pour la première fois peut-être. L'eau à perte de vue, avec pour seule musique le son des remous. Le rien et le tout confondus. Le vide, apaisant.

L'océan avait été sa révélation. Ou plutôt, il l'avait toujours su. Il s'en était douté, en voyant des images, à la télévision. Ou les rares fois où son plouc de père avait rapporté un magazine – autre qu'une revue porno. La mer l'avait hypnotisé, pendant des années ; elle l'avait adouci, même, sans doute. Mais la malédiction des êtres humains est qu'il leur est difficile de vivre totalement loin des autres. La cohabitation avec des marins ne lui apportait rien. Les voyages n'avaient plus le goût d'autrefois. Il avait ressenti l'envie de revenir. Que les gens le voient. Qu'ils le craignent. Que la France sache le monstre que l'un des siens était devenu par sa faute.

Il comptait laisser libre cours à ses pulsions. Continuer sur sa lancée. Il avait commencé avec ce couple, rue de Malte, sans plan défini. Sans effectuer aucun repérage. Au cours de la première nuit où il se promenait, il avait aperçu la femme par une fenêtre éclairée et ouverte.

Son seul critère était un nombre d'étages suffisamment élevé. Il tenait à ce que ce soit très haut, et à ce que son action en soit encore plus remarquable. Il ignorait la présence du mari, même s'il l'avait envisagée. Et tout s'était mis en place, naturellement et parfaitement. L'homme faible avait assisté au viol de son épouse. Leurs vies ne seraient plus jamais les mêmes. Vies qu'il leur avait laissées. La mort eût été trop simple, trop inutile ; désormais et jusqu'au bout, ils vivraient avec ce souvenir.

★

— *Je sais pas ce qu'elle a, la demoiselle... elle a l'air énervée !*

Tourné vers le comptoir du restaurant kebab, Alpha entendit la phrase juste derrière son dos. Ses cheveux longs étaient détachés, comme la plupart du temps.

— *Peut-être elle a ses règles…*, ajouta le type, feignant de parler à son comparse en aparté.

Après avoir quitté l'hôtel, Alpha était entré dans ce kebab, situé place de Clichy. Le moment de prendre son premier repas de la journée. Deux employés en blouse bleue, mornes mais polis, étaient au gril. En salle, la clientèle était jeune, mis à part un vieux assis avec une gueule ravagée et qui tuait le temps. Juste derrière Alpha, un type était arrivé, suivi d'un copain. La vingtaine passée, baskets, casquette, survêt'. Une grande gueule faussement enjouée, qui trimballait sur lui plus de gras que de muscles. Sitôt dans la place, il avait commencé à invectiver deux autres mecs assis. Pour rire. Attirer l'attention. Faire le caïd qu'il croyait être.

Alpha s'était retourné vers lui, l'observant sans rien dire, d'un regard calme mais soutenu. Habitué à voir les étrangers baisser les yeux devant lui, le caïd fit mine de s'étonner. Ses épaules cessèrent soudain de danser et son sourire s'estompa sur sa sale gueule, au profit d'une grimace exagérée pour bien montrer à tout le monde sa sidération.

— Wow, qu'est-ce que tu regardes, toi ? Tu me connais ?

— Non, répondit Alpha sans le quitter des yeux.

— Pourquoi tu me fixes alors ? Regarde ailleurs !

Le type insistait, s'approchait. Vile pantomime simiesque visant à l'impressionner. Mais il ne frappait pas et Alpha voyait qu'il hésitait avant de le faire.

Qu'il le jaugeait. Lui demeurait immobile, le regard fixe et son expression inchangée. Le comparse vint à la rescousse de son ami et le tira en arrière, en lui demandant de laisser tomber et de ne pas s'attaquer à ce pauvre fou qui ignorait qui il avait en face de lui. Le caïd obtempéra en renâclant, l'honneur sauf et la tête haute.

Alors Alpha se retourna vers le comptoir, pour passer sa commande.

— T'as vu comme elle a des beaux cheveux la meuf, juste devant ? Bien longs, regarde ça..., entendit-il soudain dans son dos.

Le caïd revenait à la charge, amusait la galerie, et son pote gloussait, bon public. Il aurait dû tout arrêter quand son copain l'avait retenu. Il n'aurait pas dû l'appeler « meuf » ou « demoiselle ». Ni dire qu'il avait ses règles.

La *terreur* ne vit pas le coup partir. Un crochet, rapide et légèrement orienté vers le haut, qui vint heurter son foie avec une violence sourde. La seconde et demie qui suivit, le regard du type changea. L'onde de choc irradia ses filets nerveux, avec la lenteur de propagation propre au foie, jusqu'à atteindre le cerveau en lui signalant une douleur atroce. La grimace, cette fois, n'était pas feinte ; le caïd se plia en deux et aussitôt Alpha lui saisit l'arrière de la tête et lui asséna un violent coup de genou en pleine tempe, qui le fit tomber K-O.

Les gens présents restèrent statiques pendant l'attaque, sidérés devant cette scène hyperviolente. Puis le comparse s'accroupit auprès de son ami pour le secourir, et l'un des kébabiers derrière son comptoir lui demanda avec empressement s'il respirait.

Oui, il vivait encore, Alpha ne l'avait pas tué.

Il aurait pu, en accentuant son coup. Tout comme il aurait pu cibler son nez. Mais du sang aurait giclé partout, sur le carrelage comme sur lui ; trop d'ennuis en perspective.

Alpha tourna la tête vers les cuisiniers afin d'examiner leurs réactions. L'un d'eux venait de saisir le combiné d'un téléphone fixe. En croisant les yeux d'Alpha, le quinquagénaire aux tempes grises se figea un instant ; puis il l'avertit qu'il appelait une ambulance et la police, et qu'il valait mieux qu'il s'en aille.

Alpha ne comptait pas rester, de toute façon. Mettre un individu au tapis dans un lieu public n'était pas une bonne idée, mais il n'avait pas pu faire autrement. Pas question d'être un *Oméga*... l'un de ces hommes sans couilles, qui pétaient de trouille au moindre conflit. À une époque pas si lointaine, personne n'aurait été surpris de voir un homme laver son honneur après un manque de respect. On se mettait sur la gueule ; les hommes étaient des hommes. On se battait, à la sortie du bistrot, entre bandes. À quinze contre quinze ; pas à quinze contre un. De nos jours, en Occident, les femmes jouaient aux bonshommes et l'homme ressemblait à une femme.

Alpha ramassa la casquette du gars – une prise de guerre – et sortit du resto comme il y était entré.

En marchant à pas rapides, sans courir, il dissimula ses cheveux longs dans la casquette. Puis il évita le métro, car trop fourni en caméras, et entama sa longue virée à pied, en optant pour une direction qu'il n'avait pas encore prise les nuits précédentes : le 8e arrondissement, l'Arc de triomphe en ligne de mire.

Il était à Paris depuis une semaine et n'avait agi qu'une fois. Il ne déambulait que les nuits ; une marche incessante, sauf pour s'arrêter boire un coup dans un bistrot parmi la faune nocturne, ou surveiller quelqu'un. À chaque fois, il changeait d'arrondissement. Au terme de son séjour, Paris n'aurait plus de secret pour lui.

Il aimait ces promenades contemplatives. La traque, passive, car il ne cherchait pas à tout prix. Il attendait la bonne personne et ne voulait rien provoquer. Agir. Patienter. Renoncer. Il aimait que le hasard fasse son œuvre et le serve, lui, au détriment de sa victime.

Le soleil déclinait à l'horizon. Une lumière aux tons chauds, extrêmement vive, qui emplissait tout le boulevard et le contraignait à plisser les yeux. La chaleur était encore là en cette fin août. Lorsqu'il levait la tête, il distinguait les innombrables fenêtres ouvertes, autant de possibilités pour lui de passer à l'action. Il aimait ça. Non qu'ouvrir une porte fermée lui eût été difficile ; il savait parfaitement le faire, et même dans un relatif silence. Mais il adorait semer la crainte, et surtout le remords. Que ces gens repensent à leur imprudence, ressassent leur naïveté : ils avaient délibérément laissé l'entrée ouverte, et le Mal s'était faufilé. Leur part de responsabilité, bien réelle, les tourmenterait jusqu'à la fin de leur existence, et cette pensée réjouissait Alpha.

Des talons claquaient devant lui. Des jambes de femelles pratiquement nues, qui arpentaient le trottoir. Elles étaient partout, innombrables paires. À cette heure, les terrasses des bistrots et des restos étaient bondées. Des jeunes femmes et des moins jeunes caquetaient, remuaient, faisaient les belles devant des pseudo-mâles en dégénérescence, minets fragiles aux looks métrosexuels ou *hipsters*. *Tout ce petit monde (se) mentait.*

Elles gloussaient et jouaient un jeu de séduction auquel ces mauviettes se pliaient avec joie, en agitant leurs cigarettes d'une main lâche.

La sienne fouillait sa poche et remuait une poignée de cordelettes enroulées qu'il gardait sur lui. Dans l'autre poche, son peigne, un tournevis – pour le cas où – et quelques liasses de fric qui n'excédaient pas cent euros. De quoi payer une nuit d'hôtel supplémentaire, pas deux. Faire la bonne rencontre, ce soir, lui serait doublement utile. En soi, voler pour s'enrichir ne l'avait jamais intéressé. Il prenait le strict nécessaire. Quand il ne travaillait pas pour subvenir à ses besoins élémentaires, il se servait.

Dès qu'il les aperçut, Alpha sut qu'il s'agissait des deux personnes qu'il recherchait. Une impression qui lui venait du ventre ; un désir fort.

Voilà pourquoi il avait marché... voilà ce qu'il attendait...

Le couple était à l'arrêt en haut des Champs-Élysées, devant l'entrée du métro Charles-de-Gaulle-Étoile. Ils s'enlaçaient et partageaient un baiser profond, avec des dizaines, des centaines de gens qui allaient et venaient tout autour d'eux. Une photo de Doisneau mais en couleur et en réel, juste devant lui. Elle portait une jupe bleue, assortie à un top en soie. Ses longues jambes, gainées de collants ou de bas, prenaient fin sur des escarpins à plateforme. Elle était blonde, extrêmement bien coiffée, ses cheveux mi-courts laqués sur le côté et maintenus par une barrette. Son visage était très maquillé ; cette fille lui donnait l'impression d'être une vendeuse qui sortait de son travail, une bijouterie sur les Champs-Élysées ou un magasin de cosmétiques…

Son *amoureux* portait un costume et une sacoche en cuir. Les mêmes putain de pompes Richelieu que chaussent tous les types comme lui dans les bureaux d'affaires de la capitale. Il arrivait sans doute tout droit de La Défense. Une grande tige sans épaules, la mèche savamment rabattue. Une jolie petite gueule. Il devait avoir l'air ridicule, nu, avec son corps d'adolescent et sa coiffure d'élève studieux.

Leur étreinte perdurait, sans qu'ils remarquent Alpha, posté à quelques mètres d'eux, immobile parmi la foule de Parisiens et de touristes. Près de lui, deux familles, sud-américaine et asiatique, posaient pour une photo sur la plus belle avenue du monde.

Quand ils se décidèrent enfin à s'enfoncer dans le métro, ils ne l'aperçurent pas non plus qui les suivait ; ni quand ils arpentèrent les longs couloirs souterrains. Ni quand ils pénétrèrent dans la rame de la ligne 2, direction Nation, et qu'Alpha vint se poster non loin. Assis et occupés à se bécoter et à se caresser encore, ils ne prêtèrent pas attention à l'inconnu debout qui les observait. Qui scrutait l'entrecuisse de l'homme pour y déceler son érection dissimulée, tandis qu'il embrassait à nouveau la femme.

Ils ne le virent pas non plus lorsqu'ils sortirent du métro, station Monceau, tandis qu'Alpha les filait, se débarrassant au passage de sa casquette dans une poubelle, pour libérer ses cheveux. Ni quand ils dînèrent ensemble à la terrasse d'un restaurant, au croisement des boulevards Malesherbes et de Courcelles pendant une heure et vingt minutes, et qu'Alpha ne bougea ni ne les quitta du regard, depuis un trottoir situé en face. Ni quand la jeune femme ramena son compagnon chez elle.

★

Elle couinait. Ses gémissements plaintifs semblaient émaillés de mots, de courtes phrases qu'elle ne parvenait pas à articuler.

Alpha tourna son peigne dans le sens inverse, derrière sa nuque, pour desserrer le garrot qui comprimait sa gorge. Puis il tira en arrière sa tignasse blonde, afin de ramener sa tête à son niveau. Les larmes avaient fait couler le mascara partout sur son joli visage, en des traînées dégueulasses, un peu le même genre de traces que des pieds sales laissent dans une baignoire bien blanche. Elle ânonnait : « Pitié… pitié… », et il laissa retomber sa tête car c'était inintéressant.

Il avait joui en elle, et beaucoup aimé ça ; rien n'avait parasité ce moment. En se redressant, il observa le type encore étendu sur le sol à côté du lit, les mains et les pieds attachés. Il avait le nez en bouillie. L'arcade sourcilière ouverte, une fracture au niveau de la pommette ainsi que deux ou trois côtes cassées. Une grande quantité de sang avait coulé sur ses joues. Son œil mi-clos le regardait et résistait à l'évanouissement. Alpha lui adressa un clin d'œil et claqua ostensiblement le joli cul blanc de sa compagne, puis se leva en réajustant son pantalon. Il sortit ensuite de la chambre et entreprit de visiter l'appartement de la femelle.

Il avait éprouvé un soulagement en découvrant qu'elle logeait au troisième étage. Son immeuble était situé à une centaine de mètres à peine du restaurant. Après qu'ils eurent disparu dans le hall, Alpha avait attendu dehors, dans l'ombre, pour surveiller les différentes fenêtres ; deux minutes plus tard, des lumières au troisième étage s'étaient allumées.

Le couple avait beau correspondre en tous points à ses critères de sélection, il eût sans doute rebroussé chemin s'il avait découvert qu'ils habitaient au rez-de-chaussée, ou au premier étage. Le troisième était acceptable, même s'il eût préféré encore plus haut.

Une fois l'appartement identifié, il continua d'espionner les fenêtres un long moment. Il ne distinguait rien de ce qui se passait à l'intérieur, hormis les lueurs des lampes, mais c'était justement cela qui l'intéressait. La dernière fois, il avait surpris la femme et son mari pendant leur sommeil, vers 2 heures du matin. L'effarement et la terreur qui s'étaient affichés sur leurs visages à leur réveil brutal restaient gravés dans la mémoire d'Alpha comme un moment sublime. Ce soir, il savait que le couple ne dormirait pas immédiatement… Qu'il y aurait l'étape intermédiaire.

Surgir lorsqu'ils feraient l'amour l'enivrait.

Comme prévu, dix minutes environ après leur entrée dans l'appartement, les lampes du salon s'éteignirent, puis une lumière tamisée se propagea dans ce qui paraissait être une plus petite pièce. C'était le moment. Alpha attendit que la rue soit enfin déserte, ensuite il s'approcha du mur de l'immeuble. Très vite, il trouva les premiers appuis pour se hisser, puis tous ceux qui lui étaient nécessaires afin de poursuivre son ascension. Il n'éprouvait aucune difficulté, et grimpait sans avoir besoin de magnésie. Même un immeuble de douze étages ne lui résistait pas, alors trois…

Lui qui aimait tant les cordes, sur les navires et sur les femmes, ne s'en était jamais servi pour grimper. Gamin, il ne possédait aucun matériel. Alors il se débrouillait et avait commencé à pratiquer l'escalade en solo intégral, d'abord en France puis, devenu adulte, dans des lieux reculés d'Australie, d'Amérique du Nord et du Sud. Il avait gravi des rochers de plusieurs centaines de mètres, sans assistance. Toute chute équivalait à la mort, et c'était cela aussi qui lui plaisait.

En moins d'une minute, Alpha atteignit le garde-fou du salon. Il avait choisi de ne pas entrer directement par la chambre, pour être certain qu'ils ne l'entendraient pas. Nul besoin de son tournevis, la fenêtre était laissée ouverte, comme toutes les autres par cette chaleur.

Quand il arriva devant l'embrasure de la porte de leur chambre, il aperçut le corps fluet du type sur sa femelle. Le gringalet se tortillait d'une façon ridicule entre ses cuisses et elle gémissait de plaisir, ou pour lui faire plaisir à lui. Alpha pénétra dans la pièce en faisant craquer le plancher, et l'*Oméga* tourna la tête vers lui. Il pivota alors totalement, en s'extrayant du corps de sa femelle, pris de panique et de stupeur ; et commença à pousser des cris, désordonnés et révoltés et qui se mêlaient à ceux, stridents, de sa partenaire. Nu comme un ver et vulnérable, l'Oméga adopta ce qu'il croyait être une posture de défense, et Alpha l'envoya voltiger contre l'armoire. Puis, d'un revers de la main, il l'assomma pratiquement du premier coup, sur le sol à côté du lit ; ensuite il s'acharna sur lui, à coups de poing au visage, à coups de pied sur le torse et sur les bras. La femme criait avec une puissance qui surprit Alpha, pourtant il en avait vu d'autres… D'abord courageuse, elle tenta d'intervenir pour protéger son amant, avant de revenir à la raison et d'essayer de s'enfuir. Alpha la rattrapa par la tignasse et lui asséna une gifle qui l'estourbit. Il la projeta brutalement sur le lit, approcha sa bouche de son oreille et lui expliqua que si elle s'évertuait à s'enfuir, il tuerait son compagnon devant elle puis il l'étranglerait à son tour.

Il lui ligota les mains dans le dos, en faisant un nœud de capelage. Puis il attacha également les pieds et les poignets de l'Oméga, avant de le gifler pour le faire revenir à lui et lui enjoindre de regarder ce qui allait se passer. Il ramassa le string de la femme, laissé par terre, et le lui enfonça dans la bouche en la prévenant qu'il lui fracturerait le nez si elle le recrachait. Il enroula l'un de ses bas depuis sa bouche jusque derrière sa nuque, et garda les deux extrémités dans son poing serré pour la tenir comme un cow-boy tiendrait sa monture. Il adora entendre ses gémissements étouffés tandis qu'il la prenait par-derrière, mêlés aux plaintes de l'Oméga impuissant.

Il détendit ensuite le bas ; puis il ôta le string d'entre les mâchoires de la fille, et lui passa la tête dedans pour l'enrouler autour de son cou. En coinçant un bout du tissu entre les dents de son peigne, il commença à tourner vite et fort pour garrotter sa gorge. Il serrait et desserrait, au rythme de ses envies et de ses coups de reins, en provoquant la suffocation de *cette pute* à la limite de l'asphyxie. En la sentant paniquer, se tendre et se tordre, il bandait encore plus… De temps à autre il relâchait un peu et lui laissait une goulée d'air, avant de la lui reprendre. Alors qu'elle allait s'évanouir et se tortillait dans ses derniers sursauts, il éjacula en elle, fort et sans retenir son râle.

★

Une petite cinquantaine d'euros dans le portefeuille de la fille, deux cents dans celui du garçon. Elle n'était qu'une jeune prolo venue à la ville dénicher du travail, et ne possédait rien ou pas grand-chose. Alpha s'apprêtait tout de même à fouiller le contenu d'une commode Ikea, quand du bruit provint de l'extérieur, derrière la porte d'entrée.

Quelqu'un frappait. Puis appuya sur la sonnette.

Une voix de femme, d'un âge avancé ; elle appelait « Noémie ». Elle voulait une réponse et demandait si tout allait bien, avant de sonner encore.

Alpha garda son calme, mais il s'immobilisa et ne fit plus un bruit.

— Je vais entrer ! dit-elle. J'entre avec mon mari car on a entendu des cris, crut comprendre Alpha malgré le son étouffé, avant qu'une nouvelle sonnerie ne retentisse ; celle d'un téléphone, dans l'appartement, tout près de lui.

Lorsqu'il perçut l'introduction de la clé dans la serrure, Alpha fonça jusqu'à la chambre et passa tout près des deux corps qui n'avaient pas bougé. Aussitôt, il enjamba la fenêtre, s'agrippa à la paroi puis se hissa en direction des étages supérieurs. Il grimpait vers un ciel noir et dépourvu d'étoiles, et en quelques instants il rejoignit le toit de l'immeuble et commença à se déplacer dessus comme un félin.

Il courait sans perdre l'équilibre, se mouvant de toit en toit et d'immeuble en immeuble, et laissa rapidement derrière lui la rue de son forfait.

Il était seul, sans personne à ses trousses. Comment auraient-ils pu ?

Il s'arrêta enfin et huma l'air de la ville nocturne à pleins poumons. Au loin, la tour Eiffel était entièrement vêtue d'or. Tout à coup, les vingt mille ampoules se mirent à scintiller dans la nuit noire, comme des diamants.

10

— Vous connaissez tous les adhérents, ici ?

— Oui, tous.

— Est-ce que cette tête-là vous dit quelque chose ? interrogea Théo. Un type aux cheveux bruns, longs. Grand. Près de 1,90 mètre ; ça ne passe pas inaperçu. Les yeux noirs et une assez belle gueule. Un costaud.

Après avoir examiné le document que le policier lui tendait, le gérant, un trentenaire qui se tenait derrière son comptoir, hocha négativement la tête.

— J'aimerais bien vous aider mais là… comme ça, je vois pas.

— On va vous laisser ce portrait-robot, d'accord ? Est-ce que c'est possible que vous l'affichiez derrière vous, juste là ? Et puis, n'hésitez pas à en parler avec les gens, et à leur demander si ce type leur évoque quelqu'un…

— Aucun problème, fit le gérant en saisissant son rouleau de scotch.

— Dites-moi…, intervint la Poire. Est-ce que vous avez beaucoup de licenciés assez expérimentés pour grimper, à mains nues, au quatrième étage d'un immeuble ? Je parle d'une façade pratiquement lisse, avec une fenêtre à chaque étage.

— Faut voir. Avec un bon partenaire en bas ou sur le toit et avec les cordages adéquats, on en a quelques-uns…

— Non, sans cordage et tout seul, rectifia la Poire.

— Sans cordage ? s'étonna le professionnel.

L'air dubitatif et même ahuri qu'il arborait à cet instant constituait en soi une réponse.

— Je vous remercie, conclut la Poire, avant de se tourner en direction de la salle et de faire signe à Théo de l'accompagner.

Ils visitaient le club d'escalade le plus prisé du 11e. Sur les trois murs immenses qui les entouraient, de nombreux binômes – souvent mixtes – s'exerçaient, harnachés et encordés. Les *assureurs*, en bas, veillaient sur les *grimpeurs*.

— Franchement, cette piste, c'est n'importe quoi, glissa Théo à l'intention de la Poire, tandis qu'ils observaient les gens présents.

— Pourquoi ?

— Tu penses vraiment qu'on va trouver notre gars en train de faire de l'escalade dans un club, avec sa petite copine ou son meilleur ami ? On va tous se les taper, sur Paris et la banlieue… quelle perte de temps, putain !

— Pour la banlieue, on verra… Envoyons déjà le portrait-robot un peu partout. Mais débuter avec l'arrondissement du premier viol, ça a du sens ; tout comme chercher dans un club de ce genre un type capable de grimper une façade d'immeuble comme un champion du monde, il me semble…, ajouta la Poire avant de s'approcher tout près de l'un des murs.

Il toucha pensivement l'une des prises, de couleur orange. Puis il leva la tête vers le sommet de la face murale, construite en dévers – de façon oblique. Une jeune femme se balançait élégamment dans les airs, une vingtaine de mètres au-dessus de sa tête ; et la Poire songea que hisser ses fesses jusque là-haut serait pour lui comme gravir l'Everest.

— Tu devrais te mettre à ce sport, lui conseilla Théo en observant son intérêt.

— C'est justement ce que je me disais, ironisa la Poire.

— Peut-être que ça te plairait, et ça te ferait beaucoup de bien…

— Je croyais que tu voulais me mettre à la muscu et au cardio ?

— Dans ton cas, tout est bon à prendre, lui asséna son collègue en lui tapant amicalement dans le dos. Je t'en ai pas reparlé après coup, mais… quand le *motard* a pris la fuite, t'étais complètement exsangue. Je veux pas paraître condescendant, mais le physique c'est vraiment important dans nos métiers ; je t'ai dépassé sans problème et tu m'as vu : je suis arrivé frais, opérationnel, alors que toi et moi on a le même âge…

La Poire rendit mentalement grâce à son téléphone qui s'anima soudain, le libérant du même coup de cette discussion.

C'était Euvrard, qui les sommait tous deux de rentrer au plus vite.

— Pourquoi ? s'étonna la Poire au bout du fil.

— Dans moins d'une heure, on a la visite du ministère. C'est expressément pour la brigade du viol et ça s'est décidé ce matin, à l'improviste. Il me faut tout le monde.

— Qu'est-ce qu'ils veulent ?

— Je pense que ça a un lien avec le *lézard*, et ça ne présage rien de bon, si tu veux mon avis…

— Quelqu'un de haut placé va venir ?

— Difficile de faire plus haut, *Gluck* en personne.

★

Le ministre de l'Intérieur Gabriel Gluck passa l'entrée du commissariat du 12e arrondissement à l'heure dite, escorté par sa garde rapprochée composée d'une dizaine de personnes. Énergique et pressé, il se fit aussitôt mener jusqu'aux bureaux de la brigade du viol, situés au deuxième étage. L'ensemble de l'équipe était présente et au garde-à-vous pour l'accueillir. Le ministre salua collectivement le groupe puis s'astreignit à serrer la main de chacun de ses membres, l'un après l'autre.

Le ministre Gluck était âgé de 46 ans et les médias et les satiristes soulignaient son caractère ambitieux, ainsi que son énergie inépuisable. Ses fréquentes colères étaient elles aussi notoires ; beaucoup de ses prétendus alliés politiques, plus encore que ceux des camps adverses, en avaient fait les frais. Gluck tenait à être réactif sur chaque sujet d'actualité ou de société, et comptait s'imposer à terme comme le représentant le plus pertinent de son parti pour gagner aux prochaines présidentielles.

Il entra dans le vif du sujet, sans préambule :

— J'aurais aimé que cette rencontre ne soit qu'une visite de courtoisie, mais en réalité c'est l'agression terriblement violente qui s'est déroulée dans un appartement de la rue Georges-Berger avant-hier soir qui m'amène aujourd'hui. Et qui rejoint, je crois, une autre qui a eu lieu rue de Malte ? Vous me le confirmez ?

— Il s'agit bien du même homme, lui répondit Euvrard.

— Êtes-vous sur le point de l'arrêter ? Avez-vous des éléments sérieux ?

— Eh bien, nous travaillons… Mais nous n'avons pas encore son identité.

— Est-il vrai que vous l'appelez le *lézard* ? Et qu'il passe par les fenêtres des appartements dans lesquels il s'infiltre ?

— Le *lézard* est un surnom qui a fuité, confessa Euvrard. Pour son intrusion dans les logements, c'est vrai. Il semble avoir escaladé, à mains nues, jusqu'à quatre étages…

Le ministre émit un bruit de bouche assez singulier et jeta un regard à la fois complice et ébahi à l'homme qui se trouvait à ses côtés et qui paraissait être son adjoint. Puis il s'adressa de nouveau à Euvrard :

— Bon. Qu'est-ce que vous avez sur lui ?

— Son ADN. Mais il n'est pas répertorié au FNAEG et la recherche de concordance avec des empreintes génétiques familiales n'a rien donné non plus. Il n'a aucun parent fiché en France.

— Vous avez cherché sur les fichiers étrangers ?

— Nous sommes en train de le faire, mais c'est assez compliqué hors de l'Union européenne, l'informa Euvrard.

— Mais il pourrait être étranger ? insista Gluck.

— Oui, c'est une éventualité…

— Mon cabinet vous aidera dans ce sens. Listez-moi les principaux pays qui vous intéressent, et nous contacterons nos homologues étrangers.

La Poire tiqua légèrement en entendant la proposition. Habituellement très occupé et réticent à leur offrir un quelconque soutien exceptionnel, le ministre paraissait étonnamment concerné par ce dossier, pour une raison qui lui échappait.

— Bon, et quoi d'autre ? s'impatienta le premier flic de France. Qu'est-ce que vous avez d'autre ?

— Son portrait-robot, reprit Euvrard.

Le commandant chercha un peu maladroitement sur son bureau, et trouva l'une des feuilles, qu'il tendit à Gluck. Le ministre l'examina avec attention, en même temps que ses assistants.

— La première agression s'était déroulée dans une obscurité quasi totale, poursuivit Euvrard, et la description des victimes était sommaire. Mais l'homme et la femme du deuxième couple ont bien vu le *lézard*, et l'ont décrit précisément. Tout comme les témoins d'une bagarre, qui s'est déroulée plus tôt dans la soirée dans un kebab, à côté de la place de Clichy. Tout nous laisse à penser que l'agresseur et le violeur en question ne font qu'un.

— Vous l'avez communiqué aux policiers sur le terrain ? demanda Gluck en agitant le portrait-robot.

— Il vient d'être achevé et nous sommes en train de le faire circuler un peu partout, oui…

— Je veux que chaque policier en ait une copie, dit le ministre avec autorité. Pas seulement en Île-de-France, partout !

— Bien, monsieur le ministre.

Gluck se mit à faire quelques pas devant les policiers présents, scrutant son auditoire en effectuant des gestes familiers de tous, pour les lui avoir déjà vu faire maintes fois à la télévision.

— Il ne faut pas qu'il y ait de troisième agression ! Je veux que tous les moyens soient mis en œuvre pour que vous arrêtiez ce criminel avant qu'il ne recommence.

Debout et immobile entre Marion et Théo, la Poire écoutait le ministre attentivement, à l'affût de ce qui se cachait derrière tout ça. Il évaluait l'animal politique, croisant parfois son regard, lequel passait en alternance sur les différents flics. Puis la résolution du mystère arriva :

— Il y a un fait que vous ignorez peut-être, dit le ministre, et qui m'est parvenu ce matin par un appel téléphonique de Robert Henri, le célèbre éditorialiste : le jeune homme qui se trouve à l'hôpital, gravement blessé, et qui a assisté au viol infâme de sa petite amie, est le fils de la cousine germaine de Henri… Autant vous dire que Robert Henri est tout particulièrement affecté par ce qui s'est passé, et que l'affaire retient désormais son attention la plus complète.

Le ministre les fixa tour à tour de ses yeux grands ouverts.

— Vous n'ignorez pas qu'il s'agit d'une importante figure médiatique, très influente… et qu'il est de plus extrêmement critique envers notre gouvernement puisqu'il n'est pas du même bord. L'affaire du « lézard » va très prochainement passionner toute la presse et la télévision françaises. Vos résultats seront pointés du doigt… et par là même, les miens encore plus que les vôtres. Robert Henri, ce scribouillard embusqué, m'adresse régulièrement des philippiques en me reprochant ma gestion des attentats. Il va sauter sur l'occasion, et je vois déjà ses tribunes se profiler à l'horizon : *Un violeur en série escalade les immeubles parisiens, au nez et à la barbe des policiers, alors que la France est en état d'urgence !*

Il avait déclamé sa dernière phrase de façon théâtrale, en faisant mine de lire un titre imaginaire. Puis il agita sa main, à l'intention de tous.

— Je ne veux pas d'échec !

Gluck savait passer, très vite, d'un état charmeur à celui d'un petit despote. Il fit à nouveau quelques pas en examinant sa montre, toujours nerveux et agité. Sans regarder les policiers, il revint à la charge :

— Bon, et donc, à part un ADN inutilisable et un portrait-robot, qu'est-ce que vous avez ? Rien ?

Déstabilisé, Euvrard entrouvrit la bouche, puis se ravisa. Il tourna alors la tête vers la Poire en semblant chercher une idée dans son regard ou un quelconque soutien.

— Nous avons un profil psychologique, intervint la Poire, pour l'aider.

Le ministre glissa soudain sur ses talons et se tourna face au capitaine, intéressé.

— Je vous écoute.

La Poire n'avait rien prévu et allait devoir improviser. Non qu'il n'y ait déjà réfléchi, car il avait longuement analysé le mode opératoire de l'homme qu'ils cherchaient ; cependant il s'agissait davantage d'un ressenti global que d'une étude structurée. Il s'était fait une opinion sur les grandes lignes de la personnalité du *lézard*, fondée sur ses connaissances et sur son expérience, sans avoir pour l'instant rien écrit noir sur blanc.

— Eh bien, commença-t-il, nous sommes face à un sociopathe qui a certainement fantasmé et planifié ses actes des centaines de fois depuis des années. Il a récidivé au bout de huit jours, ce qui est un rythme assez rapide. Il est possible qu'il sorte d'une période d'isolement forcé : institut psychiatrique ou autre ; nous allons chercher en ce sens. Son fantasme est très particulier, avec une mise en scène, je crois, inédite.

La Poire examina un instant son auditoire ; voyant qu'il avait l'attention de tout le monde, et particulièrement celle du ministre, il continua :

— Il est évident qu'il hait les femmes. Il aime leur infliger de la douleur, les humilier. Cette violence à leur égard est la source prédominante de son excitation sexuelle. Il les annihile, et se voit comme quelqu'un de puissant, et elles comme ses esclaves. Il n'éprouve aucune compassion pour elles et toutes doivent lui être soumises, d'où l'importance des ligatures. La façon dont il les attache, elles et leurs partenaires masculins, est très étudiée, et sans doute considère-t-il ça comme une œuvre d'art. Mais s'il les attache, en réalité, c'est pour qu'elles ne puissent pas le toucher. Et s'il les bâillonne, c'est pour qu'elles ne puissent pas lui parler : cet individu est d'après moi totalement effrayé par le contact ou la conversation avec les femmes. Et même chose, s'il les étrangle par-derrière, c'est pour ne pas affronter leur regard. Alors qu'il aime provoquer et soutenir celui du conjoint…

Le ministre continuait de l'écouter, très attentif et calme, pour une fois.

— Il a jusqu'ici opéré la nuit, on peut donc penser qu'il vit seul car il est libre de ses mouvements. Il escalade des immeubles en plein Paris, potentiellement exposé à la vue de badauds ou de voisins, ce qui laisse supposer une très grande confiance en ses capacités. Et même une forme d'arrogance, laquelle pourrait encore augmenter au fil du temps. Nous sommes face à quelqu'un de solitaire, qui a beaucoup souffert dans son enfance et exprime cette souffrance en l'infligeant à d'autres. Il châtie la communauté car il se sentait impuissant quand on lui a fait du mal, et que personne ne lui est venu en aide – même si ce processus mental est inconscient. Il ne garde probablement jamais le même emploi longtemps car il se plie difficilement à l'autorité et peine à s'entendre avec les gens. Ceux qui le côtoient ou l'ont côtoyé le trouvent bizarre et silencieux. Il les rend parfois nerveux en les fixant sans rien dire et en montrant peu d'émotions.

» Je pense qu'il est devenu accro après sa première agression, s'il s'agit effectivement de la première... Il a connu une phase de dépression quelques jours après, et le besoin de recommencer pour ressentir encore cette allégresse. Il est dépendant. Il recommencera. Pour éprouver un sentiment d'omnipotence et réduire ces femmes à néant. Les deux jeunes femmes se ressemblent et lui évoquent très certainement une autre qui l'a blessé ou humilié. Dans les affaires de viol, c'est la domination de la victime qui importe, plus que le sexe en lui-même. Le violeur cherche à inverser une situation malheureuse qu'il a connue.

— Vous pensez qu'il peut se mettre à tuer ? intervint Gluck.

— C'est une éventualité, mais on ne peut pas en être sûr. Il ne se cache pas et s'expose même à la vue des témoins qu'il laisse en vie. Peut-être cherche-t-il inconsciemment à se faire connaître, ou à se faire prendre...

— Très intéressant, commenta sincèrement le ministre. Mais cela ne nous explique pas comment le trouver.

— Il faut travailler, répondit la Poire sans se démonter. Chercher des antécédents judiciaires, dans l'escroquerie ou dans le vol, par exemple. Il a dérobé des biens à chacune des victimes, là aussi pour éprouver un sentiment d'importance, d'après moi.

— Vous êtes *profiler* ? questionna Gluck qui s'avançait vers lui, soudain charmeur.

— Techniquement, non. Mais je m'intéresse beaucoup aux études psychologiques, comme nous tous ici, déclara humblement la Poire en désignant l'ensemble de ses collègues.

— Le capitaine Anthony Rauch est très compétent dans ce domaine, intervint Euvrard. Il a beaucoup contribué aux réussites de la brigade ces dernières années, dans des affaires complexes de viols en série.

À l'énoncé de son nom, Gluck se figea quelques instants et examina la Poire avec plus d'attention.

— Rauch, vous avez dit ? demanda-t-il en le dévisageant. Avez-vous un lien de parenté avec Joseph et Louisa Rauch ?

— Ce sont mes parents, oui.

En entendant cette réponse, Gluck arbora un sourire franc et sembla se détendre.

— Vous avez une ressemblance, fit le ministre en hochant la tête ; puis la Poire crut soudain le voir tiquer quand il baissa les yeux sur le reste de son corps.

Plus sérieux, Gluck ajouta :

— Je vous présente toutes mes condoléances.

— Merci, monsieur le ministre.

— J'ai rencontré votre père à diverses reprises, lorsque j'étais ministre de l'Économie. Je connais également votre mère.

Le ministre n'avait plus d'intérêt que pour la Poire et ignorait le reste de l'assemblée. Le policier se sentait un peu comme à l'école, à la rentrée, lorsqu'un professeur identifie un élève dont il connaît les parents et se met à parler de ceux-ci devant tous les camarades de classe. Un peu de fierté jointe à de l'embarras.

— Votre papa était plus proche de mes convictions que votre mère, poursuivit Gluck en souriant. Mais bon, de nos jours, vous savez ! Les barrières n'existent plus, et constituent surtout des postures et de la mise en scène…

Le ministre avait bien cerné Louisa, *bravo !* songea la Poire. Entre bêtes médiatiques, ils savaient se renifler. Mais la Poire, qui se contentait de hocher la tête avec un sourire poli, ne voyait pas bien où cette discussion allait les mener ; et pourtant le ministre ne semblait pas pressé d'en finir.

Enfin, le premier flic de France lança une offensive :

— Votre mère est une oratrice hors pair, et vous paraissez avoir ses qualités.

— Pas vraiment, non.

— Allons, pas de fausse modestie avec moi, le corrigea le ministre d'un ton sec.

Puis il se détourna de la Poire.

En croisant les regards du commandant et de quelques dignitaires qui accompagnaient le ministre, la Poire comprit qu'il n'avait pas répondu selon les attentes. En détachant chaque mot et sur un ton péremptoire, Gluck reprit son raisonnement, comme s'il réfléchissait à voix haute :

— Je ne peux pas être mis en avant sur ce dossier, pour les raisons que j'ai évoquées plus tôt. Et je viens d'entrevoir une solution : j'ai besoin que quelqu'un d'autre l'incarne, médiatiquement. Qu'il réponde aux questions des journalistes et leur affirme que tout est mis en œuvre pour arrêter le *lézard* au plus vite. La France vit dans un climat de peur avec les attentats qui peuvent frapper à tout moment ; pas question d'ajouter une angoisse supplémentaire avec ce fou furieux. Vous savez..., pontifia-t-il, de nos jours, le *story-telling* est fondamental en termes de communication : les gens ont besoin de savoir qui prend les choses en main en temps de crise. Pas une vague administration, ni des individus en costume, mais quelqu'un sur le terrain, de qualifié et de responsable.

La Poire visualisa soudain le mot que recherchait le ministre : un *bouc émissaire*.

— Les journalistes ont sans aucun doute été mis au courant de ma venue ici et m'attendent devant votre commissariat à l'heure qu'il est. Je vais descendre et leur parler, mais ce sera pour leur présenter l'un d'entre vous, qui endossera ce rôle extrêmement précieux. Je cherche un policier posé et disert. Vous avez quelque chose d'indéniable, capitaine Rauch, et je veux que vous jouiez ce rôle, conclut Gluck en se tournant à nouveau vers lui.

— Monsieur le ministre, sauf votre respect...

— Avez-vous compris qu'il s'agit d'une désignation et nullement d'une proposition ?

La Poire l'avait compris, en effet. Durant toute son enfance, il avait fréquenté des gens de la même espèce que Gabriel Gluck. Louisa et Pierre-Yves en avaient convié régulièrement, de tous bords politiques, à leurs repas ou lors de week-ends entiers à la campagne. La Poire connaissait leur charisme extraordinaire et le pouvoir de séduction qui était le leur. Et qui contrastait avec la violence, elle aussi exceptionnelle – verbale ou stratégique – dont ils savaient user pour *tuer* leurs adversaires. Pris séparément, ces grands hommes ou femmes politiques étaient érudits et d'une vive intelligence. Et tous aussi étaient éminemment dangereux.

— Il s'agit d'une responsabilité, insista Gluck, car vous serez pointé du doigt si la situation empire. Mais c'est aussi une chance, car je sais récompenser les effectifs loyaux et professionnels.

— Il n'est pas très prudent d'apparaître à visage découvert dans nos métiers…, argua enfin la Poire d'une voix douce, jouant ici sa dernière carte.

— Vous seul serez exposé, on ne verra pas vos collègues. Et ce n'est pas comme si vous étiez infiltré, ironisa le ministre. En outre, ça ne durera que le temps que vous stoppiez ce psychopathe, il ne tient qu'à vous d'agir en conséquence pour que ce soit bref.

Le ministre s'approcha encore un peu plus du policier pour s'adresser à lui les yeux dans les yeux, avec un regard qui recelait plus d'intimidation que de réconfort.

— Si vous êtes autant passionné par votre travail ici que je pressens que vous l'êtes, alors vous saurez vous montrer à la hauteur de ce que votre ministre attend de vous.

11

— Vous allez bien ? lui demanda Déborah, d'une voix dont l'enjouement lui parut excessif. Je vous ai vu à la télévision, aujourd'hui. Vous étiez très à l'aise...

La Poire ne savait trop pourquoi il avait décroché. Pour en finir, sans doute.

— Merci. Pourquoi me téléphonez-vous, Déborah ?

Il avait opté pour un ton froid, distant, et au temps d'hésitation qu'elle prit pour lui répondre, il sentit qu'elle était déstabilisée.

— Eh bien... pour plusieurs raisons... Déjà, vous voir sur l'écran m'a donné envie de vous parler ; et je me demandais si vous aviez reçu mon texto ? Je n'ai pas eu de réponse...

— Est-ce que quelqu'un vous suit, Déborah ? Je veux dire, vous voyez un psychiatre, un psychologue ?

— Non, répondit-elle après un nouveau temps, la voix un peu éteinte.

— Pourquoi ?

— J'ai rencontré deux psys quand j'étais plus jeune. Ou plutôt, on m'a forcée à les consulter après un accident. J'ai détesté. Ils n'ont servi à rien, au contraire. Je m'en suis sortie seule.

Elle paraissait soudain irritée par la tournure de la discussion. Sa voix trahissait une amertume et sa vulnérabilité. Il aurait pu lui demander de quels problèmes il s'agissait, néanmoins il tenait désormais à instaurer une distance entre eux.

— Je comprends, reprit-il, toutefois vous êtes fragile, et une personne qualifiée dans ce domaine vous apporterait des choses que je ne peux pas vous apporter.

— Mais je n'attends rien de vous, lui précisa Déborah d'une voix quelque peu étranglée.

— Nous ne pourrons pas devenir des amis… Je ne fréquente pas les intervenants des affaires sur lesquelles je travaille, en dehors de mon métier. Et ce ne serait pas un service à vous rendre. Vous devez vous focaliser sur vos proches, et sur votre procès à venir, avec l'appui de votre avocat. Le dossier est pratiquement clos côté police.

— Je crois que vous vous méprenez gravement sur moi…

— Mais, Déborah, s'empressa-t-il d'ajouter, en tout cas merci de vous être si bien occupée de mon père lorsqu'il allait si m…

La conversation venait de s'interrompre. Elle avait raccroché. C'était mieux ainsi, se convainquait la Poire en examinant son téléphone. C'était mieux pour lui, pour son secret.

Elle pivota sur la terrasse et, malheureusement, Jérôme l'aperçut. Avec ses yeux rougis, et les larmes sur ses joues. Elle n'avait pas réussi à les contenir.

Voyant qu'il feignait de s'inquiéter, Déborah lui adressa un signe de la main pour le rassurer. Jérôme la regarda quelques instants, puis se rassit dans le canapé devant la télévision. Il commençait à avoir l'habitude que sa compagne soit à fleur de peau, et ne s'alarmait plus vraiment de la voir pleurer. Il savait que ça passerait et ne chercha pas à avoir plus de détails.

Qu'y avait-il à dire, de toute façon ? Déborah elle-même ne comprenait pas pourquoi elle avait relancé trois fois le fils de Joseph Rauch. Elle dégaina son briquet pour s'allumer une cigarette, en serrant son gilet contre elle.

Qu'elle avait été stupide ! À quoi s'attendait-elle, franchement ? Le voir hors du travail ? Qu'il discute avec elle ? Il n'en avait rien à foutre et le lui avait fait comprendre. Salement comprendre ! Quelle conne d'espérer un truc aussi simple, aussi basique, que de boire un verre avec quelqu'un.

Quelle humiliation. Comment avait-elle pu tendre ainsi le bâton pour se faire battre, manquer à ce point d'orgueil, tomber aussi bas ? Ce n'était peut-être pas la faute de ce *connard*, après tout, c'était visiblement elle qui ne comprenait plus personne et que plus personne ne comprenait. Elle perdait pied.

12

— J'ai peur d'avoir été trop sec, répondit-il à Marion de façon évasive.

Ils étaient assis dans un vaste bureau de la brigade du viol, presque un open space, avec d'autres flics qui travaillaient plus loin sans prêter attention à leur discussion. Sa collègue le rassura vivement, en lui répétant qu'il avait fait le bon choix. Elle avait spontanément pris des nouvelles de ses relations avec Déborah Joubert.

— Elle m'a raccroché au nez. Je sais pas si elle a compris ce que je lui expliquais. Je lui ai peut-être fait plus de mal que de bien…

— Crois-moi, tu as fait ce qu'il fallait, lui certifia Marion.

Elle était juste en face et rivait sur lui ses grands yeux bleus. Marion était une femme de conviction et quand elle décidait de quelque chose, peu de gens pouvaient la faire changer d'avis. Sa force de caractère et ses opinions tranchées généraient souvent des prises de bec, lorsqu'un interlocuteur lui exprimait son désaccord. La Poire avait été le témoin de colères mémorables ; mais son propre caractère posé se mariait bien avec celui de sa collègue et jamais il ne l'avait vue s'emporter véritablement contre lui.

— Pour elle, ça ne changera rien, ajouta Marion. Si on doit la convoquer et qu'elle a besoin de nous voir, je serai là. Tu n'auras plus à t'en occuper.

La Poire n'était pas vraiment dupe. Ni personne à la brigade ; tout le monde constatait à quel point Marion était possessive à son égard. Pourtant, comme l'aurait dit sa mère, il n'y avait vraiment aucune raison… mais dans sa situation actuelle ça l'arrangeait, et au fond il aimait beaucoup ça.

La Poire s'apprêtait à clore le sujet lorsque le planton du commissariat pénétra dans leur bureau, légèrement haletant après avoir grimpé les marches quatre à quatre.

— Capitaine Rauch…, dit le sous-brigadier avant de marquer un temps ; ses yeux grands ouverts lui donnaient un air éberlué, il avait visiblement vu quelque chose d'épatant. Il y a quelqu'un, à l'accueil, qui aimerait vous voir… Gilbert Poupon…

— Gilbert Poupon ? répéta la Poire, surpris.

— Oui… le vrai, crut bon de préciser le planton.

Interloqué, la Poire réfléchit quelques instants.

— On a une affaire avec lui ? lui demanda Marion.

— Non, mais je le connais… personnellement.

— Tu connais Gilbert Poupon ? s'étonna la jeune femme, avant de s'exclamer, amusée : T'es vraiment pas de notre monde !

Gilbert Poupon était l'un des animateurs les plus emblématiques du petit écran, à égalité sans doute avec Michel Drucker. Élu moult fois *personnalité préférée des Français* et inscrit dans la mémoire collective, l'homme de télévision avait des décennies de carrière derrière lui et ne comptait pas s'arrêter là. À 70 ans, il dominait encore le PAF.

— Je l'adore, moi, je regardais son émission tous les jours quand j'étais ado ! s'écria encore Marion. Allez vas-y, descends, c'est Gilbert Poupon quand même, tu vas pas le faire attendre !

— Il se pointe sans prévenir, en même temps, tempéra la Poire, avant de se tourner vers le planton : Il vous a dit ce qu'il veut ?

— Non, il a poliment demandé si vous étiez disponible pour le voir. Il vous attend en bas.

— Bon, eh bien… si tu es tellement folle de lui, dit-il à sa collègue en se levant, je crois qu'il est temps de le rencontrer !

Sans se faire prier et avec un sourire d'enfant, Marion bondit aussitôt de son siège.

— Oh là, qu'est-ce que tu as changé ! s'exclama Poupon en embrassant la Poire, avant de l'agripper par les épaules et de le considérer avec affection. Toutes ces années, tu te rends compte… Depuis combien de temps on ne s'est pas vus ?

— Vingt ans peut-être, réfléchit la Poire.

— Eh oui, fit l'animateur sans le lâcher. Si tu savais ce que ça fait de revoir des gens qu'on a connus tout jeunes, une fois qu'ils sont devenus de grands gaillards comme toi…

— Je te présente ma collègue Marion, lui dit la Poire afin d'inclure son amie dans la discussion et de détourner un peu l'attention de lui. Elle t'adore ; elle est absolument fan de tes émissions.

— Mais je suis ravi de vous rencontrer, chère Marion, embraya immédiatement le septuagénaire en se tournant vers la jeune femme et en la gratifiant d'un sourire étincelant.

Il était encore très beau pour son âge et dégageait ce magnétisme propre aux grands hommes à femmes.

— J'aimerais vous inviter tous les deux à boire un verre quelque part à l'extérieur, c'est possible ?

— Là, tout de suite, c'est compliqué pour nous de partir, grimaça la Poire. Mais on peut se trouver un coin tranquille ici, on a ce qu'il faut, qu'est-ce qui te ferait plaisir ?

— Non, ne te dérange pas mon garçon. Je ne reste pas longtemps, je vais te dire tout de suite l'objet de ma visite.

Puis il entreprit d'expliquer, en accompagnant ses paroles de gestes amples :

— Écoute. J'ai téléphoné à ta mère pour obtenir ton numéro. Elle m'a dit : « Si tu as quelque chose à demander à Anthony, ne l'appelle pas, va directement le voir sur place. » Pourquoi elle a dit ça, je n'en sais rien, précisa-t-il avec un sourire complice, mais tu me connais, si Louisa me dit quelque chose, je l'écoute ! Alors me voilà, et excuse-moi de débarquer à l'improviste !

— Tu ne me déranges pas du tout, lui assura la Poire.

— Vous dites aimer mes émissions, chère mademoiselle, dit Poupon en s'adressant à Marion, cette fois. Eh bien, figurez-vous que le service public m'en confie une nouvelle en cette rentrée. C'est… un programme qui mêle le judiciaire avec les grands sujets de société actuels. Mon grand…, fit-il en se tournant cette fois vers la Poire et en le pointant du doigt avec bienveillance, je t'ai vu à la télévision l'autre jour, sur la chaîne info. Tu étais très bon. Tu m'as fait penser à ta mère…

La Poire choisit de le prendre comme un compliment.

— Et il y a une autre personne qui t'a en haute estime, tu sais ? Le ministre Gluck, lui-même. J'ai eu l'occasion de discuter avec lui, au sujet de l'émission que je prépare. Et il m'a vivement suggéré de te faire intervenir sur le plateau, dans le débat qui va suivre la diffusion du reportage. Il ignorait que je t'avais bien connu enfant, et je le lui ai appris !

Sentant un nouveau piège se refermer sur lui, la Poire entreprit de lui révéler, sur le ton de la confidence :

— Tu sais… le ministre m'a instrumentalisé, uniquement pour se couvrir.

— N'empêche qu'il te met en avant ! s'exclama Poupon en se tapant sur la cuisse, presque comme s'il s'emportait. C'est une chance pour toi…

— Je n'ai rien demandé…

— Écoute, ta mère m'avait un peu prévenu…, dit-il en grimaçant, comme s'il venait soudain de comprendre. Mais si tu veux tout savoir, Gluck a fait plus que simplement suggérer ta présence. Il la souhaite fortement. Alors, je vois mal comment tu pourrais refuser ! commenta Poupon avec une pointe d'agacement. Le débat portera sur les grands psychopathes et les violeurs en série… Sur la perpétuité, ou leur éventuelle réhabilitation… tous ces sujets qui sont passionnants au demeurant et qui te concernent…

La Poire hocha la tête avec une moue.

— C'est ton domaine ! insista encore l'animateur vedette. Alors, oui, le ministre cherche à mettre certains grands flics en avant, sans doute pour se faire mousser ou pour servir de fusible médiatique en cas d'échec… Mais je pense que tu n'as pas grand-chose à perdre. Et potentiellement, au contraire, des choses à gagner ; ou à négocier. Fais donc ce qu'il attend de toi…

Mis au pied du mur, la Poire fit tout de même mine de réfléchir. Puis il croisa le regard de Marion et, sans enthousiasme, il acquiesça :

— D'accord.

Bienveillant, Gilbert Poupon lui serra à nouveau les épaules.

— C'est mon émission, il ne t'arrivera rien, dit-il avec enthousiasme. On va même s'amuser, tu verras !

Puis il se mit à rire, plus détendu, et désigna l'endroit autour de lui.

— Tu sais que j'ignorais ce que tu faisais avant de te voir à la télé ? Ta mère s'était faite très mystérieuse à ton sujet, je ne sais pas pourquoi, s'interrogea-t-il avec franchise.

— Elle n'a jamais beaucoup aimé les flics.

Gilbert Poupon ricana puis se tourna à nouveau vers Marion, en l'observant avec gourmandise.

— Chère mademoiselle, figurez-vous que je ne sais pas pourquoi mais j'ai la réelle impression de vous connaître. Pourtant, je fréquente assez peu de jeunes policières.

Marion lui rendit son sourire, charmée et un peu impressionnée.

— Vraiment, insista l'animateur. Nous sommes-nous déjà rencontrés ? Ou bien êtes-vous *connue*, dans votre profession ?

Marion hésita. La Poire vit qu'elle se retenait de lui répondre franchement, qu'elle n'en était pas loin, tout en restant sur ses gardes ; elle dissimulait son appréhension derrière un sourire.

— En fait, dit-elle, j'ai été au centre d'une affaire très médiatisée…

— Oui ? Dites-moi…, l'encouragea Poupon.

— L'affaire Mesny. La disparition de Sophie Mesny, ça vous rappelle quelque chose ?

— Oui ? Bien sûr, dit-il après s'être souvenu. Mais, ça remonte à… je ne sais plus exactement…

Marion, petite face à lui, le regardait sans ciller et hésitait à poursuivre :

— Je suis Sophie Mesny.

L'animateur se mit à l'observer avec une attention encore accrue ; jusqu'à la dévisager. Sa perpétuelle décontraction s'était évanouie, et il chercha soudain ses mots.

— Vous êtes la petite Sophie ?

— Marion est mon deuxième prénom et je l'utilise maintenant pour la vie courante.

— Je vois…

Poupon paraissait effaré et un peu embarrassé. Marion, elle, avait l'habitude de ce genre de réaction.

— Votre visage passait dans mes émissions, j'ai fait des appels, je m'en souviens bien, dit l'animateur. Beaucoup de gens s'étaient mobilisés…

Gilbert Poupon paraissait ne pas en revenir.

— J'ignorais que vous étiez devenue policière…

— J'ai besoin de discrétion dans mon métier et je refuse les interviews. De toute façon, les gens n'en parlent plus beaucoup, ça fait vraiment longtemps.

Il dévisagea les deux policiers tour à tour, avec perplexité. Elle, surtout, avant de répéter, songeur :

— Vous êtes la petite Sophie… Mon Dieu.

MARION

À cette époque, probablement pas un Français n'ignorait le visage de *Sophie Mesny.* La pression médiatique avait été énorme.

Pourquoi cette affaire et pas une autre ? Après tout, des mineurs disparaissent régulièrement, et certaines des enquêtes sont tout juste relayées. Peut-être les 12 ans de la victime constituaient-ils une partie de l'explication ; accentués par le fait que *Marion* avait toujours paru plus jeune, quel que fût son âge. Ses parents avaient su attirer l'attention et choisi une photo marquante du visage de leur fille avec ses grands yeux bleus, qui ne laissait personne indifférent…

Avec une actualité plus chargée, sans doute les médias seraient-ils aussi rapidement passés à autre chose, mais les planètes étaient alignées et l'audiovisuel et la presse écrite avaient suivi. Les marques et les grandes enseignes également ; pendant plus d'un mois, pas une bouteille de lait n'avait été vendue sans qu'apparaissent sur l'étiquette le visage et le nom de Sophie Mesny. Dans les métros, le même avis de recherche s'affichait en géant.

Tout le monde la connaissait. Beaucoup la croyaient morte, et furent surpris quand elle réapparut.

Deux décennies plus tard, la jeune génération ne savait pas qui elle était et ceux qui avaient connu cette période l'avaient pratiquement oubliée ; partiellement, tout du moins. Elle n'était pas enfouie bien loin dans leur mémoire. Un peu comme certains candidats de télé-réalité, très populaires un temps et dont on oublie le nom et l'existence, mais dont le visage évoque quelque chose d'abstrait quand on le revoit, sans que l'on parvienne immédiatement à se souvenir pourquoi. Pour Marion, c'était un peu pareil, sauf que la compassion des gens à son égard était beaucoup plus grande. En outre, contrairement à ces vedettes éphémères, Marion avait vécu ce phénomène d'oubli avec un soulagement immense.

Il était 17 h 08 et il faisait presque nuit, en cette fin novembre. Marion venait de dire au revoir à son amie Flore sur le seuil de sa maison, puis elle partit faire toute seule les deux cents derniers mètres qui la séparaient de chez elle.

C'était la première année où elle avait le droit de rentrer de l'école le soir sans être accompagnée par ses parents. Elle avait beaucoup insisté auprès d'eux pour qu'ils lui donnent la permission ; elle se sentait prête. D'abord réticents, son père et sa mère avaient fini par accepter. Avant tout parce que cela éviterait à leur fille les longues heures d'étude, lorsque les cours du collège se terminaient avant 18 heures. Sa mère avait récemment repris le travail depuis que le petit frère de Marion, âgé de 3 ans, était lui aussi scolarisé. Elle ne pouvait pas finir avant 18 heures et son père, quant à lui, rentrait rarement avant le moment de passer à table.

Tous deux avaient aussi accepté parce que ça amusait beaucoup Marion, et qu'elle était une jeune fille responsable. Elle devait effectuer les deux tiers du trajet en compagnie de sa camarade, et la dernière partie seule, mais dans sa rue. À cette époque, Marion habitait loin de Paris, à Péronnas, une petite ville dans l'Ain où aucun de leurs voisins n'ignorait qui elle était.

Elle avançait à son rythme, la tête un peu dans les épaules, coincée dans son gros anorak violet en portant son cartable très lourd, quand une voiture ralentit derrière elle et s'arrêta à son niveau.

Le carreau s'abaissa et le conducteur – un homme ni beau ni laid, un peu maigre et dont la majorité des cheveux, à 35 ans environ, avait précocement disparu – s'adressa à elle, d'une voix douce et la plus sincère qu'il pût prendre :

— Bonjour, j'ai besoin de ton aide, tu peux me renseigner s'il te plaît ?

Marion se tourna vers lui, pour l'écouter.

— Je suis un papa divorcé ; ma fille est dans une école pas loin d'ici. Je suis très en retard, je dois absolument aller la chercher mais je sais pas où c'est…

Marion réfléchit un instant, puis demanda :

— Le collège Alexandre-Dumas ?

Comme tous les enfants, Marion avait reçu pour consigne de ne pas adresser la parole aux inconnus. Mais il est très difficile de ne pas répondre à un adulte courtois qui pose une question en apparence légitime, car la politesse envers les adultes est une consigne également enseignée aux enfants.

— Alexandre-Dumas, oui, répondit le menteur, profitant de la perche tendue. Est-ce que tu sais où c'est ?

Marion pointa le bras en arrière, pour lui indiquer la direction.

— Vous faites demi-tour, ensuite vous tournez sur la droite…

— Oh là là ! Je suis pas du tout d'ici, l'interrompit l'homme. J'ai vraiment peur de me perdre, le mieux serait que tu montes avec moi et que tu me guides. Je te promets de te ramener chez toi ensuite…

Marion hésita. L'homme était pressé et regardait sa montre. Il paraissait inquiet et tournait souvent la tête, comme pour surveiller quelque chose. La rue était déserte à cette heure-ci, et presque un peu brumeuse. Une rue toute droite, bordée de maisons avec jardins, protégés par des grilles et des haies bien taillées.

— Il faut faire vite, ma fille m'attend. Allez monte, la pressa-t-il avec un peu plus d'autorité. Il faut que tu viennes, j'ai besoin de toi.

Le moteur continuait de tourner. Un peu d'air chaud s'évaporait par son carreau ouvert. Marion examina l'intérieur du véhicule : un arbre désodorisant à la vanille pendait au rétroviseur ; une sacoche, un plan et de la paperasse étaient épars sur le siège passager.

— Allez dépêche-toi, insista l'homme encore une fois.

— J'ai pas le droit de monter avec des inconnus.

— Mais je te ramène ensuite, je te le promets ! Je crois même que je connais tes parents, fit-il mine de réfléchir, sous-estimant l'intelligence de la pré-adolescente qu'était Marion. Ils seraient d'accord.

— Je suis désolée, j'ai pas le droit. Je dois rentrer.

Alors qu'elle se retournait pour partir, l'homme la pria d'attendre pour qu'elle lui confirme l'emplacement de l'école sur sa carte routière, et il sortit du véhicule avec son plan.

À cet instant, seul s'enfuir en courant aurait pu permettre à Marion de s'en sortir, mais elle avait encore des doutes. Arrivé à son niveau, l'homme lui saisit la nuque et sortit un couteau devant son visage.

— Si tu cries, je te tue avec.

Puis il entraîna la gamine jusqu'à la voiture, ouvrit la portière arrière et la poussa à l'intérieur. Il regarda vivement autour de lui, se remit au volant et déclencha le verrouillage de sécurité enfant. Puis il roula, avec Marion bloquée derrière, et s'éloigna de la rue.

Il lui cria de s'allonger sur la banquette arrière, en chien de fusil, et de ne surtout pas se redresser. L'homme se retournait régulièrement au début, pour aboyer ses ordres. Puis il se tut.

Marion peinait à contenir ses sanglots, et s'efforçait de les étouffer. Elle savait que quelque chose de terrible allait se passer. Malgré son jeune âge, elle se voyait morte. Pourquoi ferait-il ça, sinon ? Ou bien, peut-être, pour demander une rançon à ses parents ?

Elle n'avait pas été assez prudente.

Les feux rouges et les virages pullulaient dans la région autour de chez elle ; puis la voiture accéléra notablement. Marion sentait les kilomètres défiler sous eux, avec angoisse. Elle comprit qu'il empruntait l'autoroute.

L'imbécile avait négligé de faire le plein.

Bien sûr, à 12 ans, l'esprit de Marion n'avait pas formulé la chose de cette façon. Mais avec le recul, cette pauvreté de préparatifs et cette médiocrité d'exécution lui apparaissaient plus rageantes encore.

Il s'était tranquillement arrêté sur une aire d'autoroute, à la station-service. Puis était descendu remplir son réservoir à essence, avec la gosse enlevée à l'arrière.

La suite de ce passage à la station-service – très court, pourtant – allait marquer Marion pour toute sa vie, comme un fatal acte manqué ; une terrible occasion perdue. Peut-être autant que les viols, que la séquestration, que le manque de ses parents et la peur de mourir, ce moment la marquerait car il aurait pu lui permettre d'éviter tout le reste. Elle en prit conscience très vite, et cette certitude ne fit que croître avec les années et son âge avançant. Et jamais, depuis, elle n'avait réussi à se le pardonner.

Sans doute avait-il hésité, lui aussi : valait-il mieux laisser la fille dans la voiture pour aller payer à la caisse ? Avec le risque qu'elle fasse un esclandre, quand il aurait le dos tourné ? Ou bien l'emmener avec lui et, forcément, l'exposer à la vue de quelques personnes ?

Il opta pour la deuxième option. Ouvrit vivement la portière et s'adressa à la gamine, son visage à quelques centimètres du sien :

— Tu m'accompagnes… Et si tu parles à quelqu'un ou si t'appelles à l'aide, je plante mon couteau dans ton cœur et j'irai tuer chacun des membres de ta famille.

Risquer de mourir n'était pas ce qui lui faisait le plus peur. Elle le crut, quand il lui dit qu'il irait tuer sa mère, son père et son petit frère. Qu'est-ce qui l'en empêcherait, après tout ?

Elle trotta à ses côtés ; il écrasait sa main dans la sienne. Beaucoup de voitures et de piétons les entouraient. Ils firent la queue derrière un homme qui attendait, devant la cabine préfabriquée où l'on encaissait la consommation d'essence. Quand ce fut leur tour, la dame derrière son guichet croisa le regard de Marion et lui sourit. La fillette devait pourtant avoir une drôle de tête, à ce moment-là ; le visage rougi et les larmes séchées un peu partout. La dame ne la regarda plus ensuite, occupée à compter les espèces.

Marion n'avait rien tenté. Ni de crier ni de s'enfuir quand ce salaud avait lâché sa petite main quelques instants pour compter son argent puis pour récupérer la monnaie. Pas osé. Pétrifiée. Pas assez grande, pas encore assez courageuse. Elle courait déjà vite – si elle s'était enfuie, elle l'aurait sûrement semé. Il aurait pris peur en la voyant rejoindre la station-service et donner l'alerte. Vingt ans après, avec son expérience de capitaine de police, elle le savait.

Une unique occasion, qui ne se représenterait plus. Que se serait-il passé si elle l'avait saisie ? À quel point sa vie aurait-elle été différente si elle avait évité la suite ? *Si... Si...*, ces questions continuaient de frapper son crâne, vingt ans après, comme une mouche cogne des centaines de fois la même vitre sans trouver d'issue.

Fuir. *Fuir !* Elle aurait dû fuir, mais elle n'avait pas réussi.

★

Elle découvrirait plus tard qu'il habitait Mâcon. Qu'il était vaguement vendeur et que le jour de son enlèvement, il était à Péronnas pour rencontrer un client. Elle apprendrait que son vrai nom était Loïc Pazanne. Pendant toute sa captivité, elle l'avait appelé *Monsieur*, comme il lui avait ordonné de le faire.

Loïc Pazanne n'était pas marié et habitait dans une petite maison héritée de son père, décédé peu de temps avant. Pendant les mois qui avaient suivi sa résolution d'enlever une petite fille, il avait équipé la cave pour en faire une geôle susceptible d'accueillir une enfant en toute discrétion. Le mobilier était sommaire : un matelas au sol et une table en guise de bureau, pour que l'enfant puisse dessiner ou écrire. Pazanne avait disposé tout un tas de BD, de peluches sans âge, et installé deux lampes. L'essentiel de la transformation de la pièce avait consisté en la pose d'une mousse acoustique pour tout insonoriser, ainsi que la condamnation du soupirail et l'installation d'un système d'aération.

L'endroit était humide. L'air y était malsain. Elle détestait quand Pazanne s'absentait toute une journée ; non qu'elle appréciât sa compagnie, mais en sa présence il l'autorisait régulièrement à l'accompagner à l'étage et à regarder des films avec lui à la télévision. Jamais des programmes en direct, toujours des vidéos enregistrées. Il en avait des tas.

Il l'avait informée qu'il avait pris des jours de congé pour rester le plus possible auprès d'elle, du moins les premiers temps. Pour profiter de sa présence.

Matériellement, elle ne manquait pas de grand-chose. Marion n'avait pas vraiment faim, même si sa nourriture était essentiellement à base de gâteaux en sachets. Elle n'avait pas soif ; régulièrement, il lui offrait des jus de fruits.

La torture était davantage psychologique. L'ennui, la peur. Comme tous les salopards de son espèce, il lui avait raconté que ses parents ne la recherchaient pas. Elle ne le croyait pas, au début, puis elle s'était mise à douter. Rien ne se passait, après tout… Elle n'imaginait pas tout le ramdam médiatique à l'extérieur.

Loïc Pazanne n'était pas un sadique total et définitif, comme certains psychopathes auxquels Marion serait confrontée plus tard dans sa carrière. En ce sens que la douleur physique, l'anéantissement de Marion ne l'intéressaient pas. Il aimait l'asservir, mais il prenait soin d'assurer sa subsistance.

Il n'en était pas moins pervers, à bien des niveaux. Égoïste, débordé par ses fantasmes. Pédophile.

Elle avait aujourd'hui oublié beaucoup de ses assauts sexuels. Il y en avait eu chaque jour. Ils se confondaient dans sa mémoire, en des flashs diffus, plus ou moins nets. Des bribes lui revenaient parfois, autant en sensations qu'en images, poisseuses et dégueulasses.

Il avait voulu l'éduquer, la dresser comme un petit animal obéissant à chaque ordre sans pleurer, sans rechigner. Elle s'était vite arrêtée de pleurer en effet, surtout envahie par le dégoût. Elle le laissait faire ce qu'il voulait parce qu'elle n'avait pas le choix. Parce qu'elle voulait la paix, vite, et retourner dessiner, lire ou voir des films. Il lui avait tout fait, assouvi tous ses fantasmes avec son petit corps, reproduit toutes les positions immondes des films porno qu'il lui montrait. Elle qui n'avait jamais vu de pénis en érection, auparavant…

Il lui avait pris sa première fois. Ses premières fois, sur tout.

Sur les baisers, profonds, qui lui donnaient envie de vomir. C'était la chose la plus difficile pour elle. Il l'embrassait tout le temps, avec sa langue répugnante qui recherchait la sienne. Il la traitait comme si elle était sa petite amie. Elle avait envie de lui hurler qu'elle n'était pas sa copine, qu'elle avait l'âge d'être sa fille et qu'il arrête, ce *taré* !

L'autre chose qu'elle détestait le plus, c'étaient les douches qu'il lui imposait en même temps que lui. En s'attardant sur les endroits qui l'intéressaient tout particulièrement, bien entendu. Il débutait la séance comme un bon père de famille, et terminait en vieux libidineux. Elle avait eu ses premières règles quelques mois avant, et il allait jusqu'à raser les quelques poils qui apparaissaient sur son pubis. À l'époque, sans y mettre de mots, elle avait ressenti au fond d'elle-même ce geste comme une annihilation totale de sa féminité, et une négation de sa qualité de personne humaine.

Lorsqu'elle tomba malade, il la soigna, d'abord comme il pouvait. Mal.

Il lui administra quelques médicaments approximatifs ; pensant au début à un banal gros rhume, ou à une bronchite.

La gosse était épuisée, sujette à des sueurs et à une toux sévère. Sa température atteignit rapidement les 40 °C, sans redescendre. Les antibiotiques qu'il avait en réserve ne semblaient faire aucun effet.

S'il n'identifiait pas ce qui arrivait, Pazanne comprit vite que l'air humide de la cache ainsi qu'un déficit immunitaire avaient eu raison de sa santé. Il installa la petite à l'étage et entreprit d'acheter plus de féculents, de légumes, de viande, et de cuisiner pour elle. Mais elle ne voulait rien avaler ni même boire.

Il ouvrit davantage les volets et les fenêtres pour l'exposer à l'air pur et à la lumière du jour, elle qui était si pâle. Mais elle ne s'en rendait même plus compte et rien n'y faisait, il était trop tard.

Il songea à une pneumonie, et sur ce point il avait raison.

Il comprit que s'il la laissait sans soins, elle mourrait.

Personne ne saura jamais quel fut le cheminement de réflexion sincère de Loïc Pazanne. À quel point il hésita entre la sauver – quitte à s'exposer – ou la laisser mourir, et faire disparaître son corps.

Deux choses sont sûres : il savait que son *jouet sexuel* était cassé, et il gardait l'espoir de s'en tirer, quelle que fût l'option qu'il choisît. Aux enquêteurs, il affirma ensuite n'avoir jamais voulu la tuer et avoir fait tout son possible pour la sauver. Et avoir, dès le début, prévu de la relâcher rapidement, quoi qu'il arrive.

Peut-être. Ou bien était-il envisageable qu'il ait prévu à l'origine de la garder chez lui pendant des années ? On peut aussi s'interroger sur sa capacité à se débarrasser d'un corps… Comment faire ? Il avait sans doute eu peur.

Quoi qu'il en soit, Pazanne avoua également aux enquêteurs avoir eu conscience que la mort de l'enfant aurait été jugée plus gravement que la séquestration et les viols, et aurait pu lui coûter la perpétuité. Sur ce point aussi, il avait raison.

Le vingt-huitième soir de la captivité de Marion – qui coïncidait avec le soir de Noël –, la Renault Laguna blanche de Loïc Pazanne se gara dans une rue adjacente à la clinique Convert, dans la ville de Bourg-en-Bresse. L'homme avait choisi un endroit pratique et très proche du lieu où il avait enlevé la petite fille, afin d'égarer les soupçons.

Le corps de la fillette dans ses bras et serré fort contre lui, il effectua à pied la centaine de mètres qui le séparaient du bâtiment, en veillant à croiser le moins de monde possible. Il avançait sur un parking faiblement éclairé par les lumières de quelques lampadaires, slalomant entre les voitures stationnées, feignant d'attendre lorsque quelqu'un n'était pas loin… Désormais proche de l'entrée, Pazanne ralentit quelques instants pour s'assurer que la voie était bien libre. Quand ce fut le cas, il pressa le pas et déposa le corps de Marion sur le sol, juste devant une porte, puis il fit demi-tour au même rythme.

Les aides-soignantes qui la prirent en charge ne reconnurent pas tout de suite l'enfant. L'avis de recherche était pourtant connu de tous, mais la photo de la jeune fille souriante aux grands yeux bleus n'avait plus grand-chose à voir avec l'être malingre, à la peau diaphane et aux cheveux collés par la sueur, qu'ils découvrirent vingt-huit jours après la disparition médiatisée.

— Comment tu t'appelles ? Quel est ton nom ? insista une infirmière, une fois qu'elle fut alitée.

— Sophie Mesny.

Les médecins diagnostiquèrent une pneumonie infectieuse. De puissants antibiotiques la délivrèrent de son pneumocoque. Elle n'aurait plus tenu longtemps, enfermée chez Pazanne.

En la retrouvant, ses parents lui offrirent le jeu qu'ils lui avaient acheté quelques jours plus tôt, sans être évidemment certains que leur fille serait de retour pour Noël. Quant à eux, retrouver Marion représenta, et de loin, le plus beau cadeau qu'ils aient reçu de leur existence.

Après sa rémission, pour son retour chez elle, une fête fut organisée avec les voisins et tous ceux qui s'étaient mobilisés pour les recherches. La démarche était sincère et compréhensible : tous ces gens étaient si heureux de la revoir vivante, tellement soulagés. Mais Marion se sentit oppressée en découvrant tant de monde dans son jardin, elle qui avait passé près d'un mois enfermée puis plusieurs jours à la clinique.

Elle souriait, car elle avait déjà bien trop pleuré. Elle voulait vivre, désormais. Mais le contraste entre sa captivité et cette fête, ainsi que tous ces inconnus qui s'adressaient à elle et qui essayaient même de la toucher, était trop grand. Trop étrange.

Les fêtes de Noël s'achevant, ses parents lui offrirent le choix entre reprendre les cours à la rentrée ou rester chez elle le temps qu'elle désirerait. Et même, jusqu'aux prochaines vacances de Pâques. Marion choisit de retourner au collège, pour rattraper ses cours et revoir des enfants. Ne pas accentuer sa différence.

Alors qu'elle avait été laissée libre, parfois précocement à la naissance de son petit frère, ses parents insistèrent ensuite pour constamment savoir où elle était. Si elle se plia sans rien dire à leur discipline bienveillante au début, elle fut en constante rébellion contre leur autorité toutes les années qui suivirent. Elle voulait vivre, sortir, voir ses amis. Ne pas avoir tout le temps des comptes à rendre. Elle se sentait plus mature que les autres pour son âge, avec ce qu'elle avait vécu.

Ses parents l'autorisèrent à expérimenter divers arts martiaux et elle se réfugia dans leur pratique intense. Elle s'épanouissait dans les dojos, elle ne pensait à rien d'autre. Se défouler, contrôler son agressivité. Devenir forte, ne pas rester une proie facile, se sentir mieux. Même la douleur physique, quand elle survenait, lui faisait du bien.

Elle n'avait aucune aspiration à devenir une championne mondiale ni une grande sportive. Son rêve – celui qui mûrissait lentement mais sûrement en elle pendant toutes ses années d'adolescence – était de devenir *flic*.

Tant de fois on lui avait affirmé « Je te comprends », alors que personne ne le pouvait à moins d'avoir vécu la même chose. Elle voulait aider d'autres femmes, qui subissaient ou qui avaient subi les mêmes outrages. Elle avait le choix entre devenir psy et réparer les dégâts après coup, ou devenir policière et agir en amont, traquer les prédateurs sexuels. Et elle choisit de consacrer sa vie à débusquer ces salauds.

★

Le procès de Loïc Pazanne ne lui apporta que peu de réconfort. Au fil de sa carrière, elle découvrirait qu'il en était de même pour énormément de victimes lors des procès de ce type de monstres. Soit ils restaient muets dans leur box pendant la durée des audiences, soit ils fournissaient des excuses peu ou pas sincères, et de toute façon inacceptables. Il en était même qui avaient l'arrogance, malgré la présence du président et des gendarmes, d'oser adresser un clin d'œil à leur victime.

Loïc Pazanne n'avait pas fait de clin d'œil, il avait même baissé les yeux. Seul moment de véritable revanche pour Marion. Pour le reste, elle s'était contentée de témoigner face à la cour, puis d'écouter la pathétique défense de Pazanne. Il reconnaissait ses torts mais cherchait des circonstances atténuantes en clamant avoir sauvé l'enfant, avoir tout fait pour tenter de la guérir avant de la conduire à l'hôpital.

Il promettait de suivre un traitement pour se soigner ; il irait mieux, il ne voulait plus faire de mal. Au fond d'elle-même, Marion savait qu'il était incurable et qu'il recommencerait si on lui en laissait l'occasion. Ses fantasmes répugnants ne disparaîtraient pas comme ça.

Il avait été appréhendé par la police le 7 janvier, deux semaines après la libération de Marion. L'épisode de l'hôpital n'avait rien à y voir, les enquêteurs l'auraient de toute façon trouvé. Le seul indice sérieux qu'avait pu leur fournir Marion était l'arrêt dans la station-service, mais les bandes vidéo avaient été effacées depuis. Pour le reste, elle ignorait tout, jusqu'à l'endroit où Pazanne l'avait séquestrée.

La police détenait cependant depuis le début un témoignage, resté secret ; celui d'un voisin des parents de Marion, qui avait aperçu une Laguna blanche qui rôdait. L'enlèvement en lui-même n'avait pas été vu et ce témoignage se fondait parmi une multitude d'autres, moins fiables. Toutefois la piste était suivie et tous les conducteurs d'une Laguna blanche dans les environs de Péronnas furent entendus par les enquêteurs dans une logique d'élargissement du cercle.

Marion elle-même s'était trompée sur le modèle, évoquant bien une voiture blanche mais plutôt de type Mégane. Les policiers joignirent ce modèle à leurs recherches, sans pourtant mettre le premier de côté.

Quand ils s'intéressèrent aux environs de Mâcon et que le tour de Loïc Pazanne arriva, ils examinèrent de près son passé judiciaire : l'homme avait déjà été condamné à du sursis bien des années plus tôt, pour attouchements sexuels sur une mineure.

La cache fut rapidement trouvée. L'identification visuelle de Marion acheva de le confondre, mais même sans cela, il n'aurait pu échapper longtemps aux enquêteurs.

Pour la séquestration et les viols répétés avec circonstances aggravantes – car sur une mineure de moins de 15 ans –, Pazanne encourait une peine de vingt ans et en prit dix-huit, pour avoir choisi de la mener à l'hôpital quand elle allait mourir.

De ses dix-huit ans de réclusion, il n'en fit que douze. Rien d'anormal dans le système classique des remises de peine en France, pour un détenu qui ne fit jamais parler de lui durant tout le temps de son incarcération et qui travailla même, contribuant ainsi au remboursement de sa partie civile. Autre témoignage de sa bonne volonté : il acceptait de se soumettre à un suivi médico-psychologique.

Loïc Pazanne effectua donc les deux tiers de sa peine, puis sortit de prison, alors que Marion entamait sa vingt-cinquième année et qu'elle était déjà entrée dans la police. Son avocat l'avait prévenue que les choses se dérouleraient de cette façon. Alors elle s'y était préparée. Pas seulement psychologiquement ; physiquement, professionnellement. Elle voulait être prête et avait planifié son action. Si la justice acceptait de relâcher ce monstre, elle refusait qu'une seule autre fillette devienne à nouveau sa victime.

Encore bien ancré dans la mémoire collective mâconnaise et même dans la Bourgogne ou la région Rhône-Alpes, Loïc Pazanne décida avec sagesse, peu après sa libération, de migrer à Strasbourg, où il put plus aisément se refaire une virginité. Il arborait désormais un bouc et avait rasé ce qui lui restait de cheveux. Grâce aux actions de ses avocats, peu d'images de lui avaient filtré lors de son procès et toutes étaient éloignées de son visage actuel.

Marion avait de sa propre initiative averti les policiers strasbourgeois qu'un dangereux prédateur sexuel avait élu domicile dans leur secteur. Elle scrutait les faits divers ; interrogeait régulièrement ses confrères sur place pour s'assurer qu'aucune disparition inquiétante n'avait eu lieu. Mais il ne se passait rien, alors, forcément, Marion commençait à les agacer un peu, à la longue…

Elle comptait avant tout sur elle-même et, régulièrement, sans que Pazanne l'apprît, Marion se rendit à Strasbourg. Une fois ou deux fois par mois. Le temps d'un congé ou d'un week-end. Avec la certitude qu'il y aurait quelque chose, un jour ou l'autre. Elle l'avait côtoyé pendant un mois, chaque jour, pendant des heures. Elle l'avait vu comme personne d'autre ne l'avait vu, ni sa mère, ni ses maîtresses, ni son meilleur ami. Elle avait été son esclave sexuelle, sa proie, et distingué l'infamie au plus près dans son regard quand il la contemplait, elle, cobaye de ses fantasmes les plus secrets. Elle savait qu'à notre époque, aucun psy sur terre ne pourrait l'aider à calfeutrer ses pulsions.

Les deux premières années, il ne se passa rien. Du moins, rien d'observable depuis l'extérieur ; elle le filait lorsqu'il sortait faire ses courses, se promener à pied ou en voiture. Le reste du temps elle attendait, avec une patience inouïe. Pazanne restait chez lui, il ne travaillait pas. Elle l'observait souvent par ses fenêtres, mais n'avait pour le reste pas d'informations précises sur ce qu'il faisait à l'intérieur. Son unique certitude – ou du moins son intime conviction, mais c'était là ce qui comptait le plus pour elle –, au vu de tout ce qu'elle parvenait à observer, était qu'il n'avait pas de nouvel enfant séquestré là-haut, dans son petit appartement au troisième étage d'une tour.

Environ trente mois après sa libération, Pazanne réussit à se faire recruter comme animateur de travaux manuels dans une MJC, transgressant son interdiction d'exercer une activité auprès de mineurs. Découvrant ses allées et venues, Marion se présenta auprès de la directrice de l'établissement, qui tomba des nues en apprenant le passé carcéral de cet homme si volontaire, sérieux, et dont le nom ne lui évoquait rien.

Grâce à l'intervention de Marion, les policiers placèrent Pazanne en garde à vue et perquisitionnèrent son domicile, où ils saisirent l'intégralité de son matériel informatique. Une importante quantité de fichiers pédopornographiques fut découverte sur ses disques durs. Rien de relatif à des abus qu'il aurait lui-même commis, mais des documents qu'il téléchargeait puis échangeait sur Internet avec d'autres pédophiles, ce qui entraîna aussitôt une mise en examen.

Un nouveau procès eut lieu et, au vu des antécédents de Pazanne, le verdict ne connut aucune clémence et le condamna à sept nouvelles années d'emprisonnement ferme.

Il sortirait un jour. Elle serait là.

★

Elle s'était battue pour rejoindre la *brigade du viol*. Avec Anthony, ils étaient les seuls dont l'entrée dans la police était intimement liée à la volonté de travailler dans ce service.

Elle avait joué des coudes, tout fait pour se classer parmi les meilleurs. Puis attendu patiemment qu'un départ ait lieu, qu'une place se libère au 2e district de la police judiciaire. Opter pour la brigade des mineurs aurait pu avoir du sens mais elle avait choisi la brigade du viol car, dans son esprit, même si Pazanne l'avait enlevée alors qu'elle était une enfant, c'était sa féminité qu'il avait agressée. Elle était une femme avant tout, dans un pays où bien trop d'indulgence régnait envers ces hommes qui, sans être des sociopathes, franchissaient parfois la ligne rouge ; au terme d'une soirée arrosée ou « à cause » d'une *pulsion trop forte*. Les chiffres faisaient peur : en France, 75 000 viols avaient lieu chaque année, soit 206 par jour ; 1 femme sur 6 serait victime d'un viol au cours de sa vie, ou d'une tentative de viol ; 80 % des victimes étaient bien entendu des femmes.

La moitié de ces victimes l'était de façon répétée avec, dans 8 cas sur 10, un agresseur qu'elles connaissaient bien : un ami, ami de la famille, membre de la famille… Et tous les milieux étaient touchés, prolos comme bourgeois, anonymes comme grands de ce monde…

Enfin et surtout, 90 % des femmes violées ne portaient pas plainte.

Au début, elle avait trouvé le capitaine Rauch assez bizarre, avec sa dégaine et sa réserve… Elle ne le trouvait pas beau, malgré ses traits agréables. Il paraissait à la fois timide et très sûr de lui.

Elle perçut rapidement à quel point il était brillant. Aucun de leurs collègues n'était aussi passionné que lui ; une implication froide, efficace, précise. Marion se reconnut parfaitement dans sa détermination, même si elle était plus impulsive, plus sanguine, alors qu'Anthony ne perdait jamais son sang-froid. Son intelligence et sa sensibilité apaisaient Marion ainsi que les femmes qui se succédaient pour déposer plainte ; il faisait preuve d'une grande capacité d'écoute et d'une délicatesse, non feinte, dans sa façon de leur parler.

Par ailleurs, il avait cette faculté, sans égale à la brigade, de cerner la psychologie des grands violeurs en série, pour leur livrer à tous et à l'avance des éléments sur la jeunesse présumée de leur *cible*, sur son milieu social et son évolution au fil des années précédentes… Ces renseignements leur étaient précieux. Son taux d'élucidation était le plus élevé de la brigade. Marion aimait être en binôme avec lui et l'avait bien observé : c'était un homme de dossiers, un bourreau de travail. Dans chaque agression, il traquait l'élément singulier, la signature consciente ou inconsciente du violeur, qu'il cherchait à retrouver dans d'anciennes affaires. S'appuyant sur la statistique disant que neuf violeurs en série sur dix ont commis différents actes de délinquance avant de devenir des criminels sexuels – vols, cambriolages, agressions ou divers actes barbares sur des animaux ou des êtres humains –, il épluchait de vieux dossiers sans analogie au premier abord, là où certains de leurs collègues se contentaient de questionner les proches des victimes ou d'interroger le fichier des délinquants sexuels. Son travail de fourmi faisait souvent la différence et aucun logiciel n'aurait pu le faire aussi bien que lui.

Il n'avait jamais eu de geste ou de parole déplacés à son égard.

Elle était devenue admirative. Et puis, un peu plus… il fallait bien l'avouer.

Comme il se livrait peu, elle avait forcé sa complicité. Un genre de rentre-dedans, amical.

Il était difficile d'imaginer, au premier abord, à quel point il avait du charme. Un charme sans dessein, dénué de séduction. Il l'écoutait avec une grande attention, patiemment, sans aucune arrière-pensées, ce dont elle n'avait pas l'habitude avec les autres hommes…

Ils s'étaient mis à se fréquenter, de plus en plus, à l'extérieur de la brigade. À devenir proches et à passer beaucoup de leur temps libre ensemble. Ils enchaînaient les sorties, dans les pubs, les restaurants, au cinéma – qui s'avérait être sa vraie passion. Ils faisaient tout ensemble, sauf du sport, car Anthony détestait ça.

Marion savait qu'au travail, tout le monde était persuadé qu'ils nouaient une relation secrète. Pourtant, non, il ne se passait rien…

Au fond, elle le regrettait.

Une fois, ils étaient même partis en vacances ensemble, sans que rien n'arrive, à sa surprise. Anthony l'avait emmenée à Val Thorens, dans un appartement de ses parents. Le ski était l'unique sport qu'il semblait apprécier et qu'il pratiquait d'ailleurs fort bien. Emmitouflé dans sa combinaison, il se révélait agile et très habile, et dans les descentes il dégageait même une certaine grâce.

Là-bas, elle y avait cru. Pourquoi l'emmenait-il, sinon ? Mais il n'avait absolument rien fait, pas une seule approche, pas une seule amorce ambiguë. Alors, elle n'avait rien tenté non plus, pour ne pas briser leur amitié.

Elle se demandait parfois s'il était homosexuel, comme le suggérait Hervé derrière son dos. Sauf qu'il ne semblait pas attiré par les garçons non plus. Et elle avait surpris certains de ses regards, assez équivoques, mais sans jamais être suivis d'action. Elle était consciente que, de par ce qu'il avait vécu, il pouvait être difficile pour lui d'établir une relation amoureuse. Sans qu'il ait jamais vraiment donné de détails, il lui avait confié avoir été violé, enfant. Par quelqu'un de proche, c'est tout.

Son agression à elle n'avait pas de secret pour lui ; rapidement elle lui avait tout raconté, d'autant que les détails étaient publics. Mais elle respectait sa réserve et ne le forçait pas à lui faire davantage de confidences.

Le jour où il lui avait proposé de venir habiter à une centaine de mètres de chez lui, dans un appartement qui se libérait, elle avait tout de même pensé qu'il tentait là un rapprochement. Mais non. Juste une complicité et une intimité accrues, rien d'ambigu encore une fois.

Un soir, Marion s'était lancée… Elle avait fait le premier pas et l'avait embrassé. Un baiser qu'il lui avait rendu, sans y mettre de passion mais sans la repousser. Puis, dès qu'ils s'arrêtèrent, il parut embarrassé et lui dit :

— Je ne peux pas te donner plus, je suis désolé. Je suis désolé, ça ne m'intéresse pas… En fait, ça ne m'intéresse plus, et ça n'a rien à voir avec toi.

Vraiment…, lui dit-il encore avec un air navré. Tout ça n'a absolument rien à voir avec toi…

— Non mais je comprends ! le rassura-t-elle. Excuse-moi. On est beaucoup mieux amis.

Elle le prit tout de même un peu pour elle. Présumant qu'elle ne lui plaisait pas.

Elle se dit qu'il changerait peut-être d'avis, mais non. Rien n'y fit. Ni la nudité partielle qu'elle imposait parfois à son regard, par une fausse inadvertance, ni les films un peu osés qu'elle choisissait à dessein, pour des soirées DVD, en se collant contre lui.

Alors un jour elle en eut assez, et décida de ne plus repousser les avances de l'un de leurs collègues qui bossait aux stups. Un jeune policier, de trois ans de moins qu'elle, hypermignon, drôle et constamment le sourire aux lèvres et les yeux plissés par le rire – soit tout le contraire d'Anthony.

Sa vie amoureuse et sexuelle était désertique depuis des mois – et même des années ! –, plongée qu'elle était dans le travail et à attendre une histoire qui n'arriverait jamais. Depuis toujours elle plaisait aux hommes, mais n'avait jamais multiplié les conquêtes. Ses premiers émois, à l'adolescence, n'avaient pas été simples, forcément, avec ce qu'elle avait enduré. Son premier amour était moins expérimenté qu'elle, techniquement. Mais ils avaient su prendre leur temps. Ils avaient passé de beaux mois ensemble, puis il lui avait brisé le cœur. Rien d'anormal.

Des amoureux ensuite, ci et là, au fil des ans. Choisis avec soin, sans précipitation. Ou avec fougue au contraire, frénésie, pour un *usage Kleenex*. Ils croyaient la baiser, quand c'était elle qui les baisait…

Elle s'était même mariée ! Un an ! Avec un type sans intérêt, dont il n'y avait rien à se rappeler, ni à dire. Un an… *Divorce. Au revoir.*

Idiote.

À ses débuts dans la brigade, Euvrard l'avait séduite. Ils avaient flirté intensément, pendant trois petits mois. Puis ils étaient convenus que ça suffisait, et que leur relation pourrait s'avérer néfaste à leur travail en commun.

Ils avaient arrêté sans mal et restaient bons amis. Elle le respectait beaucoup.

Quel bilan… Pas formidable.

Elle avait été heureuse, enfant, jusqu'à ses 12 ans. Plus tellement après.

Pourtant, même à l'époque et jusqu'à maintenant, Marion gardait cette foi indéfectible que les choses s'arrangeraient, trouveraient au final un sens. Que le meilleur était à venir.

En fréquentant le jeune type des stups, elle eut moins de temps pour Anthony. Ils passaient de bons moments ensemble, ils riaient et il lui faisait l'amour, lui.

Au début, Anthony sembla comprendre la distance que prenait Marion vis-à-vis de lui et ne pas s'en émouvoir. Qu'avait-il à dire, de toute façon ? Mais environ deux mois après, il changea d'attitude. Il lui manifesta sa tristesse de moins la voir. Elle lui manquait.

Et elle revint sans faire d'histoires et sans en jouer. Car c'était lui qu'elle aimait, et lui aussi il lui manquait.

Heureuse à moitié, soulagée qu'il fissure un peu la carapace et montre de la jalousie, un besoin d'être avec elle.

Il ne tenta rien de plus.

Il reprit son rôle d'ami le plus cher, d'âme sœur.

13

La Poire avançait sur un trottoir de la rue d'Hauteville, esquivant les flaques d'eau comme il le pouvait. Il y avait dans l'air comme une odeur d'automne, mélange d'humidité et de froid. Peut-être les beaux jours étaient-ils révolus, ou bien n'était-ce qu'une parenthèse.

Il détestait la pluie à Paris, ville où marcher sur de longues distances était le plus souvent nécessaire ; presque invariablement, et quelle que fût la marque de ses baskets, il sentait ses chaussettes se gorger d'eau à l'intérieur.

Il arriva à l'heure prévue, au moment où l'un des pharmaciens baissait le rideau électrique. 20 h 05, la fermeture, après que les derniers clients eurent déserté les lieux. Plutôt que de manifester sa présence, la Poire sortit une cigarette, qu'il alluma en se collant dos à la vitrine, afin de se protéger des gouttes d'eau autant qu'il le pouvait. Après avoir tiré une taffe et relevé sa capuche, il tourna la tête et aperçut Fontevaud derrière son comptoir, qui faisait quelques pas en parlant avec l'une de ses employées.

Les lumières principales s'éteignirent sur le potard, mais il restait quelques lampes d'appoint, éclairées de jour comme de nuit. Fontevaud avait une barbe naissante et l'œil fatigué. Quand il croisa enfin le regard de la Poire, au loin, il demeura sans réaction quelques instants, avant de hocher légèrement la tête avec son faciès de faux-jeton.

En se décalant près de la ruelle adjacente, la Poire vit la dernière des employées quitter la pharmacie par une sortie annexe. Le policier effectua la vingtaine de mètres qui le séparaient de la lourde porte métallique, qu'il cogna du poing à plusieurs reprises. Quelques instants plus tard, Fontevaud vint lui ouvrir et lui fit signe qu'il pouvait entrer, sans le saluer ni lui serrer la main, ni même le regarder dans les yeux. La Poire, qui connaissait les lieux, prit les devants et avança dans un long couloir obscur, qui menait à l'arrière de l'officine. Il pénétra dans le préparatoire, autrefois utilisé pour la confection des crèmes et désormais transformé en local informatique et en lieu de préparation des commandes aux grossistes.

Fontevaud se positionna dans l'embrasure de la porte et marqua un temps d'hésitation, l'air hagard.

— Tu veux un café ? lui demanda-t-il, toujours sans le regarder.

— Je bois seulement du thé – *et tu le sais, depuis le temps*, se retint d'ajouter la Poire. Je suis pressé, de toute façon, ne vous dérangez pas…

Feignant de ne pas entendre, Fontevaud se dirigea vers une petite cafetière positionnée près de l'évier, pour remplir de *jus* son mug usé par le temps et par les cafés brûlants.

— Je t'ai vu à la télévision, y a pas longtemps, l'informa-t-il d'une voix nonchalante, le dos tourné.

— J'étais bien ? s'enquit la Poire, qui se fichait de la réponse.

Fontevaud faisait couler le liquide dans son mug avec la lenteur qui caractérisait chacun de ses gestes. Une fois qu'il l'eut rempli, il se retourna face à la Poire et s'appuya dos à l'évier, en sirotant tout doucement ; puis il poursuivit, sans prêter attention à sa question :

— J'aime bien regarder les chaînes info, la nuit. Des fois j'arrive pas à m'endormir. Je choisis l'une d'entre elles et je reste dessus ; ça m'apaise, plus que les séries, les jeux télé ou les talk-shows…

La Poire l'imaginait parfaitement. Shooté aux somnifères type Rohypnol et aux anxiolytiques, avachi devant sa télé, les yeux mi-clos. Le rythme bouclé et lancinant de diffusion d'information de ces chaînes devait très bien s'accorder avec ses micro-siestes. Peut-être la Poire se trompait-il. Peut-être Fontevaud prenait-il plutôt des gélules de dérivé de morphine ou du Valium, ou le tout mélangé. Arrosé le plus souvent d'une bonne rasade d'alcool, ça, il en était certain.

Le regard de la Poire se perdait sur les hautes armoires coulissantes, avec tous leurs tiroirs bondés de médicaments. Il apercevait juste une partie de la pharmacie, dont l'obscurité contrastait avec la lumière très vive dans le préparatoire aux murs blancs.

De ce que lui avait dit sa mère, Fontevaud avait été un bel homme autrefois. Et dynamique… mais déjà escroc.

Il avait débuté par des petites arnaques, en se mettant en cheville avec un ami médecin pour vendre des échantillons offerts à ce dernier par des laboratoires. Il délivrait ces médicaments sans ordonnance et empochait l'argent.

Les choses s'étaient par la suite sérieusement gâtées pour lui lorsqu'il avait détourné des produits rapportés par des clients. Ces médicaments, non utilisés, étaient destinés à être détruits ou envoyés en Afrique dans un but humanitaire, et Fontevaud les avait simplement remis en vente. Avec l'informatique, ce genre de pratique était devenu compliqué voire impossible, mais à l'époque…

Les ennuis judiciaires avaient commencé, en entraînant d'autres, et lui avaient fait rencontrer Louisa par l'intermédiaire d'une relation commune. Depuis, Fontevaud continuait d'exercer, mais il avait la maigreur et la faculté de concentration d'un junkie.

— J'ai pas vraiment le temps de discuter, dit la Poire en constatant que le café s'éternisait. Vous me donnez les boîtes ?

Fontevaud planta cette fois son regard dans le sien, de longs instants, avec ses yeux vides.

— J'y vais, dit-il en déposant le mug.

Il fit quelques pas jusqu'à l'une des armoires coulissantes ; s'accroupit devant le tiroir situé le plus en bas, et en sortit un sachet déjà préparé. Puis il rejoignit la Poire, lequel tenait deux billets de cent euros et les lui tendait. Ils procédèrent à l'échange.

— Huit boîtes d'Androcur, commenta Fontevaud, tandis que la Poire inspectait le contenu du sachet.

Puis le pharmacien examina les deux billets dans sa main.

— Tu me donnes trop, à chaque fois…

— L'argent n'est pas un problème.

Alors que le policier s'apprêtait à repartir, Fontevaud étira son bras pour le stopper.

— Attends.

Baissant le bras, il fit soudain mine de l'observer de bas en haut, voire de l'examiner comme l'aurait fait un médecin.

— Est-ce que tu ressens des états d'agitation parfois… comme un brassage ? Ou encore des migraines, ou une humeur dépressive ?

— Vous ne m'avez jamais posé de questions sur ma santé toutes ces années, pourquoi maintenant ?

— Tu ne vois jamais de médecin… C'est pas sans effets secondaires, ce que tu prends ! Toxicité hépatique, cirrhose, cancer du foie, entre autres risques…

— Je sais tout ça, je suis renseigné. Et je vais bien.

Les yeux torves et avec un léger rictus, le pharmacien haussa les épaules.

— N'empêche que tu ne vois jamais de médecin, répéta-t-il. T'en trouverais sans doute un qui te le prescrirait.

— Je veux le moins d'intermédiaires possibles. Je viens vous voir car je sais que vous ne parlerez pas, ni ne me ferez chanter car vous n'avez aucun intérêt à le faire. Et aussi parce que vous ne posez pas de questions ; habituellement, du moins.

Fontevaud ajouta, sans regarder la Poire et plus sérieusement qu'auparavant :

— Bientôt, tu n'auras plus le choix.

— Comment ça ?

— J'approche de mes 65 ans. Je vais prendre ma retraite et je doute que mon successeur continue à t'alimenter en Androcur sans ordonnance.

— Quand est-ce que vous arrêterez ? s'enquit la Poire.

— Dans six mois je pense… un an…

— Vous vendez tout ?

— Oui. Et je me barre dans le Sud, loin de cette ville de merde.

Fontevaud avait lâché cette phrase avec une mine de dégoût, suivie par un air filou et mystérieux.

La Poire regardait autour de lui, songeur, mais sans témoigner d'une inquiétude particulière.

— Je me débrouillerai en temps voulu, se contenta-t-il de dire.

— Comment va ta mère ?

— Je ne la vois pas souvent.

Il eût tellement aimé que ce soit vrai… Mais le soir même il tomba dans un piège, qu'il n'avait pas vu venir.

La Poire était assis sur un siège confortable, face au miroir, et s'efforçait de se détendre. On lui proposa diverses boissons, pour la plupart alcoolisées. Se laissant presque tenter par une coupe de champagne, il opta finalement pour un thé noir. La maquilleuse faisait office de coiffeuse et le complimenta sur ses cheveux : doux et brillants, presque comme ceux d'une femme, lui dit-elle. Puis elle le gratifia d'un massage du cuir chevelu, divin, après qu'il lui eut confié son appréhension de participer à une émission de télévision en direct.

« *Bonjour, mon chat !* »

La voix résonna dans sa loge, ainsi que très certainement dans toutes les autres. Il sursauta ; ses yeux mi-clos se rouvrirent. Dans le reflet, harnachée de sa veste, d'un foulard et d'un sac énorme, Louisa avait le sourire jusqu'aux oreilles. Après deux ou trois secondes seulement, elle s'adressait déjà aux assistantes et aux maquilleuses comme si elle les connaissait depuis des années, et propageait son inépuisable énergie dans la pièce.

— Qu'est-ce que tu fais là, maman ? lui demanda-t-il.

— La même chose que toi ! dit Louisa comme une évidence, en s'asseyant sur un fauteuil situé juste à sa droite, et en acceptant la coupe de champagne qu'on lui offrait. Poupon avait besoin d'un avocat, et il a pensé à moi, ce qui est logique !

Un peu plus tard, Poupon lui assurerait que l'idée était venue de Louisa. Qui croire ? La manœuvre n'avait rien d'étonnant venant de sa mère, mais Poupon était un habile professionnel, un vieux renard du PAF qui chérissait les coups d'audience…

— Il ne m'a pas du tout parlé de ça quand il m'a demandé de venir, dit la Poire avec un agacement teinté de lassitude. On va avoir l'air de quoi, tous les deux ?

— Il te faut bien un contradicteur ! lui répondit sa mère, péremptoire.

Elle ôta sa veste et son foulard et la maquilleuse commença à s'occuper d'elle.

— Toi qui aimes tellement me contredire, ça devrait te plaire ! Et puis franchement, ajouta l'avocate d'un ton sarcastique, qui va nous regarder si tard ? On passe en direct, à pratiquement minuit… Si tu n'étais pas là, je ne serais sûrement pas venue !

La Poire l'écoutait sans rien dire. Il savait que répondre ne servirait à rien et qu'il était trop tard pour s'éclipser.

— Mais bon…, dit-elle encore en tournant la tête vers lui, avec un sourire malin : pour une fois qu'on fait quelque chose ensemble !

La Poire choisit de se renfoncer dans son siège, de fermer à nouveau les yeux et de faire le vide tandis que sa maquilleuse lui poudrait le visage.

— Tu n'as aucune raison de t'en faire, continua Louisa, le rôle que tu vas tenir ce soir est un jeu d'enfant, là où le mien est beaucoup plus ardu : je vais plaider la possible réhabilitation des criminels sexuels, alors que tu vas expliquer aux gens que les remettre dans la nature représente un danger. Tu vas caresser les téléspectateurs dans le sens du poil, et tu seras en plein dans la pensée dominante : si on écoutait le peuple, la peine de mort serait rétablie depuis longtemps, et Mitterrand n'aurait jamais pu l'abolir… Le cumul des peines serait instauré, comme dans bien des pays, et on verrait des gens condamnés à cent ou deux cents ans de prison… c'est tout juste si la torture ne reviendrait pas au goût du jour ; nos bonnes vieilles exécutions en place publique, avec écartèlement… les supplices moyenâgeux, tu sais, ne sont jamais enterrés bien profondément dans le cœur des gens… la foule est avide de sang, et de brutalité…

— Je prendrais bien une coupe, en fait, s'il vous plaît, demanda la Poire à sa maquilleuse, en rouvrant soudain les yeux.

Quelle mauvaise idée… Mais quelle mauvaise idée…

Il crevait d'envie d'arracher sa chemise et de se ventiler ; n'importe quoi aurait fait l'affaire, des fiches de Gilbert Poupon au cahier de la scripte… *Putain de bouffées de chaleur !* Il n'avait rien anticipé. Les projecteurs brûlants étaient braqués sur eux et le système d'aération sur le plateau était insignifiant.

Pendant la projection du film, la majeure partie des lampes avaient été éteintes, pour laisser les intervenants et le public s'imprégner de ce documentaire assez bien fait. Il traitait du parcours de quelques criminels sexuels, des *longues peines* jugés dangereux.

Les trois intervenants avaient été placés côte à côte, derrière une longue table. La Poire et Louisa, aux deux extrémités, étaient séparés par un expert-psychiatre. De façon ininterrompue pendant la projection, la Poire avait continué de picoler avec l'approbation de Gilbert Poupon – cela *libérait la parole*, disait-il. Puis le direct avait commencé. Les caméras les cadrèrent tous les trois, la vaste équipe technique devint silencieuse et un public composé d'une cinquantaine de personnes écouta avec attention le présentateur star rompu à l'exercice.

Trac, chaleur, alcool ; tous les éléments étaient réunis pour un pic de sudation dont la Poire avait le secret. Il sentit soudainement sa peau suinter sous sa chemise et des gouttes de sueur perler sur son front. Pendant le direct, la maquilleuse ne lui était plus d'aucun secours et se contentait, avec de grands gestes, de l'exhorter à ne pas s'essuyer le front avec la manche de sa chemise.

Il se sentait en terrain hostile ; mais surtout, sa mère lui sortait par les yeux et les oreilles. L'entendre débiter ses vérités toutes faites avec l'aplomb et la franchise d'un homme politique en campagne lui hérissait le poil. Entre eux deux, le psy se révélait bien fade, se contentant d'éclairer les téléspectateurs de son point de vue en de rares occasions. Louisa monopolisait la parole, du moins au début. Elle multipliait les perches, cherchant la polémique, qu'au fond d'elle-même elle était persuadée de gagner. Son point de vue de *défenseur* était empli d'un optimisme bienveillant à l'égard de ces hommes qui avaient « payé leur dette ». L'univers carcéral ne devait pas avoir, clamait-elle, pour seule fonction la répression, mais aussi la préparation à une sortie, la possibilité d'offrir une nouvelle chance.

Lorsque la Poire lui fit remarquer qu'il existait une différence entre un braqueur de banque et un tueur ou violeur en série dont les fantasmes de violence sexualisée étaient arrivés à maturité, elle balaya son argument d'un revers de main. La peine était plus longue, disait-elle, mais la fonction de la libération était identique. Les détenus n'avaient pas à subir des peines interminables par la faute des carences de la société : il existait des suivis thérapeutiques, des accompagnements médico-judiciaires. Quand il y avait récidive – et ce n'était pas constamment le cas, précisa l'avocate –, c'était à cause d'une *sortie sèche*. D'une remise en liberté sans aucune forme d'accompagnement, ou du moins insuffisante.

Quelque peu coincé entre la volonté de défendre sa profession et une réalité de terrain qu'il connaissait, le psy se contentait d'acquiescer mollement, et d'agiter la main à la façon d'une marionnette pour montrer que tout n'était pas si simple.

La Poire savait que Louisa n'avait pas tort sur tout ; mais, comme à son habitude, elle glissait une ou deux vérités dans un flot de mauvaise foi. Le sourire aux lèvres, la faconde éclatante et brusque, elle haranguait les caméras. Elle les désirait sur elle ; rien ne lui faisait plus d'effet que d'être face à leurs objectifs, et en échange elle leur donnait tout.

Quand sa mère eut fini de pérorer, la Poire reprit la parole sur le même ton que le sien :

— Il n'existe aucune solution thérapeutique pour guérir les psychopathes, et vous le savez très bien, lui répondit-il en la vouvoyant, comme le leur avait préconisé Poupon avant l'antenne, même s'il trouvait ça ridicule. Et vous aussi le savez parfaitement, dit-il en s'adressant cette fois au psy : on ne guérit pas ces hommes, qui ne sont d'ailleurs pas considérés comme des fous ou des malades puisqu'ils sont parqués dans des prisons et non dans des asiles, car ils ont été jugés conscients de leurs actes. La société n'a d'autre possibilité pour se protéger d'eux que de les isoler jusqu'à ce qu'ils soient trop vieux pour récidiver, car elle est impuissante face à ce mal. Leur mobile n'est pas l'argent ni la vengeance d'un rival : il est sexuel. Tous ces psychopathes ont développé une fantasmagorie depuis l'enfance et l'adolescence, où un lien intime se crée entre la cruauté et le désir sexuel. Ce développement psycho-sexuel ne fait que s'amplifier en grandissant et ne les quitte pas. Les fantasmes se terrent parfois au fond d'eux pour une période, mais ne disparaissent jamais totalement et ressurgissent, bien souvent encore plus forts, lorsqu'une contrariété arrive ou qu'un obstacle entrave leur existence. Alors, une colère effroyable s'abat sur une nouvelle victime ; une colère sexualisée.

» Sans y être forcés, serions-nous capables nous-mêmes de réprimer nos désirs sexuels ? De recourir à l'abstinence totale et définitive ? Il s'agit pour ces hommes de la même chose : d'une pulsion sexuelle, sauf que la leur est d'annihiler une victime, de la dégrader et de l'humilier, et généralement de la tuer. Je suis pour ma part spécialisé dans les violeurs en série mais je les inclus dans un cheminement psychique semblable à celui des serial killers. Beaucoup de tueurs en série ont commencé par violer, puis ont tué pour ne pas laisser derrière eux une victime susceptible de les identifier. Ensuite ils ont pris goût au meurtre, à la mise à mort, au sentiment de domination sur un autre être humain au point d'y devenir *addict* et que ça représente pour eux le comble du plaisir.

» Dites-vous bien que ces hommes-là n'ont développé aucune conscience, et qu'ils demeureront des prédateurs jusqu'à leur dernier souffle… Je ne dis pas qu'il faille les tuer. Mais en aucun cas on ne doit les laisser sortir.

Louisa, qui bouillait sur son siège, s'empressa bien sûr de dénoncer ce diagnostic qu'elle estimait être un aveu d'échec, inutilement fataliste, toutefois le message de la Poire était passé, il le sentait, et il écouta la diatribe de sa mère en sirotant plus sereinement son gobelet de vin.

Gilbert Poupon ne s'intéressait plus beaucoup au psy et relança la Poire, désireux de connaître son avis sur l'absence de conscience des psychopathes : était-elle en eux dès la naissance ou liée à leur vécu ? Alors la Poire entama son crédo préféré :

— *On ne naît pas tueur ou violeur en série, on le devient*, j'en suis persuadé. Et il faut compter quinze à vingt ans pour construire la personnalité de ce type de criminels. Une fois devenus actifs, effectivement ils ne développent plus de remords vis-à-vis de leurs victimes. Elles ne sont à leurs yeux que des objets destinés à assouvir leurs fantasmes. Leur seule véritable crainte est de se faire attraper.

Gilbert Poupon s'approcha encore de la Poire, en accentuant son intérêt.

— Vous dites que l'on *devient* psychopathe. Comment le devient-on ?

La Poire entrouvrit la bouche pour répondre, avant de se raviser. Il porta son verre à ses lèvres, davantage pour les humecter que pour boire, et hésita un instant.

— Une enfance bancale est à la source du problème, forcément. Avant de devenir des bourreaux, ils ont été des victimes. Subissant des abus, physiques, psychologiques ou sexuels. Si tous les enfants qui subissent de telles maltraitances ne finissent pas psychopathes – loin de là, précisa-t-il, et heureusement ! –, presque tous ces derniers ont eu une enfance terrible. Les premiers liens affectifs sont déterminants pour la suite.

La Poire allait continuer quand il s'interrompit à nouveau. Un ange passa brièvement. Il sentait le regard de sa mère sur lui. Elle restait muette. Il hésita à tourner la tête vers elle pour voir l'expression de son visage, mais le courage lui manqua.

— Voilà ce que je peux vous dire, conclut le policier à l'intention du présentateur.

— Actuellement, vous enquêtez sur une affaire très dure, je crois, celle d'un violeur en série qui terrifie Paris ? Il se glisse par les fenêtres des gens…

— Le *lézard*, oui.

— Vous-même l'appelez comme ça ?

— Oui, en vérité c'est un surnom qui lui avait été donné en interne, ce qu'on fait souvent quand on ne connaît pas encore l'identité réelle du criminel.

— Qu'est-ce que vous pouvez nous dire sur lui ?

— Rien, nous enquêtons.

— Mais sur le plan psychologique, poursuivit Poupon avec une pointe de malice, correspond-il d'après vous au portrait global que vous nous avez dépeint ?

La Poire haussa les sourcils et observa son auditoire quelques instants, dont sa mère qui, chose inhabituelle, paraissait un peu éteinte. Las et pressé d'en finir, il décida de se lancer et de parler sans filtre :

— Vous savez, le rapport à la mère constitue l'élément déterminant chez les trois quarts des violeurs. Vu la façon dont le *lézard* traite ses victimes, il y aura beaucoup de choses à découvrir de ce côté-là, c'est certain.

— Tout part de sa relation avec sa mère ?

— J'en suis convaincu. Elle l'a sûrement abandonné ou maltraité ; d'où une rage à l'encontre des femmes, jointe à une paradoxale inhibition vis-à-vis d'elles. Il ne peut pas communiquer sainement avec le sexe opposé, alors il lui impose une soumission totale.

On est sûrement face à un *timide*, au fond, commenta la Poire avec un amusement non dissimulé.

— Vous pensez trouver quelqu'un d'intelligent ?

— Suffisamment pour manipuler les personnes qu'il côtoie. Néanmoins, il est certainement plus dans l'action que dans la réflexion, car en carence d'éducation. Vous savez, leur parcours se résume presque constamment à une succession d'échecs. Ils n'ont que rarement fait des études, ou leur scolarité est incomplète car ils sont trop instables et réfractaires à toute autorité. Une existence qui se révèle le plus souvent… pathétique et parsemée de frustrations, lâcha la Poire en laissant libre cours à son mépris. Et le *lézard* ne fait sûrement pas exception. Ils ont une pauvre opinion d'eux-mêmes tout en s'estimant victimes de la société. L'omnipotence face aux victimes les soulage misérablement. Pour eux, tout est de la faute des autres, toujours ; le monde ambiant les a rejetés. Ils sont menteurs, paresseux, voyeurs et ont recours à la masturbation de façon compulsive. Rien n'est à glorifier chez eux, tout est médiocre. S'ils passent entre les mailles du filet, pendant de longues années parfois, c'est uniquement parce qu'ils ont débuté dans la petite délinquance et appris à contourner les pièges. Mais nous aurons le *lézard*, comme nous avons eu les autres.

La Poire termina son exposé, réaliste bien que très acerbe, en éprouvant un sentiment de volupté. Gilbert Poupon reprit aussitôt la parole et recentra le débat avec le psy.

Puis la Poire croisa le regard de sa mère, laquelle arborait un léger sourire qui le surprit. Elle semblait amusée, elle aussi, par le flot de paroles libérées par son fils. Il détourna la tête en se fermant soudain ; leva les yeux en direction des projecteurs, qui l'éblouirent, puis but une énième gorgée de vin en se demandant s'il n'était pas allé trop loin dans ses confidences professionnelles, qu'il délivrait habituellement de façon contrôlée et moins féroce.

De toute façon, songea-t-il enfin en déglutissant son chablis, sa mère avait raison – et c'était d'ailleurs la seule parole sensée qu'elle avait dite ce soir : hormis quelques insomniaques et certains de ses collègues, qui avait bien pu regarder cette émission confidentielle, diffusée à un horaire aussi tardif ?

14

La poitrine de la fille était lourde et bien ronde, et il l'avait choisie pour ça. De proéminents attributs mammaires, même dans cette position, allongée sur le dos, les bras écartés.

Il avait placé sous sa cambrure un manche à balai en bois – trouvé sur place –, et attaché ses poignets aux deux extrémités du long bâton. Chaque poignet était lui-même relié à l'une de ses chevilles, grâce à deux lanières en cuir provenant d'un sac également trouvé sur place, et avec une tension qui contraignait la fille à plier ses genoux et *ouvrir grand*.

Le sang sur le drap-housse, pas encore séché, évoquait à Alpha une deuxième virginité perdue.

Une aiguille et un peu d'encre de Chine…

Il avait hésité ; il aurait pu s'en contenter car il aimait la simplicité de cette technique, le côté artisanal et la douleur infligée. Mais il avait douté de sa propre patience face à la lenteur d'exécution, et craint un résultat moins net. Et donc préféré attendre la fermeture d'un atelier de *tattoo* situé rue de Paradis, pour pénétrer à l'intérieur et s'emparer d'un dermographe.

Familier de ces machines à tatouer par la fréquentation d'autres marins, il avait facilement identifié les pièces nécessaires au bon fonctionnement de la « bécane » et les avait glissées dans un sac à dos, dérobé lui aussi.

Alpha chercha une prise électrique dans un coin de la chambre pour y brancher son câble. Puis il posa la pédale en bas du lit, à côté du corps inerte de l'Oméga, avant de s'asseoir sur le bord du matelas près de la femme.

Son visage à elle était maculé de larmes et de morve. Un premier string la bâillonnait tandis qu'un autre, découpé, entourait sa bouche ouverte avec un nœud fermement serré derrière sa nuque. Voulant faire un essai, Alpha appuya sur la pédale et le dermographe vrombit soudain, ce qui fit paniquer la fille, qui s'agita et qui recommença à brailler derrière son bâillon.

Alpha saisit aussitôt sa gorge et la serra pour l'étouffer ; et, en enlevant son pied de la pédale, il plongea sur elle son regard le plus noir, son visage à quelques centimètres du sien.

— Écoute-moi bien, salope ; je vais tatouer quelque chose sur ton corps et il n'y a rien que tu puisses y faire… Tu as deux options : rester tranquille, et c'est ton sein que je marquerai. Ou t'agiter comme tu le fais là, et c'est ton visage qui va prendre. Tu veux que je choisisse ton visage ?

Désespérée et en sanglots, la jeune femme hocha négativement la tête. Satisfait, Alpha pointa l'aiguille du dermographe face à ses yeux.

— Si tu bouges ou si tu te débats, je dessine sur ta putain de joue.

Au moment où il la relâchait, l'attention d'Alpha fut attirée par un mouvement sur sa droite. L'Oméga revenait à lui, et dans un immense effort et une ultime velléité de secourir sa femelle, il s'efforçait de se remettre debout.

Un grand type, le crâne rasé. Un corps impeccable, le genre à soulever de la fonte en salle de sport. Tout dans l'apparence, rien dans la force réelle. Un coup vicieux sur son genou avait suffi à le mettre au sol, et ensuite le rosser s'était avéré un jeu d'enfant et n'avait pris que quelques secondes. Alpha se serait attendu à plus de résistance en repérant ce grand gaillard, musculeux, gare de Lyon, en train d'embrasser la fille sur un quai. Elle aussi devait être fière de son corps ; le genre petit gabarit, tonique, probable ancienne gymnaste amateure.

Le type chancelait sur ses deux jambes, et semblait quémander un deuxième round. Alpha reposa la bécane sur le matelas, puis se mit lui aussi debout. Sans attendre et sans prononcer un mot, il asséna à l'Oméga une série de frappes qui le renvoyèrent immédiatement au sol. Sans s'arrêter, Alpha s'accroupit sur lui et continua de s'acharner sur son visage en l'accablant de coups de poing ultraviolents. La fille criait et s'agitait vainement sur le lit, son manche à balai bloqué derrière le dos. La brutalité des coups contrastait avec la froideur d'exécution d'Alpha et quand il se releva, il constata que le bodybuildé avait désormais l'air plus mort que vivant.

Trois assassinats en une journée ? s'interrogea nonchalamment Alpha. Deux, c'était sûr ; et le troisième, si ce n'était pas encore fait, n'en était pas loin.

Il se rassit sur le matelas et relança la bécane, bien décidé à ne plus enlever son pied de la pédale avant que son œuvre ne soit finie. D'une main ferme, il saisit le sein lourd de la femme pour l'immobiliser. Puis il pointa à nouveau l'aiguille vibrante face à ses yeux et renouvela sa menace :

— Si tu bouges…

Avant de redescendre l'aiguille vers sa poitrine.

« Le *lézard*… »

Il aurait dû commencer par ça. Bientôt ils sauraient, tous.

★

4201. La fille lui avait avoué le code de son portable, sans difficulté, une fois son bâillon enlevé.

Alpha n'avait jamais fait de vidéo mais il se débrouillerait. Et l'envoyer ne poserait pas non plus de problème, il connaissait un site spécialisé dans l'ultraviolence. Ensuite, elle se propagerait vite.

Il avait briefé la fille pour qu'elle récite son texte au bon moment.

Un seul mot à dire…

En rentrant dans la pièce et en s'approchant, Alpha commença à filmer la chambre, en effectuant un panoramique de gauche à droite. Il s'attarda un long moment sur le corps de l'Oméga au sol qui, décidément, ne bougeait plus beaucoup. Il passa ensuite très vite sur la nudité de la fille, et remonta vers le haut de son corps. Alpha souhaitait qu'un maximum de médias diffusent son film, et il avait conscience de vivre dans une société qui censurait davantage la sexualité que la violence.

Son tatouage était réussi : il entourait le mamelon en une lettre grecque, inscrite en noir :

α

— Comment est-ce que je m'appelle ? demanda-t-il, hors champ, à la victime.

— Alpha, répondit-elle, avec l'obéissance et la soumission qu'il désirait.

Puis il stoppa l'enregistrement. La fille paraissait à bout, hagarde, les yeux vitreux. Il fallait en finir, vite, avant qu'elle ne perde connaissance.

Elle s'époumona une dernière fois, en le voyant revenir vers elle, un couteau à la main ; puis elle comprit qu'il tranchait simplement les liens d'un de ses poignets, pour partiellement la libérer.

Il déposa ensuite le manche du couteau dans la paume de la fille, pour qu'elle finisse le travail seule ; mais après avoir eu la circulation sanguine coupée aussi longtemps, elle s'avéra incapable, pendant plusieurs minutes, de simplement serrer l'objet dans sa main.

★

Il inséra son long tournevis à tête plate dans le bas de la fenêtre, en le faisant tourner dans tous les sens et en exerçant une pression ; puis le même geste sur le côté et enfin sur le haut du cadre. Et la fenêtre s'ouvrit. Il pénétra dans l'appartement et repoussa le battant derrière lui, pour que rien ne soit apparent depuis la rue. L'opération n'avait pas excédé douze secondes ; et tout au plus trente pour escalader les quatre étages.

L'intérieur était obscur et sans bruit. Alpha se retourna vers la vitre pour surveiller qu'aucun éventuel passant ne l'avait surpris et ne regardait dans sa direction : personne, ni dans la rue ni sur la façade de l'immeuble voisin.

Plus tôt dans la soirée, en suivant la fille et l'Oméga, il avait repéré cet appartement aux lumières éteintes et aux rideaux ouverts, situé dans l'immeuble en face du leur. L'endroit paraissait inoccupé. Il avait bien choisi.

Posté d'ici, il apercevait distinctement l'intérieur de la chambre qu'il venait tout juste de quitter, et dans laquelle il avait délibérément laissé de la lumière. Mais il ne distinguait aucun mouvement, aucune silhouette debout. La fille était certainement encore en train de batailler pour se détacher.

Il avait du temps devant lui avant que cette cruche n'appelle les secours, et il entreprit d'explorer les différentes pièces du lieu où il se trouvait pour s'assurer qu'il était bien seul.

L'endroit était vaste, environ deux cents mètres carrés, bien plus que l'appartement du couple. Une décoration bourgeoise, mélange de meubles anciens et modernes ; larges tableaux aux murs, immense bibliothèque murale débordant de livres. Dans les chambres, tous les lits étaient faits.

Dans la cuisine, Alpha attrapa une longue paire de ciseaux, puis il se rendit dans une salle de bains où, pour la première fois, il alluma. De longs instants, il observa son reflet. Le temps était venu de couper.

Les flics n'étaient pas stupides au point d'exclure qu'il puisse changer de coiffure, mais la pression sur sa traque allait s'amplifier après les événements de ce soir, et il était bien trop reconnaissable ainsi. Les signalements s'accumulaient sur un grand type aux cheveux longs. Sa queue-de-cheval, très certainement, avait incité la paire de flics à le contrôler en début de soirée, rue du Conservatoire. Deux gardiens de la paix en uniforme, un type et une femelle.

Des femmes flics... des femmes gendarmes... des femmes militaires... Tout ce qu'il détestait. Le signe d'une décadence occidentale.

Il avait fait mine de coopérer pleinement ; il savait simuler l'affabilité, quand il le désirait. Feignant de chercher une pièce d'identité dans sa poche, Alpha s'était légèrement déporté sur le côté du flic mâle. D'un soudain revers de main, hyperbrutal, il avait frappé en plein dans sa pomme d'Adam et l'avait écrasée d'un coup. Le type, encore debout, avait commencé à palper sa gorge sans comprendre, en suffoquant, les yeux exorbités, tandis que dans un même mouvement Alpha avait saisi son pistolet dans son holster, visé la fliquette – décontenancée – et tiré. Une balle en pleine tête.

Elle s'était effondrée sur le trottoir, morte sur le coup.

Le flic continuait de tanguer, comme un robot qui aurait pris l'eau, et Alpha avait décidé de jeter l'arme et de s'enfuir sans attendre de le voir s'écrouler. En temps normal il n'aimait pas fuir, c'était une attitude d'Oméga, trouvait-il ; mais dans cette situation, faire preuve d'un peu de prudence était requis. La rue n'était pas déserte et les témoins allaient donner l'alerte rapidement. Alpha s'était ensuite efforcé d'échapper à la vidéosurveillance puis, au fil de longs déplacements, il s'était retrouvé gare de Lyon.

Avec soin, il sectionna les longues mèches de sa chevelure. Très vite, il se sentit presque nu ; la sensation sur son crâne était vraiment différente. Une fois le gros du travail terminé, il trouva le résultat médiocre. Alors il mouilla ses cheveux pour reprendre les détails avec plus de temps et plus de précision, et ajuster sa coupe.

Mieux, beaucoup mieux.

À contrecœur, il se résolut à plonger l'ensemble de ses mèches dans la cuvette des toilettes. Il tira plusieurs fois la chasse d'eau. Mieux valait retarder le moment où la police apprendrait son changement de look.

Quand il revint devant la fenêtre, les lumières des nombreux gyrophares éclaboussaient la rue d'une lumière bleue. Comme une gigantesque guirlande.

Ça s'agitait en bas. Et en face, aussi.

Il était là…

Positionné derrière la vitre, plongé dans une obscurité totale, Alpha l'observait. Le gynoïde. *Gino…*

Celui-ci s'était immédiatement rendu sur place, et arpentait la chambre parmi d'autres policiers et secouristes. Alpha ne détachait plus ses yeux de lui. Le capitaine Rauch semblait chamboulé. Une jeune petite nana se tenait à ses côtés et ils discutaient ensemble.

Fouillant sa poche, Alpha en extirpa le téléphone volé un peu plus tôt à la fille, et mit l'application vidéo en route. Il lança l'enregistrement, et avec soin il cadra la fenêtre d'en face. Ensuite il zooma lentement, jusqu'à isoler progressivement le gynoïde et sa coéquipière.

La vidéo dura une minute environ. Puis il coupa.

15

La chambre du couple était exiguë et la présence de tous les flics emplissait l'espace à la limite du tolérable. Les hommes en blanc de l'identité judiciaire s'étaient déployés et relevaient des traces ADN qui s'avéreraient être identiques à celles qu'ils possédaient déjà. Près du lit, Marion prenait l'un des policiers scientifiques en aparté et lui posait des questions. La Poire, en arrière, observait l'ensemble de la pièce sans rien toucher. Il avait mal au crâne et la gorge en feu – sans doute son moment passé sous la pluie, la veille. Malgré ça, il s'efforçait de rassembler ses idées.

La violence s'intensifiait à chaque agression, aussi bien contre la victime féminine que masculine. L'homme souffrait de diverses fractures et d'un important traumatisme crânien. Son pronostic vital était engagé. Arrivés peu après sa prise en charge par le SAMU, la Poire et ses collègues n'avaient pu le voir, mais la première vidéo d'Alpha avait très vite circulé après des signalements parvenus au ministère de l'Intérieur, et ils purent observer en détail les deux victimes : l'une ligotée sur le lit et l'autre au sol, terrassée et baignant dans son sang. Le film résonnait comme des présentations : celles d'Alpha aux enquêteurs et au reste du monde.

Il s'octroyait un surnom mégalomaniaque, tatoué sur le corps de la jeune femme. *Alpha*. La Poire interprétait cette mise en scène comme une missive à son intention. « *Ne me donnez plus de surnoms humiliants, je suis le mâle alpha. Le dominant, le boss...* » Sa volonté de communiquer apportait un nouvel éclairage sur lui : il ne cherchait pas seulement à assouvir une pulsion, mais aspirait à être médiatisé. Il était arrogant et narcissique.

Aucune interdiction de diffusion n'empêcherait le petit film de réapparaître, sitôt après son effacement, sur bon nombre de sites plus ou moins légaux. Devenue virale, la vidéo ne disparaîtrait jamais vraiment et donnait une immortalité numérique à ce que ce fou considérait très certainement comme une œuvre. La Poire sortit son téléphone de sa poche et voulut revoir le film, pour la septième fois au moins. Il s'apprêtait à cliquer sur le lecteur quand un SMS s'afficha sur son écran. Un message d'Hervé, et la Poire fut surpris car son collègue était censé être dans l'appartement.

Je suis dans le couloir, à côté de la chambre. Rejoins-moi sans le dire aux autres.

La Poire relut le texto, perplexe, puis il sortit de la chambre. En effet, Hervé l'attendait à deux mètres à peine de l'embrasure de la porte. Il semblait sous tension et s'adressa à la Poire d'une voix étouffée :

— Il nous observe… Il a posté un deuxième film sur Internet ! Il voit tout ce qu'on fait ; il fallait que je te fasse sortir de la pièce, regarde ça…

Hervé lui tendit alors son smartphone et lança la deuxième vidéo.

— Elle a été mise en ligne il y a moins de dix minutes…

La Poire se vit en plein écran, de profil, en compagnie de Marion.

En face ! Le type était en face !

— On sait s'il y a une cour intérieure dans l'immeuble d'en face ? lui demanda vivement la Poire.

— Je sais pas ; je viens de voir ça et j'ai envoyé personne pour le moment…

— Il faut agir tout de suite : place deux hommes armés en bas de notre immeuble – le nôtre, lui ordonna la Poire avec sang-froid. Je veux que l'un des deux vise la porte principale et l'autre la façade. À la moindre silhouette qui escalade, il a ordre de tirer, sans aucune hésitation, d'accord ?

— Oui… S'il tombe de cette hauteur, c'est fini, précisa Hervé juste pour s'assurer qu'ils se comprenaient.

— Il a tué deux collègues ce matin, on ne le laisse pas partir, quoi qu'il arrive. Toi, tu t'occupes de prévenir Théo si c'est pas déjà fait, et moi je préviens Marion. On laisse rien paraître en visuel au cas où il nous observe encore. De combien d'hommes on dispose, là tout de suite ?

— En plus de nous quatre et des deux sentinelles… une demi-douzaine je pense. Tu préfères pas attendre le RAID ?

— On n'a pas le temps, on postera un homme à chaque étage et un dans la cour s'il y en a une.

Ils s'apprêtaient à se séparer quand Hervé le retint.

— Anthony ! J'ai oublié de te prévenir : le ministre doit passer… Gluck… il a tenu à venir dès qu'on l'a informé de l'agression, il ne doit plus être loin…

— Fais-le dégager ! l'exhorta la Poire. Je plaisante pas, même si sa voiture est déjà en route, dis à Euvrard qu'il doit faire demi-tour. Explique qu'une intervention va avoir lieu, je ne veux pas de lui ici !

Trois minutes plus tard, une escouade composée d'une dizaine de policiers, avec la Poire en tête, traversa la rue comme un seul homme. Restés derrière, les deux guetteurs désignés ciblaient les deux issues possibles.

Le groupe de police pénétra dans l'immeuble et grimpa quatre à quatre les marches de l'escalier, en laissant un brigadier en appui à chaque étage. Une fois arrivé au quatrième, la Poire fit signe au dernier gardien de la paix de les dépasser et de monter jusqu'au cinquième.

Marion, Hervé et la Poire prirent position devant la porte de l'appartement, en silence ; soudain Théo s'approcha d'eux avec un bélier métallique dans les mains. L'angle de la prise de vue de la vidéo et la fenêtre entrouverte leur permettaient d'estimer qu'il s'agissait du bon logement. Théo finit de se placer juste devant la porte, légèrement sur la droite. Il balança le bélier en arrière d'un mouvement ample, puis le fit partir en avant, et sous le choc puissant l'ouverture éclata.

Aussitôt, la Poire, Marion et Hervé investirent l'appartement et cherchèrent les interrupteurs pour éclairer chaque pièce au fur et à mesure de leur avancée.

Leurs sommations restèrent sans réponse et la fouille des lieux ne donna rien. La fenêtre fracturée témoignait bien du passage d'Alpha, mais il avait filé avant leur arrivée, certainement sitôt le film propagé sur Internet. Sur une commode, ils trouvèrent le téléphone portable de la jeune femme.

Moins d'une heure plus tard, le compagnon de cette dernière décéda à l'hôpital.

★

La Poire et Marion rentrèrent au commissariat vers 4 h 30 du matin. Après avoir garé la voiture de service sur le parking, ils voulurent dormir quelques heures et repartirent chez eux à pied. En marchant, la Poire sentit sa fièvre s'intensifier, tout comme son mal de gorge. Il s'en ouvrit à sa collègue, et Marion lui proposa de s'arrêter un court moment chez lui pour lui préparer une infusion sucrée au miel, qui pourrait l'apaiser. Il accepta.

Les deux policiers longeaient le parc de Bercy, sans croiser personne. La Poire avait la sensation étrange qu'on les suivait. Une impression irrationnelle, persistante, depuis qu'ils avaient quitté l'avenue Daumesnil, dont il ne savait s'il devait l'accorder à la fièvre ou à son expérience professionnelle. Alors il stoppa sa marche et pivota sur lui-même pour regarder derrière. Ne remarquant personne, il fixa son attention sur une ruelle qu'ils avaient dépassée, en angle droit avec la rue qu'ils arpentaient : un passage peu éclairé, enclavé entre deux hauts immeubles et identique à la multitude de venelles qui parsemait leur trajet.

— Qu'est-ce qu'il y a ? lui demanda Marion, surprise de le voir arrêté ainsi et chercher quelque chose du regard, loin dans l'obscurité.

— J'ai l'impression qu'on est suivis.

— T'en es sûr ? s'étonna sa collègue, en scrutant alternativement la Poire et l'angle de la ruelle.

Elle n'apercevait rien non plus. Soudain, elle sortit son Glock de son étui.

— Je vais voir, dit-elle avant de filer au pas de course vers la ruelle.

— Attends-moi ! s'exclama la Poire, mais elle n'écoutait pas.

Il se sentait trop faible pour courir au même rythme, mais il dégaina son arme et partit derrière elle avec du retard. Il vit Marion disparaître dans la ruelle, et plusieurs secondes s'écoulèrent sans qu'elle réapparût.

— Marion ? appela la Poire, en ralentissant et en pointant son arme, inquiet.

N'obtenant aucune réponse, il réitéra son appel ; et comme elle ne répondait toujours pas il se mit à courir, plus vite, jusqu'à ce que l'étroit chemin se dessine plus clairement devant lui, sur toute sa longueur. Alors il distingua sa collègue, qui faisait demi-tour et se rapprochait de lui tout en rangeant son arme dans son holster, un sourire bienveillant aux lèvres.

— La fièvre te provoque des hallucinations, mon biquet ! On va rentrer chez toi et je vais te soigner.

★

— Prends déjà ça, ce sera bon pour ta gorge, lui assura Marion en lui apportant l'infusion apaisante qu'elle avait préparée avec amour.

La Poire, allongé sur le canapé, lui obéit docilement en avalant quelques gorgées.

— Est-ce que t'as du paracétamol, pour ta fièvre ? lui demanda-t-elle.

— Tu veux bien regarder dans mon tiroir à pharmacie ? Je crois avoir une boîte.

Marion disparut dans un couloir, jusqu'à la salle de bains.

Elle en revint quelques minutes plus tard avec une plaquette.

— Il t'en reste une entière. Si t'es trop malade demain, j'irai à la pharmacie te chercher plus de choses.

La Poire prit les deux gélules qu'elle lui tendait et but une gorgée de sa boisson pour les faire passer. Puis il se renfonça dans le canapé en grelottant de froid.

— Je sais pas si c'est encore pour nous, tout ça, dit soudain la Poire à sa collègue.

— De quoi tu parles ?

— On compte trois homicides… peut-être que le juge voudra nous retirer l'affaire…

Marion se tenait debout face à lui, pensive.

— Son mobile reste le viol, répondit-elle. Les deux gardiens de la paix l'ont surpris et se sont eux-mêmes fait surprendre…

— Il nous nargue…, s'irrita la Poire, désormais brûlant de fièvre et qui sentait son pouls battre derrière ses tempes. Il laisse des centaines de traces derrière lui, des signalements, il s'en fiche… et les mises en scène sont de plus en plus violentes.

— Tu le dis toi-même, on a beaucoup d'éléments. L'étau se resserre et on va l'avoir d'un jour à l'autre. Il pourra pas constamment fuir, il sera abattu ou arrêté.

— Euvrard voudrait qu'on suive la piste du sadomasochisme. Tu crois vraiment qu'on peut trouver quelque chose dans le milieu du SM ?

— Il voit un lien avec le bondage… Anthony, s'exclama-t-elle soudain en le dévisageant, t'as une mine terrible. Je crois surtout qu'il faut que tu dormes, maintenant ; t'es éreinté.

Doucement, Marion vint s'asseoir à ses côtés, plaça un coussin sur ses genoux et incita la Poire à y poser la tête.

— Étends-toi, tu seras bien. Je vais rester un peu avec toi.

Le jeune homme obtempéra et s'allongea, appuyant sa tête sur les jambes de sa collègue. Aussitôt, elle enfonça ses doigts dans ses cheveux et commença, d'un rythme lent mais ferme, à caresser son crâne. La sensation de bien-être, immédiate, incita la Poire, dont les yeux étaient déjà mi-clos, à les fermer totalement. La caresse était généreuse et habile, et le calma tout de suite.

— Je me souviens que ma mère me caressait les cheveux, comme ça, quand j'étais petit…, lui confia-t-il avec les yeux encore fermés. J'avais presque oublié.

— Tu aimais ça ?

— Énormément. Elle travaillait beaucoup et elle était régulièrement en déplacement, ce n'était pas souvent elle qui me couchait. J'adorais quand c'était elle. Et plus que tout, j'aimais ces moments qu'elle prenait pour me caresser la tête.

— Pourquoi tu continues à voir ta mère, Anthony ? Si elle te fait tant souffrir…

Marion avait prononcé cette phrase sans réfléchir. La Poire ne répondit pas et elle le sentit qui se tendait. Aussitôt, elle regretta sa question et voulut vite revenir en arrière.

— Excuse-moi… Je sais pas pourquoi j'ai dit ça. Oublie, continue de me parler d'elle, quand tu étais petit… Je t'assure que ça m'intéresse, insista-t-elle alors qu'il demeurait muet. J'ai vu des photos d'elle, à la sortie d'anciens procès ; elle était très féminine… Ses ongles étaient plus longs que les miens !

— Elle a toujours entretenu sa féminité, répondit la Poire sans bouger la tête. Elle y met un point d'honneur ; elle dit qu'une femme qui veut conquérir le monde doit user des traits de caractère historiquement inhérents aux hommes, tout en gardant une apparence attirante. Ses ongles sont longs et soignés, oui ; j'aimais les sentir sur ma peau, je ne voulais jamais que ça s'arrête. Je savais qu'au bout d'une dizaine de minutes elle se lasserait et, au fond de moi, je redoutais ce moment. Je l'appréhendais, au lieu d'apprécier pleinement. Dans ma tête, je faisais un genre de compte à rebours néfaste. Je n'en profitais qu'à moitié.

La Poire cessa de parler. Un ange passa, nullement troublé par l'infime son des doigts aux ongles courts de Marion, qui poursuivaient leur caresse.

— Détends-toi, Anthony, lui murmura-t-elle. J'arrêterai pas… pas avant un long moment. Profite, sans penser à rien.

★

Il se réveilla à 10 heures. L'alarme de son téléphone retentissait dans un coin de l'appartement et il mit une bonne minute à émerger, à le localiser et à pratiquement ramper jusqu'à lui. Marion n'était plus là. Il était incapable de dire à quelle heure elle avait quitté les lieux.

La fièvre, elle, était encore présente, mais ne devait pas excéder un petit 38. Pour le reste, il se sentait mieux. Suffisamment en tout cas pour ne pas rester chez lui, ce qu'il se refusait à faire au vu du travail qui l'attendait. Il voulait coincer ce salaud. Ce tueur de flics, psychopathe.

À 10 h 30, il quitta son domicile. Il faisait beau dehors, mais assez frais. La Poire partit à pied en direction du commissariat.

Posté à une trentaine de mètres, Alpha l'observait.

Le flic n'avait rien vu, absorbé par ses pensées et mal réveillé, visiblement. La fliquette était partie de chez lui à 6 h 15 du matin, et Alpha s'était demandé ce qu'ils avaient bien pu faire ensemble jusqu'à cette heure tardive. S'était-il trompé ?

Il avait suivi la femelle jusqu'à chez elle ; elle habitait vraiment très près. Il avait hésité. L'occasion était sans risque et vraiment attrayante, mais toutes ses pensées allaient vers le gynoïde. Il était revenu au petit matin, lentement, jusqu'à l'immeuble du capitaine Rauch, et avait attendu avec l'immense patience dont il savait faire preuve de le voir quitter son domicile.

Il envisageait cette intrusion avec la plus grande des gourmandises.

Il attendit le bon créneau. La nuit eût mieux convenu, agir de jour était risqué…

Dès qu'il fut certain d'être seul dans la rue, Alpha escalada les trois étages du gynoïde en choisissant les bons appuis, puis il atteignit l'une de ses fenêtres et la démonta sans difficulté en maniant habilement son tournevis.

Il pénétra chez le gynoïde.

Un bel appartement, coquet ; cosy. Une décoration de vieux garçon, assez bourgeoise, faite avec goût. Il semblait avoir de l'argent, le salaud.

Des tons mauves et noirs. Un mur entier rempli d'une collection impressionnante de DVD de films et de séries, seul élément *un peu fun* de cet intérieur.

Alpha n'avait aucune envie de s'attarder, tant cette vie minable le répugnait.

Il fouilla l'armoire à pharmacie et ne découvrit rien. Il *retourna* la salle de bains, tous les produits de toutes sortes.

La dissimulation était normale.

Il ouvrit tous les tiroirs de sa chambre ; les agita, brassa frénétiquement le contenu…

Scruta sous le matelas, sous le lit.

Il examina chaque placard de la cuisine, ouvrit chaque boîte métallique, chaque emballage suspect et inspecta chaque recoin, puis il revint dans le vaste espace que formait la jonction entre la salle à manger et le salon. Là, il aperçut le secrétaire. Un beau meuble, élégamment élaboré et finement orné.

Il vit le discret et fin tiroir, protégé d'une serrure, et il se sentit bête de ne pas avoir commencé par là. Pourtant, il ne pouvait s'empêcher de sourire, car il savait, dans une prescience, que ce qu'il cherchait se trouvait ici.

Alpha glissa la longue tige métallique du tournevis dans l'espace très étroit, exerça une forte pression, et dans un fracas la serrure et une partie du bois cédèrent.

Sa main fouilla la planche, et saisit une plaquette d'Androcur aux trois quarts pleine. Deux boîtes intactes étaient également dissimulées.

★

Alpha sortit de sa poche un téléphone portable qu'il avait dérobé pendant la nuit à un piéton en rejoignant le commissariat de l'avenue Daumesnil.

Il enclencha le démarrage de la vidéo. Il était positionné devant un ancien et large miroir accroché sur l'un des murs du salon. Il se filmait lui-même, en excluant son visage du cadre. Puis il commença à parler à voix haute :

— *Je suis Alpha.* Peut-être avez-vous regardé mes précédentes vidéos. Sans doute avez-vous entendu parler de mes actes.

» Je me trouve actuellement au domicile de l'un des policiers chargés de m'arrêter. J'y suis entré par effraction.

Alpha commença à marcher dans la pièce, en faisant pivoter son cadre jusqu'à filmer la fenêtre fracturée. Puis il effectua un lent panoramique pour présenter l'étendue du salon, en continuant de parler en off :

— Le policier en question est absent, et j'ai inspecté les lieux en totale liberté. Voici l'endroit où il habite.

Alpha se rapprocha de photos encadrées. L'une présentait la Poire avec son père, et une autre avec Marion.

— Anthony Rauch officie au 2e district de police judiciaire, dans un service surnommé la *brigade du viol*. Il y est capitaine de police, ses responsabilités sont importantes. Vous allez maintenant voir ce que j'ai trouvé chez lui.

Alpha s'approcha alors du tiroir ouvert ; avec les boîtes et la plaquette d'Androcur.

— Pour tous ceux qui l'ignorent, il s'agit d'un médicament qui supprime les hormones mâles chez les hommes qui le prennent. Un médicament bien connu des délinquants sexuels de certains pays, là où la *castration chimique* est légalisée.

» J'affirme qu'Anthony Rauch prend régulièrement ce médicament ; j'affirme qu'Anthony Rauch se castre chimiquement ; et qu'il est vraisemblablement un délinquant sexuel.

» J'engage les autorités françaises à faire immédiatement la preuve ou non de ce que j'affirme. À démontrer si un violeur se cache dans les rangs de la police et les déshonore tous. Une prise de sang, avec analyse ciblée, suffira à démontrer que je dis vrai.

ANTHONY

Il avait peu de souvenirs du divorce de ses parents. De rares images lui revenaient en mémoire, comme ce jour où il avait surpris son père, immobile dans un couloir exigu, en train d'essuyer discrètement des larmes au coin de ses yeux. C'était la première fois qu'il voyait son père pleurer. Avait-il rêvé ? L'image était nette dans son esprit.

Le grand homme, s'apercevant que l'enfant l'observait, s'était repris et déporté pour aller un peu plus loin, en lui tournant le dos, d'une démarche guindée.

Ils divorcèrent quand il avait 7 ans, à l'initiative de Louisa. Peu de disputes avaient émaillé son enfance. Sa mère était souvent absente. Peu de scènes d'effusion, également. Si ses parents partagèrent des moments de complicité et de tendresse, Anthony, trop jeune, n'en gardait pas le souvenir. Sur des photos anciennes qu'il retrouva plus tard, il les voyait sourire ensemble et s'enlacer, lors de fêtes ou en vacances, dans des paysages à l'étranger. Principalement à l'époque de leur mariage et de sa très petite enfance.

Son père était adolescent et sa mère une fillette lorsqu'ils se rencontrèrent pour la première fois, alors que la mère de Louisa, veuve et réfugiée politique hongroise, avait trouvé du travail en France au sein de la famille Rauch. La grand-mère maternelle d'Anthony travailla comme employée de maison pour sa grand-mère paternelle. Avec sa fille, elles vinrent habiter chez les Rauch.

De ce que lui avait confié son père, il n'avait pas prêté grande attention à Louisa lorsqu'elle était enfant. Mais quand elle devint une jeune femme, il fut frappé par sa beauté florissante et par sa vive intelligence. Elle savait déjà ce qu'elle voulait devenir. Elle ne montrait pas de fascination particulière envers l'argent, dont elle avait pourtant manqué en arrivant en France ; elle voulait réussir, briller professionnellement. Avoir le pouvoir de changer les choses. Avec un brin de fierté, son père avait aussi raconté à Anthony lui avoir longuement fait la cour. Alors qu'elle était peu réceptive au début, ils avaient finalement appris à se connaître, à s'apprécier, et Joseph avait peu à peu réussi à charmer la belle étudiante. Elle avait 20 ans lorsqu'elle accepta de l'épouser. À 28 ans, Joseph travaillait déjà à Rauch Industries, comme bras droit du grand-père d'Anthony, encore vivant à cette époque.

Pour Anthony, Louisa fut le grand amour de son père, une brûlure dont la douleur subsista et ne s'estompa jamais vraiment. Louisa, elle, passa très rapidement à autre chose et nul doute qu'elle avait déjà commencé avant que la séparation ne fût prononcée. Louisa ne critiqua jamais vraiment le père d'Anthony devant son fils. Il ne fut jamais le témoin d'aucune saillie verbale, alors qu'elle savait *blesser à mort* avec les mots, dès qu'elle le décidait.

Elle ne haïssait pas son ex-mari ; puisqu'elle ne l'avait jamais aimé, c'était du moins la théorie d'Anthony. Elle respectait l'homme ; elle respectait sa famille. Il avait pour seul tort de ne pas être à la hauteur. Les hommes qui suivirent son père faisaient partie d'une élite, pas seulement financière : artistique, politique, d'opinion. Ils étaient à un niveau dont s'approchait Louisa de jour en jour, à une vitesse impressionnante.

Elle ne voulait aucun mal à son mari, car elle était bien au-dessus : une femme dangereuse, et lui un homme inoffensif.

Lors du divorce, décision fut prise qu'Anthony partirait vivre avec Louisa et retrouverait son père un week-end sur deux et la moitié des vacances scolaires. Joseph n'émit aucune protestation. Alors qu'il aurait pu et sans doute obtenu gain de cause, car Louisa elle-même trouvait très encombrante la gestion d'un enfant à temps plein. Mais Joseph ne travaillait pas moins que Louisa à cette époque, et son fils aurait davantage souffert, d'après lui, d'être séparé de sa mère que de lui.

Sur le principe, il avait certainement raison.

Louisa et son fils quittèrent la maison familiale de Neuilly-sur-Seine et emménagèrent dans un vaste appartement du 9e arrondissement.

Louisa ne se battit pour aucun des avoirs des Rauch ; elle l'exclut même immédiatement, sans jamais revenir sur cette décision. La seule rente qu'elle accepta fut celle destinée à son fils, pour les frais quotidiens et l'emploi d'une nounou à domicile, indispensable au vu de ses journées professionnelles à rallonge.

Il fallait quand même se souvenir à quel point sa mère était belle, à cette époque ; c'était quelque chose. Et brillante, solaire, avec un sens de l'humour plus masculin que féminin. Peu des contemporaines de Louisa Rauch émettaient un rayonnement comparable au sien, ou avaient un tel pouvoir d'attraction. Elle plaisait énormément aux hommes. Et si peu d'hommes lui plaisaient en retour, elle avait l'habileté de leur faire croire qu'elle leur trouvait quelque chose ; et qu'en donnant le meilleur d'eux-mêmes, ils pourraient éventuellement la séduire.

Louisa n'avait que faire de leur beauté. Le génie, en revanche, la ravissait. Le charisme, les convictions. Un homme *dans l'air du temps*, passionné par ce qu'il disait et ce qu'il faisait, pouvait la conquérir. Elle ne cherchait pas un homme qui lui serait complémentaire, mais *son double*. Un double en avance de quelques années sur elle. Qui la mènerait vers des territoires inconnus et l'accompagnerait vers le destin qu'elle s'était choisi.

Femme de gauche, très politisée, Louisa était au cœur de l'intelligentsia parisienne. Beaucoup d'artistes étaient ses amis, des peintres, musiciens, cinéastes, dramaturges, acteurs et actrices… Des politiciens, aussi. Les dîners s'enchaînaient à un rythme effréné. Les mondanités, les réceptions, les week-ends chez les uns et les autres, où Anthony l'accompagnait parfois. Les journées, les semaines de Louisa étaient trop courtes. Elle voulait mordre la vie, tout dévorer, avec un appétit d'ogresse.

Son cabinet ne cessait de croître, en chiffre d'affaires mais surtout en prestige. *Avocate engagée*, elle défendait les opprimés ; parfois pour rien. Et les retombées médiatiques devenaient sa carotte, un gain qu'elle chérissait.

Son travail acharné en amont, couplé à sa repartie cinglante qui faisait mouche lors des audiences, la firent gagner de plus en plus souvent. Elle obtenait l'acquittement, sur des dossiers jugés périlleux. Elle savait trouver les failles. Son nom se mit à circuler dans Paris. Des gens importants commencèrent à lui faire confiance, malgré son jeune âge. Le richissime et sulfureux businessman Albert Merlin demanda à la rencontrer. Enlisé depuis des années dans l'*affaire des sols sulfatés*, il décida à l'issue de leur premier rendez-vous de dessaisir du dossier le ténor du barreau Henri Lebarne au profit de la jeune avocate. Sa victoire, ensuite, lui fit atteindre un niveau de renommée dont elle ne redescendit plus jamais. Et Louisa demeurait, trois décennies plus tard, une collaboratrice privilégiée d'Albert Merlin. À son sujet, le milliardaire déclara un jour dans la presse : « Louisa Rauch est l'une des trois personnes qui m'ont le plus impressionnées dans ma vie professionnelle ; et j'ai rencontré à peu près tous les puissants de ce monde. Plus qu'une conseillère précieuse, elle est mon amie. »

★

Après son divorce, Louisa était restée extrêmement discrète sur sa vie intime, du moins vis-à-vis d'Anthony. Pendant deux ans, l'enfant ne rencontra ou n'identifia aucun potentiel amant ou amoureux.

Sa mère n'avait pourtant pas fait vœu de chasteté. Elle aimait la séduction et elle était épanouie, beaucoup plus qu'auparavant. Avec le recul, force était de constater qu'elle avait pris des précautions pour maintenir une certaine pudeur à ce sujet vis-à-vis de son fils, et le préserva de la présence d'un autre homme que son père durant une assez longue période.

Un dimanche, Louisa organisa un déjeuner chez elle. Le repas était préparé par un traiteur, et un domestique aux gants blancs était présent pour le service. Un mystérieux invité était attendu.

L'homme qui se présenta à la porte avait la quarantaine passée. Il était grand, et maigre. La chevelure poivre et sel, assez fournie. Il avait de belles dents ; une denture blanche qu'il déployait fréquemment au gré de ses sourires. Ses yeux étaient rieurs, pétillants, intelligents. Il paraissait sympathique.

Pierre-Yves Sully se courba pour saluer l'enfant et parut très intéressé par lui. Louisa servit ensuite de guide et lui fit visiter l'appartement, et il montra là encore un très grand intérêt à la découverte des différentes pièces. Lorsque le tour de la chambre d'Anthony arriva, Sully entra, s'assit sur le lit et écouta l'enfant lui présenter son lieu de vie et ses jouets préférés. Anthony avait des affiches et collectionnait les figurines de *Star Wars*. Louisa lui expliqua que Pierre-Yves était *réalisateur*, et mettait de vrais films en scène. Anthony se montra intrigué, même s'il ne connaissait pas encore ce métier et ses rouages. Puis Louisa les laissa un moment seuls tous les deux, sous prétexte d'aller surveiller le travail en cuisine. Pierre-Yves poursuivit sa discussion avec Anthony, à sa hauteur, avec patience, avec respect, comme si ce que lui racontait l'enfant avait de l'importance et un réel intérêt pour lui. Ils parlèrent de comics, de monstres, de l'univers de George Lucas. Lui qui était si cultivé et qui pratiquait un cinéma si pointu, si radical, ne fut à aucun moment condescendant avec le petit garçon.

Pierre-Yves lui raconta qu'il avait une fille de 17 ans, qu'il voyait peu car elle vivait en Allemagne avec sa mère ; une actrice qu'il avait aimée. Et que lui-même habitait dans une belle et grande propriété dénommée *la Chênaie*, avec un lac, un court de tennis, une vaste piscine, un espace boisé et une immense pelouse.

Le déjeuner se déroula parfaitement, dans une bonne humeur parsemée de rires entre les deux adultes. Rapidement, il apparut à Anthony qu'ils se connaissaient déjà très bien et que l'objet de ce repas ensemble était de lui faire faire connaissance avec Pierre-Yves. Taquine, Louisa se livrait à un jeu empreint de séduction avec cet homme. Sans trop se livrer ni jamais paraître ingénue, elle buvait ses paroles et le mangeait des yeux, avec un appétit dont Anthony n'avait jamais été le témoin auparavant.

★

À cette époque, Pierre-Yves était en montage de son nouveau long-métrage, *L'Envie de l'ombre*. Les producteurs plaçaient beaucoup d'espoirs en ce film et souhaitaient vivement qu'il concoure à Cannes, ce qui rendait les délais de post-production extrêmement courts en ce début de printemps.

Le festival de Cannes était un peu la deuxième maison de Sully. Plus que ceux d'aucun autre cinéaste français de cette époque, chacun de ses films y avait reçu un accueil chaleureux et unanime de la part des critiques et des festivaliers. Pendant la brève période où il travailla comme scénariste pour des réalisateurs plus expérimentés, Sully rafla le *Prix du scénario*. Devenu à son tour réalisateur, il fut récompensé peu d'années après par le *Prix Un certain regard*. Puis par le *Prix de la meilleure mise en scène*. Le *Prix du jury* lui revint encore quelques années après et, lors de son précédent film, il reçut cette fois le *Grand prix*. Seule la *Palme d'or* manquait à son palmarès, soit la plus prestigieuse des récompenses du cinéma mondial.

Cannes distribuait très rarement à un metteur en scène des prix inférieurs à ceux déjà reçus les années précédentes, et tous savaient que Sully repartirait soit avec la Palme d'or, soit avec rien. Lui-même était persuadé que *L'Envie de l'ombre* avait le potentiel pour lui apporter la consécration ultime.

Le film fut prêt à temps et concourut en *Sélection officielle*. Comme chaque année, Sully descendit à Cannes durant toute la quinzaine, mêlant l'utile à l'agréable. Sa suite habituelle lui était réservée dans le plus bel hôtel de Cannes, avec une vue époustouflante sur la Croisette. Se levant à 11 heures, il petit-déjeunait chaque jour en lisant la presse internationale avec la critique des films projetés la veille, puis se rendait à un nouveau déjeuner fastueux. L'après-midi, il enchaînait les rendez-vous professionnels, avant de rentrer dans sa suite pour se changer en vue de la projection du soir. Habillé du coutumier smoking, il s'y rendait avec ses producteurs ou amis, puis tous sortaient dîner. Les soirées et les nuits se terminaient invariablement par une ou plusieurs fêtes cannoises – tout le jeu, à Cannes et à longueur de journée, était d'obtenir une invitation à l'une de ces fêtes, de préférence la plus courue. Nul besoin pour Pierre-Yves de quémander l'un des précieux sésames, bien au contraire. Il était convié aux soirées les plus *sélectes*, et nul yacht, nulle maison dans les collines ne lui étaient inconnus ; il buvait des verres avec tout le gratin hollywoodien, tutoyait les plus grandes stars françaises et mondiales.

Il proposa à Louisa de le rejoindre. Il insista, même ; il voulait que la femme qu'il aimait soit à ses côtés à la projection de son film et lui tienne la main lorsque des milliers de professionnels découvriraient son œuvre. Sans elle, disait-il, ce festival était sans saveur, elle ne quittait pas ses pensées et il désirait partager du temps avec elle et lui faire rencontrer du monde.

Laissant ses affaires en suspens, Louisa prit un avion le mercredi de la deuxième semaine pour rejoindre Sully et assister à la projection de *L'Envie de l'ombre*. Pierre-Yves lui offrit une robe de couturier pour l'occasion et fit en sorte qu'une époustouflante joaillerie lui soit prêtée. Louisa monta le soir même les marches du palais des Festivals, en compagnie de l'équipe du film, bras dessus, bras dessous avec le cinéaste. D'innombrables flashs crépitaient autour d'eux. Ils étaient superbes, lui en artiste dandy torturé, elle en lionne prête à dévorer le monde. La sortie nationale du film était programmée dès le soir de la première cannoise. La réaction de la salle au terme de la projection fut triomphale. Les critiques du lendemain furent elles aussi élogieuses : on louait la direction d'acteurs hors du commun de Pierre-Yves Sully – et il est vrai qu'il s'agissait de l'un de ses points forts. Avec un incroyable sens du casting, il rassemblait des comédiens venus d'horizons très différents – d'aucuns spécialisés dans le théâtre ou le cinéma d'auteur, mis face à une actrice issue de la comédie commerciale et désireuse de prouver son talent ; ou encore des amateurs dont c'était la première expérience. Et au final, Sully réussissait à se mettre lui-même en avant. Les festivaliers s'enthousiasmèrent aussi sur l'expression de sa *conscience sociale* et sa faculté à pointer du doigt les véritables maux des petites gens, dans une société qui les écrasait.

Les recettes françaises du premier week-end furent en revanche décevantes. Chouchou des festivals internationaux, Sully n'avait jamais rencontré de véritable succès en salle. Optimiste à l'origine, le distributeur revoyait son pronostic à la baisse pour les chiffres en fin d'exploitation. Une Palme pourrait sans doute booster les entrées, mais le tournage avait coûté cher et il était maintenant peu probable qu'il rentrât dans ses frais.

Si devant les journalistes Pierre-Yves Sully revêtait sa cape d'artiste déconnecté des données bassement commerciales, sa réaction en privé était tout autre. Il enrageait de cette bouderie du public et rentrait parfois dans une colère noire, face à ses partenaires ou à ses proches. Il voulait *tout* ! Et tandis que de grands réalisateurs populaires rêvaient des dithyrambes des critiques et d'un prix prestigieux, ce cinéaste maintes fois primé fantasmait de voir se déplacer les foules dans les salles qui projetaient ses films.

Le jury allait rendre son palmarès le dimanche, et les producteurs étaient confiants : les responsables du festival leur avaient demandé de rester jusqu'au bout. Pierre-Yves proposa à Louisa de faire venir Anthony pour le week-end. Il pensait que cela pourrait créer des liens entre eux et laisser un souvenir fort dans la mémoire du garçon. Anthony descendit donc à son tour en avion, accompagné d'Hélène, sa nounou. Il assista à la cérémonie de remise des prix, assis entre sa mère et cette dernière. Les récompenses défilèrent et furent allouées à l'ensemble des autres équipes présentes. La fin du palmarès approchant, Sully et ses producteurs commencèrent à échanger des clins d'œil et, comme prévu, le président du jury annonça *L'Envie de l'ombre* quand vint le tour de la tant attendue Palme d'or.

Tous bondirent de joie, partageant étreintes et embrassades, puis Sully partit au pas de course recevoir son prix sur scène, avec un sourire éclatant. Chaleureusement, il remercia le jury pour l'honneur qu'il lui faisait ; ses acteurs et son équipe pour leur patience et leur soutien ; la vie, pour sa beauté et son inspiration, même si elle était parfois tellement impitoyable pour tant de gens, comme pour les personnages de son film ; et enfin, une femme, dans la salle, pour être là…

La fête qui suivit dura jusqu'aux premières heures de l'aube, et resterait dans les mémoires de toutes les personnes conviées. La reine Louisa était au cœur de l'animation, aux côtés du nouveau roi du cinéma mondial. Totalement dans son élément, l'avocate éblouissait l'assemblée. Anthony était présent lui aussi, et passa l'essentiel de la soirée et de la nuit à jouer à s'attraper avec les enfants des membres de la production et des acteurs.

Il fut, ce soir-là, témoin de deux événements majeurs : enivré par les salmanazars de champagne, par le succès et par l'amour, Pierre-Yves Sully déclama, devant les gens présents, une demande en mariage à sa bien-aimée. Laquelle accepta sous les acclamations des convives.

Puis, quelques heures après, le metteur en scène faillit devenir veuf avant l'heure, car la mère d'Anthony fut à deux doigts de perdre la vie devant leurs yeux à tous : assise à table en train de bâfrer et de rire, Louisa commença soudain à faire d'étranges mouvements avec les bras. Elle les agitait d'un air horrifié, le visage rouge et incapable de prononcer un mot compréhensible. Elle étouffait. Anthony l'avait déjà entendue parler de *fausses-routes* qu'elle avait faites plus jeune, à différentes reprises. Louisa y était sujette et disait parfois, sur le ton d'une plaisanterie amère, qu'elle craignait de mourir un jour où elle mangerait seule chez elle. Les gens présents à ses côtés ne lui furent d'abord d'aucune aide, ne comprenant rien à ce qui lui arrivait, et elle faillit mourir au milieu de tous les fêtards, aussi bêtement que si elle avait été isolée. Fort heureusement, Pierre-Yves aperçut la détresse de sa belle et, bousculant sans retenue les gens sur son passage, il courut se placer derrière elle et accomplit le geste opportun : la *manœuvre de Heimlich*. La forte pression sur sa cage thoracique expulsa un morceau de viande hors de la gorge de Louisa et l'envoya sur la nappe. L'avocate reprit sa respiration et, hors d'haleine, enlaça son sauveur.

Vers 3 heures du matin, allongé sur une banquette, Anthony sombra dans le sommeil.

★

Impatients de convoler, les deux amoureux partirent en voyage dès le mois de juin en direction des Seychelles, pour une cérémonie en toute intimité au bord de l'océan, suivie d'une lune de miel de deux semaines.

Durant cette période, Anthony fut confié à son père et resta dans la maison de Neuilly-sur-Seine jusqu'à la mi-juillet, pour le début des vacances scolaires.

Un jour, il eut Louisa au téléphone, qui l'informa de façon concise qu'elle et lui passeraient le reste de l'été à la Chênaie. Anthony ne retournerait pas dans l'appartement avant la rentrée, et d'ici là sa mère se chargerait d'acheminer le nécessaire de ses affaires jusqu'à la propriété de Pierre-Yves.

Au terme des vacances, ils prendraient une décision : soit Pierre-Yves et elle acquerraient un plus grand appartement dans Paris pour y habiter tous ensemble, soit l'enfant et Louisa déménageraient définitivement à la Chênaie, en changeant Anthony d'école.

Anthony fut subjugué en arrivant à la Chênaie. Pierre-Yves n'avait pas menti, l'endroit était superbe. Les propriétaires historiques étaient férus de chasse, et la maison donnait sur des bois immenses. Sur un lac également, à l'eau claire, qui offrait la possibilité de se baigner ou de faire de longues balades en barque. Un vaste terrain dégagé servait parfois de piste d'atterrissage aux hélicoptères d'amis venus faire la bringue pendant un week-end. Pierre-Yves aimait arpenter de long en large cette pelouse sur son tracteur pour tondre l'herbe, en réfléchissant, torse nu ou en maillot de bain, bercé par le son du moteur. Ou s'entraîner au golf, sur deux cents mètres. Ou faire un foot avec ses copains.

La maison alliait avec goût son style rustique originel et un ameublement moderne, voire branché. Les chambres d'amis ne manquaient pas. Pierre-Yves s'était aménagé un immense bureau avec des baies vitrées, une imposante bibliothèque comptant des milliers d'ouvrages, ainsi qu'une salle de jeux au sous-sol comprenant un billard, un flipper et des jeux d'arcade un peu obsolètes mais très amusants.

À contrecœur, Louisa s'accorda deux nouvelles semaines de vacances à la Chênaie, pendant la dernière quinzaine de juillet. Officiellement pour profiter de son fils, bien qu'ils ne se vissent pas tant que cela. Anthony passa l'essentiel de son temps avec Hélène, venue vivre à demeure, tandis que sa mère et son beau-père recevaient une multitude d'invités. Les artistes, intellectuels et hommes politiques se succédaient à la Chênaie et étaient accueillis avec faste et enthousiasme. Les repas duraient des heures ; on refaisait le monde, on festoyait jusqu'au matin au son de musiques et de rires et l'on recommençait le lendemain. La cave de Pierre-Yves semblait inépuisable, et différentes drogues circulaient. Anthony observait ces gens, sans vraiment être avec eux. Il les côtoyait surtout l'après-midi, autour de la piscine, lézardant sur leurs transats face au soleil.

Pierre-Yves était gentil avec lui. Il manifestait plus d'attention à son égard que sa propre mère. Il lui réservait un long moment seul à seul, chaque jour, pour mieux faire connaissance, s'enquérir de ses états d'âme et partager son savoir. Ils étaient devenus d'abord très copains en s'amusant dans la salle de jeu. Pierre-Yves était un redoutable compétiteur, qui aimait rire et se vider la tête avec des jeux d'enfants. Puis il entreprit de confier chaque jour à son beau-fils un nouveau film à regarder, ainsi qu'un livre par semaine. Le lendemain, Anthony devait lui décrire ses impressions. Mais jamais l'enfant ne se sentit écrasé par un ton professoral, le maître restait à sa hauteur, ne formulant ses remarques qu'avec une bienveillance enrichissante. Pierre-Yves dégageait une présence hors du commun, un pouvoir de persuasion comparable à celui d'un gourou. Quand il offrait son temps à Anthony, le garçon se sentait véritablement écouté. L'intensité de son regard et la chaleur de sa voix dégageaient une forme d'hypnotisme. Enfant assez réservé, Anthony ne s'était jamais autant livré à un adulte. S'il avait déjà eu de longues discussions avec ses parents, aucun d'eux ne s'était enquis avec un tel intérêt de sa nature profonde.

La première pièce que Sully lui donna à lire fut *Antony*, d'Alexandre Dumas. Il lui annonça que son prochain film en serait l'adaptation moderne, dont il s'apprêtait incessamment à écrire le scénario ; et que c'était sa rencontre avec l'enfant qui avait guidé ce choix. Sans en prononcer le mot, il lui fit ressentir l'honneur de l'avoir inspiré – pas uniquement pour cause d'homonymie mais aussi pour tout ce qu'il dégageait. Il trouvait Anthony « particulier » et le lui répétait. En plus d'être un bel enfant, il était intelligent et d'une sensibilité pas si commune.

Pierre-Yves n'avait pas eu de fils, la vie en avait décidé ainsi. Nul doute que s'il en avait eu un, il aurait souhaité qu'il fût l'exact semblable de son beau-fils, lui avait-il dit. Il ne voyait que peu sa fille, beaucoup trop peu, et la place laissée vacante dans son cœur était immense. Il souhaitait ardemment que des liens forts se tissent entre Anthony et lui, et que l'enfant remplisse un peu ce vide.

À cette époque, jamais Anthony ne ressentit la moindre animosité à l'égard de cet homme qui remplaçait son père. Au contraire, il se surprit à l'aimer. Pas davantage que son père, différemment. Comme un ami, un confident et un modèle. Il voyait sa mère transformée à ses côtés. Heureuse. Début août, Louisa dut reprendre le travail et commença à faire la navette, matin et soir, entre la Chênaie et Paris.

Anthony restait à la Chênaie, dans cet environnement superbe avec Pierre-Yves, lequel effectuait lui aussi tout doucement sa rentrée en entamant chaque matin l'écriture de son prochain script, avec un coscénariste qui le rejoignait de 9 heures à 13 heures, et qui restait parfois pour déjeuner.

Le premier incident notable fut le renvoi d'Hélène. Dans des circonstances qui, peu à peu, se dissipèrent dans la mémoire d'Anthony. Autant les événements qui suivirent restèrent gravés en lui, autant les petites choses qui arrivèrent au préalable se mélangeaient. Anthony se souvenait d'avoir été très surpris, tout comme Hélène, qui partit en pleurs. Louisa elle-même, chargée de la mise à pied, ne paraissait pas convaincue par cette décision.

Des suspicions de fouilles dans le bureau de Pierre-Yves – son espace réservé ! –, voire de vol, servirent apparemment de prétexte pour s'en séparer. Mais Sully avait déjà la jeune femme dans son collimateur depuis un moment ; il ne l'appréciait pas et considérait son rôle comme superflu au sein de son foyer. Il jugeait ce concept aristocratique : pour lui, un enfant devait être élevé par ses parents.

Surchargée de travail, Louisa ne pouvait s'acquitter pleinement de cette tâche, mais Pierre-Yves argua qu'une longue période d'écriture l'attendait – d'un an au moins – et que tant qu'il n'entrait pas en préproduction, il pouvait consacrer du temps à l'enfant comme un beau-père normal. Il aspirait même à se rapprocher de lui, et pourrait y parvenir pendant les vacances. À la rentrée, l'enfant serait à l'école, puis régulièrement chez son père lors des congés. La domestique de Pierre-Yves, Lorraine, l'aidait de toute façon pour la cuisine et le ménage, tandis qu'un jardinier le soulageait de ses autres besognes. Louisa écouta son nouveau mari et décida de ne pas remettre en cause son jugement et de lui faire totalement confiance. Les années qui suivraient, Anthony choisirait de croire à une emprise intellectuelle qui avait aveuglé sa mère ; avant d'y voir un simple détachement.

La première semaine, Anthony s'ennuya beaucoup à la Chênaie. Il passa l'essentiel de son temps dans la piscine mais, bien que de nature solitaire, l'absence de compagnons de jeu devint rapidement pesante. En ce début août, l'ambiance à la Chênaie avait changé du tout au tout : aux allées et venues incessantes d'amis, aux tablées bruyantes et festoyantes avaient succédé le silence et une atmosphère quasi monacale. Lorraine œuvrait en cuisine en toute discrétion ; Louisa n'était plus là et Pierre-Yves se plongeait dans une austère méditation pour l'écriture de son nouveau script.

Le *maître* avait quelque peu survendu son implication dans le quotidien d'Anthony. Le matin, l'enfant ne le voyait pas – ou tout juste l'apercevait-il derrière les baies vitrées de son bureau, assis et immobile au côté de son coscénariste, ou bien écartant les bras avec emphase en faisant les cent pas. Il avait été clairement énoncé à Anthony qu'il ne fallait pas le déranger durant sa séance de travail matinale. Alors l'enfant se levait vers 9 h 30 puis prenait seul son petit déjeuner servi par Lorraine. Ensuite il rejoignait la piscine, dans laquelle il s'amusait jusqu'à ce que le soleil *tape* trop fort ; ou bien il partait en expédition dans la nature, s'inventer des jeux de pirate ou d'aventurier, ou traquer des animaux sauvages que jamais il ne localisait vraiment.

Il déjeunait souvent seul, à nouveau servi par Lorraine, car les sessions d'écriture dépassaient régulièrement l'horaire prévu. Ensuite il partait s'isoler dans une pièce de la maison – le plus souvent dans sa chambre –, patienter le temps que le soleil décline un peu. Un environnement presque paradisiaque l'entourait mais il ne s'y sentit jamais vraiment chez lui.

La télévision n'était pas reliée à une antenne. La collection de DVD de Pierre-Yves était constituée de grands classiques épatants, mais un peu barbants pour un garçon de son âge. Tout comme les livres disponibles, auxquels Anthony préférait les bandes dessinées rapportées de l'appartement. Si Anthony s'acquittait de la lecture des ouvrages prescrits par son beau-père, c'était avant tout par respect pour lui, et en prévision des échanges passionnants qu'ils auraient et qui déviaient fréquemment en des leçons de vie.

Bien que l'après-midi fût prédéfini comme une période de repos pour Pierre-Yves, il ne décrochait jamais vraiment de son travail. Il lisait, s'enfermait, téléphonait, déambulait dans la maison avec un air renfrogné, dans ses pensées, visionnait des extraits de films… Si Anthony l'accostait, il avait l'impression de le déranger.

Pierre-Yves préservait cependant chaque jour un long moment pour discuter avec l'enfant. Jamais du quotidien, mais des arts, de ses souhaits pour son avenir, de sa mère, de son père… Parfois ils restaient dans la bibliothèque, ou bien ils sortaient marcher dans les allées du parc. Pierre-Yves se montrait alors sous un jour complètement différent, ouvert, souriant, jamais rasoir. Anthony comprenait tout ce que le grand cinéaste lui expliquait et se sentait vraiment écouté, scruté.

Quelquefois, Pierre-Yves emmenait l'enfant sur le court de tennis pour se défouler après ces longs échanges verbaux. Il souhaitait l'initier à ce sport dans lequel lui-même excellait ; Anthony agitait les bras sans toucher beaucoup de balles, pourtant là encore l'adulte se montrait d'une patience exemplaire.

Ensuite il lui faisait couler un bain, l'aidait parfois à se laver.

Une fois l'enfant en pyjama, il lui réchauffait un plat cuisiné par Lorraine, l'envoyait se brosser les dents, le couchait. Il aimait qu'Anthony soit au lit avant que sa mère ne rentre du travail, vers 21 heures au début, puis de plus en plus tard au fil du mois. Elle venait tout de même le voir et s'asseyait sur le bord de son lit, l'embrassait. Le plus souvent, il parvenait à résister au sommeil et à l'attendre ; parfois il s'endormait et s'éveillait en sentant sa main caresser sa tête, sans forcément ouvrir les yeux.

« *Les autres ne comprendraient pas…* »

« *… tu es tellement spécial comme garçon, si beau, si futé. Ton visage, tes cheveux sont magnifiques…* »

« *Je t'aime trop fort. Tu comptes, à mes yeux, tout autant que ta mère. Tu vois comme elle est heureuse avec moi ? Il ne faut rien lui dire. C'est notre secret, d'accord ? Nous serions séparés…* »

Il se souvenait de la première fois avec une acuité parfaite. Rien à voir avec les jours et les semaines qui avaient précédé et qui se mélangeaient dans sa mémoire en une suite de saynètes brumeuses, sans réelle accroche.

Il revoyait la baignoire. Près de trente ans après, sentait encore la température de l'eau sur lui. Il entendait les paroles de Pierre-Yves, revoyait distinctement son visage près du sien, sa fausse bienveillance, sa manipulation qu'à l'époque il n'identifiait pas comme telle.

Pierre-Yves aimait être nu chez lui. Anthony n'y prêtait pas attention, au début ; l'époque était différente et la chose correspondait à son mode de vie très libre. Il agissait avec le plus grand des naturels, sans dégager la moindre perversité.

Le soir de la *première fois*, Anthony barbotait déjà dans son bain lorsque Pierre-Yves apparut, entièrement dénudé, et lui demanda si ça le dérangeait qu'il le rejoignît. Il souhaitait se détendre et Anthony lui fit une place. On était le 9 août. Pierre-Yves avait souvent aidé l'enfant à faire sa toilette, sans aucun geste obscène. Anthony n'avait rien décelé non plus dans son regard, mais il était encore trop jeune pour le faire.

Pierre-Yves resta un long moment silencieux derrière lui. Puis il s'approcha, aspergea les épaules de l'enfant et commença à le savonner.

Sa main saisit soudain le sexe d'Anthony et commença à le serrer et l'agiter. Vigoureusement. La main passait sous les testicules, puis reprenait la pression sur le pénis en une masturbation qui provoqua une érection involontaire chez le garçon. L'enfant avait peur. Il savait que quelque chose d'anormal arrivait, sans toutefois réaliser de quoi il était question.

Pierre-Yves lui parlait à l'oreille, lui disait de rester immobile, lui murmurait qu'il l'aimait et qu'il était l'être le plus extraordinaire et le plus unique qu'il connaissait. Anthony sentait quelque chose de dur dans son dos, avec un mouvement contre lui accompagné d'un bruit de clapotement rapide sur la surface de l'eau.

L'enfant n'opposa aucune résistance et réprima son envie de pleurer. Au bout de quelques minutes, il sentit le sperme chaud de Sully sur son dos, sans savoir à l'époque de quoi il s'agissait. Sully l'essuya, enlaça et embrassa son beau-fils. Puis il lui dit de garder le secret, le sortit du bain et l'habilla, avec l'application d'un père modèle.

Sa mère rentra du travail assez tard, ce soir-là, pourtant il ne dormait pas encore quand elle s'assit à son chevet. Il n'osa rien lui raconter. Il n'aurait pas su le formuler, de toute façon, puisqu'il ne comprenait pas ce qu'avait fait Pierre-Yves. Il se sentait avant tout envahi par la honte. « *Tu dois garder le secret, ils ne peuvent pas comprendre.* » Ces paroles résonnaient en lui.

Les deux jours qui suivirent, Pierre-Yves apparut d'excellente humeur. Il se montra plus attentionné vis-à-vis d'Anthony qu'il ne l'avait jamais été. Toujours enclin à partager son temps et des activités avec lui, lui prodiguant des gestes tendres, sans ambiguïté, des paroles affectueuses.

— Mon fils… je t'aime tellement ; plus que moi-même. Le monde entier attend que je livre un nouveau film, mais je préfère passer du temps avec toi.

Le rythme des allées et venues de Louisa devint de plus en plus difficile à tenir, au fil de ses semaines surchargées. Aussi, il arriva à l'avocate de rester à Paris pour dormir, dans son ancien appartement. Dès le premier soir, Sully en profita pour s'inviter dans la chambre d'Anthony. Le garçon dormait depuis quelques heures quand il sentit l'adulte qui se faufilait sous ses draps et se lovait contre lui. Quand il commença à s'agiter, Sully le retint assez fermement.

— Ne bouge pas, mon fils, lui dit-il à l'oreille de son souffle chaud qui puait l'alcool et le tabac. Laisse-toi faire.

Sa main trouva le sexe d'Anthony et l'étreinte répugnante recommença.

— C'est un peu de ta faute, tu me fais tellement d'effet… Tu me pervertis, ajouta Sully, un peu goguenard, avant de glisser au fond du lit et d'ouvrir sa bouche autour du petit sexe.

Le reste de la nuit fut englouti dans la mémoire d'Anthony, dans un total *black-out*. Il était dans la chambre sans y être, submergé par une terreur qu'il n'avait jamais connue auparavant. Le lendemain, Sully lui répéta qu'il devait garder le secret. Qu'ils auraient tous les deux des problèmes. Qu'il l'aimait et qu'il ferait tout pour le protéger. Si la peur qu'Anthony avait ressentie après l'épisode du bain s'était un peu atténuée, elle ne disparaissait désormais plus. Jointe à un sentiment de culpabilité. Était-ce vraiment lui, au fond, qui avait poussé son beau-père à agir ainsi ? Pierre-Yves était si attentionné à son égard en temps normal, pouvait-il lui mentir ? Lui que tant de gens aimaient, admiraient, vénéraient.

— Si tu parles, nous aurons des problèmes et tout sera de ta faute.

De ta faute. Les mots résonnaient douloureusement dans son crâne d'enfant.

— De ta faute si je n'arrive pas à me retenir, lâchait-il en reprenant ses caresses dégoûtantes, l'air fou, débordant d'envie.

Anthony essaya de le repousser, mais il revenait à l'assaut sans cesse. S'énervant parfois, vitupérant quand le rapport devenait trop conflictuel. Anthony cédait souvent. Pierre-Yves savait bouder, insister. Quand il obtenait satisfaction, il redevenait aussitôt gentil et tendre, débordant de bienveillance. Il savait souffler le chaud et le froid, *dresser* l'enfant.

Chacune des pratiques de Sully répugnait Anthony. Ne se contentant plus de le caresser, Sully voulut l'être à son tour. Il voulut faire l'amour à l'enfant ; lui faire tout ce qui était possible, et il y réussit.

Les assauts de Sully se reproduisirent régulièrement jusqu'à la fin des vacances. Anthony se rendit un week-end chez son père, mais n'en parla jamais. Lors des week-ends à la Chênaie, Sully ne s'éloignait jamais vraiment de sa mère et Anthony disposait de peu de temps seul avec elle. Le garçon était de toute façon terrifié à l'idée de se confier. Et dégoûté. Honteux.

Anthony se sentait comme un objet. Il se remit à faire pipi au lit, mais jamais Sully ne le gronda pour ça. Les soirs où Louisa ne rentrait pas, Anthony angoissait dans son lit pendant des heures, ne sachant si Sully allait le rejoindre. La situation n'allait pas pouvoir durer longtemps comme ça…

★

— On t'a trouvé une école privée. Pas loin d'ici, très prisée apparemment. Tu n'iras plus à Paris. Nous avons… longuement réfléchi, avec Pierre-Yves. Le mode de vie au sein d'une grande ville n'est pas ce qui convient le mieux à son travail. Il a besoin de calme et de sérénité dans l'exercice de son métier. Ses films ont une lente gestation, tu sais, mais ils sont très importants. On doit tous faire des sacrifices. J'en fais, en passant beaucoup de temps sur la route, pour retrouver l'homme que j'aime. *Les* hommes que j'aime…

Elle effectua cette rectification avec un léger sourire, à son intention, et en adoucissant sa voix.

— Avec Pierre-Yves, on pense que tout s'est très bien passé cet été, et qu'on a trouvé le bon rythme. Il s'est bien occupé de toi et a adoré tous ces moments ensemble, qui vous ont permis de tisser des liens. Il t'aime beaucoup, tu sais. Il répète que tu es un garçon formidable et que tu seras brillant. Sa phase d'écriture va durer encore des mois, et Pierre-Yves m'aidera en s'occupant de toi au quotidien. Surtout les soirs où, comme cet été, mon emploi du temps sera trop juste et où je devrai rester à Paris pour la nuit.

» Pourquoi tu pleures, mon chat ?

Anthony sanglotait dans son lit, en effet. Depuis de longues secondes déjà, mais elle avait mis du temps à le remarquer. Il n'était que partiellement éclairé par la lampe de chevet à côté de son lit. Un épais oreiller soutenait son dos et sa tête. Louisa, vêtue d'un tailleur noir, était assise sur le bord de son matelas.

— Je veux pas rester ici…, lui dit-il après avoir hésité.

Les mots avaient fini par sortir, dans un terrible effort.

— Qu'est-ce que tu dis ? Pourquoi ?

La vision des larmes qui s'écoulaient sur les joues de son fils, dans la semi-obscurité, avait sorti Louisa de ce qui s'apparentait davantage à un monologue qu'à une discussion. Elle se tourna un peu plus vers lui et scruta son visage. Elle voulait savoir ce qui lui arrivait.

— Parle, lui dit-elle. Tu sais, ça arrive de déménager ; moi, j'ai changé de pays quand j'étais toute petite. Qu'est-ce qui te dérange, il y a eu quelque chose ?

Anthony hocha doucement la tête. Puis un ange passa.

— Si tu ne me dis pas ce qu'il y a, je ne peux pas deviner, s'impatienta sa mère.

Il hésita quelques instants et prit une goulée d'air. Puis il roula sur le côté et plongea une main sous le lit, avant d'en retirer des feuilles qu'il avait cachées. Il se remit sur le dos et examina les pages couvertes de dessins, avant de les confier à sa mère.

Louisa saisit les feuilles et les regarda, sans comprendre.

— Qu'est-ce que ça veut dire ? Je suis censée voir quelque chose ? Qui est-ce ? Qu'est-ce que c'est ?

— Ici c'est moi…, expliqua timidement Anthony, en se penchant en avant et en pointant son doigt sur le premier dessin. Ici, c'est Pierre-Yves…

— Qu'est-ce qu…, allait s'agacer Louisa, avant de soudain s'interrompre.

Plissant les yeux, elle approcha le dessin de la lampe de chevet. Le tracé était élaboré dans un style enfantin mais relativement soigné. Les sexes des deux personnages étaient apparents, dans des proportions supérieures à la normale. Une fois les perspectives assimilées, les positions croquées devenaient très nettement identifiables.

— Vous êtes tout nus ? demanda Louisa.

Elle observa son fils un instant, puis examina chaque dessin avec une attention accrue. Et petit à petit, de plus en plus, l'angoisse devint lisible sur son visage.

— Qu'est-ce qui s'est passé ? l'interrogea-t-elle avec insistance. Pourquoi tu as dessiné ça ?

— Ne dis rien à Pierre-Yves, d'accord ? s'inquiéta Anthony.

— Lui dire quoi ?

Elle pressait son bras, tout autant qu'elle le pressait de parler. Elle, toujours si fuyante avec son fils, absente même lorsqu'elle était présente, à ce moment *elle était là*. Entièrement ; à son écoute. Pour la première fois peut-être. Les yeux grands ouverts. Épouvantée par ce qu'elle croyait comprendre mais qu'elle voulait l'entendre dire.

Anthony n'avait jamais vu sa mère aussi belle. Une partie de son visage était très sombre et l'autre profil était éclairé par le ton chaud de la petite lampe. Ses yeux étaient braqués sur lui.

— Il t'a touché ?

— Oui.

— Tout nu ? Le zizi ?

— Oui.

— Déshabille-toi… Et mets-toi debout.

Sa mère l'aida à se lever et à se dépêcher d'enlever son pyjama. Puis elle lui dit de se tourner, de façon qu'il soit dos à elle ; et de se pencher en avant en écartant les jambes, pendant qu'elle tenait l'une de ses hanches et appuyait sur le haut de son dos. Elle approcha la lampe pour l'examiner.

Il ne sut jamais si elle constata quelque chose ; elle n'en dit rien, en tout cas.

Louisa poursuivit par une série de questions concises, pour évaluer la gravité des faits. À chaque fois, Anthony acquiesça. Et Louisa chancela, presque imperceptiblement. Elle parut se sentir mal et dressa légèrement son bras, paume face à son fils, comme pour marquer une pause.

— Attends-moi ici… Rhabille-toi ; recouche-toi dans ton lit et attends que je revienne, lui demanda-t-elle d'un ton ferme, avant de se lever et de quitter la pièce.

Anthony resta seul, allongé et immobile, sans comprendre ce que sa mère faisait. Il entendait qu'elle n'était pas loin, vraisemblablement dans la salle de bains du rez-de-chaussée, tout près. Lui était comme pétrifié ; pourtant, bizarrement, il se sentait mieux.

Lorsque Louisa réapparut dans l'embrasure de la porte, son visage semblait un peu mouillé par endroits. L'avocate avait repris le contrôle d'elle-même, autant qu'elle le pouvait.

— Tu as bien fait de me le dire, conclut-elle. On en reparlera demain. Maintenant tu dois dormir, et ne t'inquiète pas.

Puis elle se rapprocha de lui et le borda énergiquement, avant d'embrasser son front et sa joue. Et elle quitta à nouveau la chambre.

Anthony tarda à s'endormir. Il craignait d'entendre des cris, ou de voir son beau-père surgir. Rien de tel ne se produisit ; la nuit fut calme.

Le lendemain matin, Anthony eut la surprise de découvrir Louisa dans la cuisine, qui l'attendait. Elle était déjà habillée et sirotait un thé noir. Elle avait elle-même préparé le petit déjeuner de son fils, bien que Lorraine fût présente. Louisa le prévint qu'elle n'irait pas travailler, puis elle s'assit en face de lui tandis qu'il commençait à prendre ses céréales. Ni lui ni elle ne firent la conversation. Louisa regardait la vue, au loin, en serrant fermement sa tasse de thé entre ses paumes. La journée s'annonçait chaude et magnifique.

Quand Anthony eut terminé, Louisa lui demanda d'aller mettre ses habits et de la rejoindre dans le parc, à un emplacement où une table et des chaises étaient installées.

Un quart d'heure plus tard, l'enfant sortit retrouver sa mère à l'endroit prévu. En passant, à travers la baie vitrée de son bureau, il aperçut Pierre-Yves en compagnie de son coscénariste, tous deux plongés dans leur séance de travail.

Louisa l'attendait dans le parc, baigné d'une lumière extrêmement vive et rasante, assise sur une chaise en métal blanc. Elle était placée dos au soleil, et demanda à Anthony de s'asseoir en face, puis s'adressa à lui d'un ton empreint de gravité, en s'efforçant tout de même d'insuffler à sa voix une relative douceur :

— Tu ne me mentirais pas ? Tu m'as dit la vérité, tu me le jures ?

— Oui, c'est vrai. Pierre-Yves m'a fait promettre de rien dire à personne.

Louisa poursuivit, sans laisser montrer d'émotion :

— Est-ce qu'il t'a fait mal ?

— Des fois.

Anthony lui décrivit où et comment Sully lui avait fait mal. Louisa lui posa des tas de questions, bien plus nombreuses et cliniques que celles de la veille. Pas un détail ne fut laissé de côté. Il donna tous les descriptifs possibles de son sexe, les gestes et les pratiques qu'aimait son mari, les positions, et comment il s'y était pris pour le convaincre.

Elle voulut tout savoir, froidement, sans laisser échapper de réaction. Elle ne contestait rien, elle questionnait et écoutait. Quand l'interrogatoire fut terminé, elle dit à Anthony qu'ils en avaient fini. Puis elle se leva et enlaça le garçon. Sans pleurer, ni dramatiser les choses. Elle recula son visage ensuite et le regarda dans les yeux.

— Ça ne se reproduira pas, dit-elle avec un air encore sévère. Tu dois te reposer et ne plus penser à tout ça, d'accord ?

L'enfant hocha la tête et elle lui saisit la main. Et ils avancèrent ainsi, tout au long du trajet jusqu'à la maison. Là, elle demanda à son fils d'aller l'attendre sur le parking extérieur, près de sa voiture.

Anthony lui obéit et l'attendit pendant de longues minutes, avec une grande anxiété. Lorsque Louisa réapparut, elle transportait deux sacs de voyage, contenant une partie de leurs affaires à tous les deux. Pressée, tout en gardant son sang-froid, elle jeta les sacs dans le coffre et dit à son fils de monter à l'arrière de la voiture.

Tandis qu'elle s'installait au volant, Anthony aperçut Pierre-Yves qui sortait de la maison. Il était en short, avec ses espadrilles. Il ne paraissait pas en colère, juste incrédule ; il avançait vers eux sans courir, en faisant des signes. Il semblait prononcer des phrases, inaudibles de là où ils étaient. Louisa n'y prêta pas attention et manœuvra pour placer sa voiture dans l'axe de la sortie. Quand ce fut accompli, elle accéléra d'un coup et sa voiture s'élança dans la longue allée bordée d'arbres. Anthony ne put s'empêcher de tourner la tête et de voir, au loin, Pierre-Yves qui s'arrêtait en le regardant partir, l'air assez misérable.

Trente ans plus tard, cette image de Pierre-Yves Sully rapetissant dans le pare-brise arrière restait très nette dans sa mémoire.

Il ne le revit jamais.

Le lendemain matin, Anthony se réveilla seul dans l'appartement de sa mère. Puis, en pyjama, il la retrouva qui petit-déjeunait.

Louisa ne parlait pas, et le laissa allumer la télévision pour mettre ses dessins animés préférés ; mais à leur place, la chaîne diffusait un long flash spécial, qui annonçait la mort dans sa propriété du *grand réalisateur Pierre-Yves Sully.*

Stupéfait, Anthony se tourna vers sa mère. Elle regardait elle aussi l'écran, sans réagir.

Un journaliste à l'image expliqua que le jardinier du *maître* avait découvert son corps le matin même, après avoir ramassé ses vêtements et des bouteilles d'alcool – semées tel *le Petit Poucet* – qui menaient jusqu'au lac. Son corps sans vie baignait dans l'eau.

L'autopsie révélerait les jours suivants qu'il était bien mort noyé. Les poumons remplis d'eau, et le sang très fortement alcoolisé. Sully s'était soûlé ; et sa biture l'avait conduit à entreprendre une baignade nocturne, tandis qu'il était seul à la Chênaie. Pierre-Yves aimait bien boire, trop parfois, et ses proches en témoignèrent. Les médias s'interrogèrent longtemps sur un suicide ou sur une mort accidentelle. Aucune lettre ne fut découverte et l'on privilégia la thèse de l'accident.

Pierre-Yves Sully mourut à 43 ans, au sommet de sa gloire, et il n'en fallut pas plus pour qu'il devînt un mythe, qui perdurait encore.

Peu de temps après le réveil d'Anthony, Louisa reposa le combiné de leur téléphone fixe sur son socle, jusqu'ici volontairement laissé décroché. L'appareil sonna presque aussitôt.

Dans la journée, elle fit quelques allers-retours à la Chênaie. Elle fut entendue par la police, et passa énormément de coups de fil. Pendant tout le week-end, Anthony ne bougea pas de son appartement.

À un moment, il voulut avoir une discussion avec sa mère, et obtenir quelques réponses. Des décennies plus tard, il ne se souvenait plus vraiment de comment il avait essayé d'aborder le sujet, mais il se remémorait parfaitement la réponse de sa mère. Louisa s'était accroupie face à lui, les mains sur les épaules de son fils. Sûre d'elle, et de la marche à suivre :

— Écoute-moi bien, Anthony, ce qui est arrivé est derrière toi maintenant. Tu dois l'oublier. Tu ne dois en parler à personne, pas même à ton père, tu m'entends ? Je m'en chargerai. Pour le reste, personne ne doit savoir. Et toi et moi, nous ne l'évoquerons plus jamais.

À cette époque, l'enfant croyait en ce que sa mère lui disait, et il lui obéit.

Pendant des années, le sujet ne fut plus abordé entre eux.

16

La pire journée de sa vie.

La Poire pensait pourtant l'avoir vécue, il y avait bien longtemps… Mais peut-être pas.

Tout ce qu'il avait mis des années à construire s'appuyait sur une dissimulation majeure, et en un instant la Poire fut mis à nu, aux yeux de tous et sans aucune échappatoire possible.

S'il avait pu monétiser sa vidéo, sans doute Alpha serait-il devenu riche. Elle fit immédiatement le *buzz* sur Internet.

Dénué de tout passage hyperviolent, le fichier se propagea en masse sur les réseaux sociaux avant d'être diffusé dans les journaux télévisés. Les images des précédentes interventions d'Anthony Rauch à la télévision furent mises en parallèle avec la vidéo d'Alpha, et en quelques heures le policier devint une célébrité, aussi bien en France qu'en divers endroits du monde.

La Poire avait souvent songé à ce qui se passerait s'il était démasqué. Il savait qu'il serait renvoyé mais, au fond, il ne risquait pas grand-chose. En prenant ce traitement, il n'avait enfreint aucune loi, et la police

– comme maintes institutions – aimait régler ses affaires en interne, dans l'opacité la plus totale.

Jamais la Poire n'avait envisagé être ainsi montré du doigt sur la place publique. La curée. Du goudron et des plumes. Chaque être humain relié à Internet avait la possibilité de connaître son secret le plus intime et le plus honteux.

Il travaillait dans son bureau lorsque l'information tomba à la brigade du viol. Des internautes avaient signalé la vidéo, puis un appel téléphonique du ministère de l'Intérieur avertit Euvrard qu'un nouveau message d'Alpha circulait sur la toile. Dès qu'il eut raccroché, on lui envoya le lien dans un e-mail.

Euvrard fit un boucan pas possible dans les couloirs afin de donner l'alerte, ordonnant à tous les membres de la brigade de se réunir sur-le-champ dans son bureau. Il voulait que tout le monde découvre la vidéo en même temps ; seule une poignée de collègues manquait, dont Marion faisait partie.

Euvrard s'assit sur sa chaise face à son ordinateur, et tous les flics se rassemblèrent derrière lui, debout en arc de cercle. Le commandant cliqua sur le lien, mit la vidéo en plein écran et monta le volume sonore.

La Poire mit quelques instants à comprendre.

Il reconnut le miroir de son salon, et une partie de son intérieur dans le reflet.

Lorsque la voix d'Alpha commença à parler, il comprit qu'il ne rêvait pas.

« *Je me trouve actuellement au domicile de l'un des policiers chargés de m'arrêter. J'y suis entré par effraction.* »

— C'est chez moi…, dit la Poire, glacé, à l'intention de ses collègues.

— Merde, c'est vrai ! Je reconnais, c'est chez lui ! s'exclama Théo, éberlué devant ce qu'il voyait.

Tous les policiers se mirent à réagir et à questionner les deux hommes, créant un véritable tapage.

— BON SANG, TAISEZ-VOUS ! ordonna Euvrard, lui-même sous le choc. On n'entend pas ce qu'il dit !

La caméra défilait dans le salon de la Poire. Alpha s'approchait de ses photos encadrées, le désignait par son nom et par son grade ; il savait parfaitement qui il ciblait.

Puis il s'approcha du tiroir. Il filma les médicaments. L'Androcur.

« *Délinquants sexuels…* », « *castration chimique…* », « *prise de sang…* », « *recherche ciblée…* », « *déshonneur de la police française…* ».

Le sol se déroba sous les pieds de la Poire. Les murs se rapprochèrent, puis s'écartèrent, puis tanguèrent ou bien peut-être était-ce lui qui tanguait.

L'espace d'un instant qui dura une éternité, la Poire entendit les paroles d'Alpha résonner dans son crâne, rebondir comme une balle de ping-pong dans un bocal secoué.

Il se sentit pris dans un *travelling compensé*. La Poire revit des images de son été à la Chênaie. À cette époque, il faisait très souvent allusion aux *Dents de la mer*, un film qu'il adorait, et Sully, à son écoute, avait entrepris de lui expliquer le secret de l'une des séquences mondialement connues ; celle où Roy Scheider, assis sur la plage face à la mer, découvrait la présence du requin parmi la foule des baigneurs. Pierre-Yves avait placé l'enfant sur un fauteuil roulant en lui confiant sa caméra 16 mm, puis le *maître* avait fait avancer le fauteuil en un *travelling avant* et dit à l'enfant de *dézoomer* en même temps. La perspective de ce qu'il voyait s'en trouvait chamboulée, suggérant un trouble extraordinaire du personnage. Hitchcock, lui avait dit Pierre-Yves, avait été le premier à se servir de cet effet dans *Sueurs froides*, pour suggérer le vertige de James Stewart.

La Poire était coincé dans un épouvantable travelling compensé. Entouré de flics, leurs visage tournés vers cet écran d'ordinateur.

D'un centième de seconde à l'autre, ils allaient se tourner vers lui. Le jauger, le voir vraiment.

— Qu'est-ce qu'il raconte, Anthony ?

Théo le fixait, ses yeux incrédules plongés dans les siens.

Encore assis sur sa chaise, Euvrard examinait maintenant la Poire de bas en haut, comme s'il le regardait pour la première fois.

— Je sais pas, répondit la Poire d'une voix blanche.

Il était en sueur sous ses vêtements. Encore debout, par il ne savait quel miracle. Résistant pour ne pas couler, comme un nageur en pleine mer qui a une crampe.

Enfin, se reprenant, il suggéra la marche à suivre en cherchant l'approbation de son supérieur :

— Il faut qu'on aille chez moi, non ?

— Il a raison… – Par miracle, Euvrard avait acquiescé. Il se mit debout. – On fonce chez lui, tous ! On y va tous ! Anthony, passe tes clés à Théo.

— Pourquoi ? demanda la Poire avec un regain d'anxiété.

— Parce que je te le demande. Et parce qu'ils passent devant ; toi, tu montes avec moi !

★

Dès que la Poire entra dans la voiture et referma sa portière, Euvrard empoigna sa veste au niveau de l'épaule et le poussa brutalement contre le carreau.

— Bordel ! Qu'est-ce que ça veut dire ? s'écria-t-il en continuant de l'agripper, avec un air furieux.

La Poire, immobile, ne répondait pas, et le commandant relâcha sa prise.

— Explique-moi ! Je vois bien que t'as la trouille, qu'est-ce qui se passera si on fait cette analyse sanguine ?

La Poire ne disait toujours rien. Il sentait l'émotion monter ; des larmes apparurent au coin de ses yeux, mais il luttait comme il pouvait pour les contenir.

— Anthony, est-ce que tu prends de l'Androcur ? Pourquoi tu prendrais cette merde ? Regarde-moi et réponds-moi ! s'exclama Euvrard alors que la Poire restait muet.

De ses deux mains crispées, Euvrard lui saisit alors la mâchoire et la nuque pour le forcer à tourner la tête vers lui. La Poire résista, avant de s'écrier :

— OUI, J'EN PRENDS ! J'en prends !

Et en disant cela, la Poire regarda le commandant avec un air aussi furieux que le sien.

Euvrard le relâcha lentement et se renfonça dans son siège, sans cesser de le fixer avec des yeux écarquillés. Tous deux étaient haletants.

— Mais pourquoi ? Pourquoi tu prends ce truc, c'est pour les *clients*… T'en es un ? demanda Euvrard d'une voix beaucoup plus éteinte et inquiète.

— Tu as tout sur moi, mon ADN et mes empreintes. S'il y avait quelque chose à trouver, tu le saurais depuis longtemps.

— Pourquoi, alors ? Tu veux devenir une femme ?

— Pas du tout…, répondit la Poire avec des hochements de tête empreints de lassitude. Je voulais devenir qui tu as en face de toi…

— Je comprends rien, bordel ! Tu vas m'expliquer exactement ce qui se passe ? Pourquoi tu prends ce truc ?

— Parce que je suis fou ? lança la Poire en guise de réponse, tout en haussant les épaules.

— Tu crois qu'on va se satisfaire de cette réponse ? Tu te rends compte de la merde dans laquelle tu fous le service ? Si tout ça est vrai, tu vas jeter le discrédit sur nous tous ! On enquête sur des affaires de viols et tu te castres chimiquement ? Je te considérais comme le meilleur parmi tes collègues, putain ! s'exclama Euvrard, abasourdi.

— Je sais que tu refuseras, et les autres aussi… mais je te demande sincèrement de me pardonner, lui dit la Poire d'une voix plus douce.

— Donne-moi ton arme ! lui ordonna soudain Euvrard. Donne-la-moi tout de suite !

Sans faire d'histoires, la Poire ouvrit son holster puis présenta son Glock à Euvrard en le lui tendant par la crosse. Le commandant glissa le pistolet dans le vide-poche de sa portière, avant de poursuivre :

— Qu'est-ce que je dois te pardonner, en fait ? Je sais pas si ta place est en cellule ou en HP…

— Je peux t'assurer que même si on voulait me mettre entre quatre murs, tu trouverais rien pour m'y envoyer, affirma la Poire. J'ai dissimulé des choses, mais je n'ai enfreint aucune loi. Personne n'a rien vu dans mes analyses sanguines parce qu'on ne trouve que ce que l'on cherche… Pour le reste, j'ai fait mon droit comme les autres ; j'ai travaillé autant que je le pouvais et je me suis impliqué au maximum dans mes dossiers pour *faire le job*…

— Je sais pas si tu dis vrai…, rétorqua Euvrard au bout de quelques instants. Par contre, je sais que la brigade du viol, tu peux faire une croix dessus. Au minimum.

★

La tour Eiffel se dessinait devant lui, de plus en plus imposante. Il arpentait des kilomètres de trottoirs depuis trois quarts d'heure, et ne comptait pas s'arrêter là. Il n'avait aucune intention de prendre un taxi ou le métro. De toute façon, il *flottait*, et ne sentait pas ses pieds. Il ne regardait pas les rues, ne voyait plus les gens autour de lui, et se servait de la tour Eiffel pour s'orienter ; il ne s'y arrêterait pas et poursuivrait jusqu'à la porte d'Auteuil, traverserait ensuite le Bois de Boulogne et rejoindrait la maison de son père, où il pourrait se cacher comme un paria.

— J'ai un service à te demander…

Il avait prononcé cette phrase péniblement. Une supplique, à l'intention d'Euvrard, alors qu'ils étaient encore dans la voiture, garée sur le parking.

— Un service, tu te fous de moi ? avait rétorqué le commandant.

— Accorde-moi vingt-quatre heures, et vas-y sans moi… Rejoins-les dans mon appartement, fouillez tout ce que vous voudrez, je m'en fiche… il n'y a rien à trouver. Ils vont tous me regarder comme une bête de foire si je viens avec toi, c'est trop dur. Et les journalistes seront sûrement déjà là… Même pour vous, c'est mieux, laissons les choses se tasser… Je quitterai pas Paris, tu as ma parole ; je reste à ta disposition. Mais je ne suis pas en garde à vue, n'est-ce pas ? Alors autorise-moi à ne pas t'accompagner et je m'expliquerai devant vous tous un peu plus tard… Je te le demande par amitié.

Par amitié, en effet, Euvrard avait fini par accepter, en échange de sa promesse de ne pas s'enfuir de Paris. Il avait fait vrombir sa Renault Fluence, laissant la Poire sur place, devant l'avenue Daumesnil.

Personne ne semblait le reconnaître. Les Parisiens déambulaient, focalisés sur leurs itinéraires ou leurs problèmes, ou pas encore au fait de cette nouvelle qui se propageait sur la Toile.

Les choses risquaient de se corser le lendemain, quand à peu près tout le monde aurait vu sa photo dans l'un des grands journaux télévisés ou dans la presse écrite.

Son téléphone avait commencé à sonner depuis un bon moment déjà. Il ne connaissait aucun des numéros des tout premiers appels, et présuma qu'il s'agissait de journalistes qui s'étaient procuré le sien. Il n'avait aucune intention de répondre, ni d'écouter sa messagerie.

Il ne voulait pas y penser, même s'il ne pouvait s'en empêcher. Il avait l'impression de rêver. D'être soûl, sans être ivre.

Au Trocadéro, il s'arrêta un instant puis saisit son portable, qui sonnait sans discontinuer. Louisa était visiblement au courant. Elle le martelait d'appels, seize au total. Il l'imaginait totalement affolée. Deux heures plus tôt, elle était la seule au courant de son secret – avec Fontevaud, même si ce dernier ignorait ses raisons. Pourtant, il avait encore moins envie de prendre ses appels que ceux des journalistes. De lui confier sa terreur. Il n'y avait plus rien à sauver, pas même les apparences. Pour la première fois depuis des années, il songea au suicide.

Il aurait pu se jeter d'un pont, dans la Seine ; il se serait sans aucun doute noyé, assommé par la chute et ballotté par les courants.

Il avait vécu comme un moine. Sans grandes joies, sans plaisir ; mais sans douleur. Sans haine, débarrassé de ses colères irrépressibles. Il avait trouvé un équilibre. Vu de l'extérieur, il avait renoncé à beaucoup de choses mais au fond il n'avait jamais été vraiment heureux depuis ses 9 ans. Il s'était lancé, corps et âme, dans un métier devenu sa quête. À son échelle, il avait contribué à freiner quelque peu la propagation du Mal. Il était bon dans ce qu'il faisait.

Demain, il n'irait plus au travail. Ça aussi, on allait le lui enlever.

Une seule personne, dans ses pensées, le retenait d'en finir…

Lorsqu'il franchit le périphérique, il reçut un appel de Marion. Par lâcheté, il ne répondit pas.

Elle ne laissa pas de message.

En arrivant dans la maison de Neuilly-sur-Seine, la Poire tomba sur Sabrina, l'ancienne femme de ménage de son père, qui continuait momentanément de s'occuper des lieux. Elle ne parut pas surprise par cette visite impromptue. La présence de la quadragénaire au domicile de son ancien patron n'était plus indispensable, mais la Poire n'avait pas eu le cœur de la licencier. Et ne sachant s'il allait vendre la maison, il avait préféré la laisser en poste le temps de prendre une décision, et le temps qu'elle trouvât autre chose.

Elle ne semblait pas chômer. Elle œuvrait dans différentes pièces, avec sérieux, et la Poire ne chercha pas à en savoir davantage. Sabrina diffusait une musique sur les enceintes – pas trop fort – et elle lui demanda poliment s'il préférait qu'elle éteigne ; il répondit par la négative et gagna rapidement l'étage pour éviter de poursuivre une quelconque discussion.

Il fureta quelques secondes à la recherche d'un téléphone fixe, en saisit le combiné et le laissa décroché afin d'être injoignable.

Puis il prit une douche brûlante, et ne regretta pas ce choix. L'eau atténua sa souffrance, dénoua les nœuds musculaires de son dos et ceux de ses pensées. Lors d'enquêtes très complexes, il avait déjà remarqué à quel point une douche chaude, le soir, faisait naître en lui des idées judicieuses. Sans aller jusqu'à dire qu'il découvrit de quoi le tirer d'affaire, il sortit de la salle de bains embuée en relativisant un tout petit peu. Après tout, il avait menti mais il n'était pas *Alpha*. Il n'était pas le criminel le plus recherché de France, et des solutions existaient sans doute.

Mais il replongea dans le plus absolu des désarrois en allumant BFMTV, confortablement allongé sur le lit de son père. Sa tronche lui apparut, en immense, sur l'écran de 214 cm accroché au mur. La chaîne diffusait des extraits de son intervention sur le plateau de Gilbert Poupon suivis des vidéos d'Alpha. Un intervenant, absolument pas médecin mais spécialisé dans les faits divers, s'exprimait sur les effets de l'Androcur, en expliquant qu'il était prescrit aux délinquants sexuels ou dans certains cas en complément pour les personnes désireuses de changer de sexe.

Ensuite ils diffusèrent une interview de Gabriel Gluck, place Beauvau. Le ministre de l'Intérieur apparaissait particulièrement austère, et affichait une *autorité sans faille*. Il ne mâcha pas ses mots :

— Vous savez, dit-il à la horde de journalistes qui pointaient des micros sur lui, on ne peut se prémunir entièrement des malades mentaux… dans la police comme partout ailleurs.

— Vous l'avez fréquenté dans le cadre de l'enquête sur Alpha, commenta l'un d'entre eux.

— Très brièvement ; je dois l'avoir croisé une fois. On me l'a présenté – vendu – comme quelqu'un de compétent, il a su duper tout le monde au sein de son service. Il s'agit d'une personnalité narcissique, qui aime se mettre en avant.

— Est-il dangereux ?

— La lumière sera faite mais il n'y a aucune inquiétude à avoir, il a été mis à pied sur-le-champ. Et ne perdez pas de vue que l'ennemi public numéro un reste l'abject auteur de cette vidéo, dont l'unique objet est de faire diversion, conclut le ministre.

Sur le plan légal, licencier la Poire n'allait pas vraiment de soi, néanmoins nul doute que le ministre trouverait de bonnes raisons. Il s'efforcerait de le faire disparaître, ou de le coller dans un placard. Mutation dans un petit commissariat de province, loin des services de la PJ. Lui retirer la brigade du viol revenait à lui ôter toute envie de persévérer dans sa carrière de policier.

Il se sentait épuisé et rêvait de s'endormir mais ne s'en pensait pas capable. Étonnamment, il réussit ; après s'être étendu sous les draps, il sombra dans un profond sommeil.

À son réveil – la tête encore plus *ravagée* par la sieste qu'auparavant –, il aperçut par la fenêtre la lumière du jour qui déclinait.

La musique ne lui parvenait plus du rez-de-chaussée. Plus aucun bruit. Il était seul, Sabrina était sûrement rentrée chez elle.

Il attrapa son téléphone, laissé sur vibreur ; Marion ne l'avait pas rappelé. De nombreux appels étaient en absence, presque tous inconnus.

Un dernier SMS de sa mère l'inquiéta éminemment : *Tu es chez ton père ? Je veux te voir, je vais passer.*

Il datait de vingt minutes plus tôt. Louisa pouvait bluffer, mais peut-être était-elle déjà en route, et même tout près d'ici. La Poire n'avait aucune intention de la croiser, et il souhaitait de toute façon rentrer chez lui, voir ce qui avait été fouillé. Ranger.

Dans une commode en bas, il récupéra les clés de la Jaguar de son père, ainsi qu'un double des clés de son propre appartement qu'il lui avait laissées, par sécurité.

Assis au volant de la Jaguar XJ, il fit s'élever la porte motorisée du garage ; roula dans l'allée jusqu'au portail qui, à son tour, s'ouvrit lentement ; et une fois dans l'avenue, il lança franchement son véhicule.

★

Il gara la Jaguar non loin de son immeuble. En arrivant dans le quartier, il n'avait repéré aucun camion-régie de journalistes ni bagnole de police. Ils étaient vraisemblablement et momentanément passés à autre chose ; la Poire en eut la confirmation en découvrant l'intérieur de son appartement désert et dans un désordre épouvantable.

La fenêtre fracturée avait été grossièrement consolidée par ses collègues à l'aide d'un épais ruban adhésif. La Poire la ferait changer dès le lendemain. Il éclaira chacune des pièces et constata les dégâts. Il allait mettre une bonne partie de la nuit à ranger. Tout son matériel informatique avait disparu. La Poire doutait que ce fût l'œuvre d'Alpha ; pas son genre. Ses collègues allaient l'inspecter de fond en comble sans rien y découvrir, son unique secret étant son traitement médical.

Ils n'avaient rien rangé, normal, pas leur boulot.

La Poire était occupé à mettre de l'ordre dans sa cuisine lorsqu'il reçut un nouveau SMS. Il le lut, surtout par crainte que sa mère lui annonçât qu'elle arrivait.

Le message était de Marion.

Je sais que tu es chez toi, je vois la lumière. Rejoins-moi dans le hall de ton immeuble.

La Poire resta un instant glacé face au message, ne sachant comment l'interpréter. Près d'une minute plus tard, il répondit : *Tu ne veux pas monter ?*

La réponse lui parvint aussitôt : *Non.*

Il avait peur. Il redoutait ce moment plus qu'aucun autre. Mais il laissa tout en plan, enfila un manteau et passa la porte de chez lui.

La Poire quitta l'ascenseur et avança lentement. En pilotage automatique. Il marcha jusqu'à la porte vitrée du rez-de-chaussée qui menait au hall, et aperçut Marion qui l'attendait devant les boîtes aux lettres. Elle était seule ; l'endroit était désert, même si du monde pouvait entrer à tout moment.

Il pénétra dans le sas et la rejoignit. Sa collègue restait immobile et ne le quittait pas des yeux. Sans haine ni bienveillance ; avec un air dur, qu'il l'avait déjà vue afficher mais jamais contre lui. Il la salua, elle ne répondit pas.

— Pourquoi tu ne veux pas monter ? lui demanda-t-il au bout de quelques instants.

— Je veux pas aller chez toi, ni que tu viennes chez moi, et dehors il y a trop de monde, répondit-elle, rapide et sèche.

La Poire hocha la tête. Embarrassé, il détourna le regard et hésita un instant.

— Tu n'as rien à me dire ? lui demanda-t-elle.

— Je sais pas par quoi commencer…

— Est-ce que c'est vrai ? Tu es sous castration chimique ?

La Poire tressaillit malgré lui en l'entendant prononcer ces termes. Il entrouvrit la bouche et hésita de nouveau à répondre.

— RÉPONDS-MOI ! hurla-t-elle, avec une fureur qui le fit sursauter.

— Oui, je prends ce traitement.

Soudain, elle le frappa. D'une gifle féroce, en plein visage. Seule la tête de la Poire vacilla.

Les yeux de Marion s'embuèrent aussitôt de larmes, qui ne tardèrent pas à couler.

Il la trouva belle à cet instant ; dans sa tristesse, dans son malheur le plus profond… qu'il partageait avec elle. Son regard brillait tandis qu'elle le dévisageait, accablée.

— Pourquoi tu prends ça ?

— C'est une longue histoire.

— EH BIEN RACONTE ! J'en ai marre de tes secrets !

Elle hurlait encore, exaspérée et tendue à l'extrême.

Au même instant, une mère de famille avec ses deux enfants pénétra dans le hall de l'immeuble. Marion s'interrompit et pivota pour se placer dos à elle, tout en séchant ses larmes. La Poire adressa un petit hochement de tête à cette voisine, laquelle le lui rendit timidement en pressant ses enfants d'avancer.

Dès qu'ils eurent disparu, Marion reprit son interrogatoire :

— Tu as violé une femme ? Des femmes ?

— J'ai fait du mal à quelqu'un, il y a très longtemps. J'étais devenu une mauvaise personne, c'est vrai… Mais grâce à ce traitement, je suis maintenant totalement inoffensif.

Marion écarquillait les yeux, sans croire ce qu'elle entendait. Elle fit un pas en arrière, abasourdie. Avant de revenir vers lui.

— Inoffensif ? PUTAIN mais tu entends comme tu parles ? s'indigna-t-elle. Comment tu serais, si tu ne le prenais pas ? Comme Alpha ?

— Non, jamais… j'ai jamais été comme lui, lui assura la Poire, avec le plus de conviction possible. Il faut que tu comprennes que c'était aussi une rédemption.

— Qui tu as violé ? Qu'est-ce que tu as fait ? Je veux tout savoir, le pressa Marion.

— Je t'assure que c'est pas le moment… tu ne comprendrais pas…

Marion saisit soudain ses propres cheveux, de rage. À nouveau en proie à des pleurs incontrôlables, elle fit mine de réaliser :

— Je t'ai invité chez moi, un sale violeur ! Je me suis confiée à toi. On s'est même embrassés.

La Poire s'approcha d'elle, en tentant de la rassurer un peu :

— Je jouais aucun rôle avec toi. C'est moi ! dit-il en se désignant. Tu comptes énormément dans ma vie ; tu es même la seule qui compte autant. C'est moi, Anthony…

— MAIS AVANT ! Tu étais qui ?

— Avant…, hésita la Poire. J'étais un jeune mec, et j'avais des problèmes… Je résistais mais… j'avais des pulsions, qui me laissaient pas en paix…

Marion s'élança et le frappa à nouveau, d'un coup sec sur l'épaule, qui le fit gémir. Puis elle le frappa une deuxième fois, au même endroit. La Poire fit quelques pas sur le côté en essayant de la calmer mais elle serrait le poing et les dents, en proie à une fureur qui ne s'atténuait pas.

— Tu vas vraiment me resservir cet argument de merde, sale connard ? Le leitmotiv comme quoi vous succombez à des pulsions incontrôlables ? Toi, tu vas faire ça, te défausser comme tous ces pervers, ces lâches et me ressortir, à MOI, leurs éléments de langage ? La vérité, c'est que vous avez un grain ! Vous êtes des tarés, des salauds, sans la moindre circonstance atténuante !

La Poire accusait le coup, et ses épaules pesaient des tonnes.

— Je comprends que tu penses ça, acquiesça-t-il doucement.

— Tu comprends rien du tout ! Tu comptais, pour moi…

La Poire essaya d'approcher sa main de la sienne et de la saisir, mais elle le repoussa violemment.

— NE ME TOUCHE PAS ! Je ne sais plus qui tu es ! lança-t-elle en le toisant de bas en haut, avec un regard horrifié. Je suis stupide, comment j'ai pu passer à côté de ça ? Je rate tout, ma vie entière est un échec, jusqu'à cette relation avec toi…

— Ne dis pas ça… Tu es une personne exceptionnelle et la meilleure flic que je connaisse. Tu n'es pas stupide, j'ai fait tout ce que j'ai pu pour que vous ne vous aperceviez de rien.

Elle détournait maintenant la tête, pensive, les yeux dans le vague. Puis observa à nouveau son corps. Ses formes.

— Je suis stupide, répéta-t-elle, et tu es un monstre.

Elle avait prononcé ces mots dans un murmure, et la Poire ne chercha pas à répliquer.

— Je vais rentrer chez moi, et je veux pas que tu me suives, le prévint Marion, toujours sans le regarder dans les yeux. Je ne veux plus te parler seule à seul, tant que tu ne me racontes pas tout.

La Poire resta immobile, avec un air navré. Il regarda son amie faire demi-tour et s'éloigner d'un pas moins assuré qu'à l'accoutumée. Elle franchit la porte vitrée, et s'éloigna dans la nuit.

★

Il avait tout perdu. En une seule journée. Son métier et la seule personne qui comptait pour lui.

Un monstre. Elle le voyait ainsi, à présent, et elle n'avait sans doute pas tort. Pas sûr qu'elle lui pardonne un jour. Et même si ça arrivait, rien ne pourrait plus être comme avant.

Il tourna la clé dans la serrure et poussa la porte de son appartement, le visage défait. Referma derrière lui et s'immobilisa dans son intérieur silencieux. Il restait debout, pensif. Et appréciait le silence, uniquement troublé par quelques courants d'air qui s'infiltraient par les brèches de l'adhésif sur la fenêtre.

Il ne réalisa pas tout de suite. Un bruit. *Flap, flap*. Régulier, un son infime, qu'il ne connaissait pas ; mais bien présent.

En écoutant attentivement, la Poire s'aperçut – de loin, toujours immobile dans son salon – qu'il provenait d'une partie de l'adhésif plus décollée que les autres, et qui ballottait. Avant de descendre, il n'avait pourtant pas remarqué qu'il était décollé.

Au moment exact où il comprit que quelqu'un avait ouvert puis refermé de manière imparfaite, la Poire entendit des pas ; il se retourna et distingua la silhouette qui arrivait sur lui. Le premier choc du poing d'Alpha sur son visage lui évoqua un coup de marteau. La Poire fut brutalement projeté au sol. Au ralenti, il vit Alpha s'élancer encore ; il tentait de réfléchir à une parade quand le deuxième coup le frappa en plein ventre, lui envoyant une décharge électrique dans tout le corps.

Il n'avait pas plus de chances face à Alpha qu'un vélo face à un 18 tonnes, et le comprit avec clairvoyance. Intérieurement, il invoqua une mort la plus indolore possible. Et l'assaillant amorça un troisième coup, dont la Poire ne garderait aucun souvenir.

Lorsqu'il rouvrit les yeux, un battement régulier résonnait près de son oreille. Un claquement ininterrompu, faisant trembler son visage et sa vision de façon continuelle. Puis il comprit qu'il s'agissait de son agresseur, occupé à lui asséner une série de gifles, relativement douces mais incessantes, pour le faire revenir à lui.

Alpha l'avait transporté dans sa chambre. Allongé sur son lit, sur le flanc. La Poire s'aperçut que ses chevilles étaient ligotées l'une à l'autre, de même que ses mains, attachées dans son dos par un nœud solide. Surtout, il prit conscience de son entière nudité.

Sa joue le brûlait de plus en plus sous les gifles. Alpha sourit en le voyant rouvrir les yeux, sans s'arrêter pour autant.

— Stop…, geignit la Poire.

Alpha laissa soudain sa main posée sur sa joue, avant de la retirer comme une caresse.

Il était assis sur une chaise, face au lit de la Poire. Cette fois, le policier put l'observer en détail : il était entièrement vêtu de noir, baskets comprises. Grand, élancé, et relativement mince, comme ses victimes l'avaient décrit. Il regardait la Poire, sans défense, toujours en souriant. Il avait un beau visage et des yeux très noirs, dans lesquels toute sa folie transparaissait. Il dégageait un indéniable charisme. L'image du Mal.

— Tu sais qui je suis ?

Alpha accompagna sa question d'une caresse dans sa propre chevelure, désormais courte. Ses yeux étaient rieurs.

— La pression devenait difficile à gérer, dit-il en désignant une mèche de ses cheveux.

— Tu vas devoir me tuer, l'avertit la Poire, parce que je te vois parfaitement et que je ne suis pas près de t'oublier.

— Laisse-moi libre de ce choix.

La Poire venait de remarquer un détail, jamais formulé par les survivants qu'il avait interrogés : Alpha avait un très léger accent ; un accent du Sud, différent de celui du Sud-Ouest et moins prononcé que le marseillais. Un accent presque effacé mais qui lui évoquait diverses régions.

Alpha observait la silhouette du flic, allongé et ligoté face à lui.

— On a beaucoup de choses à se raconter, toi et moi, commença-t-il en paraissant se régaler d'avance. Ma vidéo a fait parler d'elle… J'ai beaucoup regardé la télé, aujourd'hui. Ils t'ont tous salement lâché… Même ton ami le ministre, qui faisait bras dessus bras dessous avec toi, il y a dix jours… Un sacré faux-cul, celui-là ; qui ne manque jamais d'ailleurs une occasion de m'insulter en public. Un peu comme toi…

En haletant légèrement, la Poire cherchait un moyen de se détacher ou de faire diversion. Sans en trouver aucun.

— Moi, j'ai su tout de suite, dès que je t'ai vu ! Tes formes, ta voix, ton allure générale… J'ai senti qu'il y avait un truc et… un jour j'ai compris !

Alpha rapprocha encore sa chaise, vraiment tout près, et se pencha en avant pour mieux l'examiner, le frôler et presque le sentir.

— Tu es fascinant. Il faut une sacrée haine de soi pour s'infliger ça…

— Tue-moi, mais fais ça vite, lui dit la Poire d'un ton sec, sans laisser paraître d'émotion.

— Tu plaisantes ? s'étonna Alpha. Arrête avec ça…

Puis il se mit debout et fit quelques pas en tournant sur lui-même.

— Tu n'as pas pris d'œstrogènes ; tu ne voulais donc pas te transformer en femme. L'Androcur t'a servi à inhiber ta sécrétion de testostérone ; à te castrer. Tu n'as pas l'air « bon à interner », et tu n'as sûrement pas fait ça sans raison…

— Qu'est-ce que tu veux de moi ? s'impatienta la Poire.

— En premier lieu ? demanda Alpha, en se rapprochant et en plongeant ses yeux dans les siens. Que tu foutes tes médicaments aux chiottes et que tu tires la chasse derrière. Ensuite, je veux tout savoir… Qu'est-ce qui t'a amené à prendre ce truc ?

— Tu as l'air de bien connaître ; toi-même, tu en as pris ?

— Pour devenir une chose comme toi, asexuée ? Ni un homme ni une femme, ah ça non… J'ai trop de respect pour ma personne. Tu t'es perdu, mon ami, lui dit Alpha en se rasseyant. Toi, tu en as pris sans même qu'on t'y oblige… Alors dis-moi, pourquoi ?

— Tu peux crever.

— Tu as violé une femme ? Des gosses ?

— Je te dirai rien. Tue-moi, j'en ai plus rien à foutre de rien, alors tue-moi.

— Tu es vraiment pénible…, lui dit Alpha en accentuant son étonnement. J'ai aucune intention de te tuer ! Je veux t'aider, au contraire, à redevenir toi-même. Je veux que tu me dises tout.

— Je te dirai rien.

— On est pareils, toi et moi, j'en suis sûr. Je le sens…

— On n'a rien en commun.

— Là tout de suite, avec ton traitement, sans doute ; mais avant ? Tu n'as violé personne, Anthony Rauch ?

La Poire soutenait son regard mais s'abstint de répondre.

— J'en étais sûr, articula Alpha avec malice. Et tu oses me juger ? M'insulter dans les médias…

— Tu ne connais pas mon passé et tu ne le connaîtras jamais. Tu es un psychopathe, tu ne connais ni l'empathie ni le remords et tu ne peux pas comprendre ma démarche.

— Tu parles comme ça parce que tu n'es plus un homme. Regarde-toi, dit Alpha avec dégoût. Tu étais comme moi avant…

— Non, pas comme toi…, protesta le policier.

— Je suis sûr que tu étais fier, s'enthousiasma Alpha. Les autres hommes t'admiraient, te craignaient… Tu ne rasais pas les murs, tu ne te cachais pas. Tu étais beau, fort et sans pitié, et les femmes te respectaient et te voulaient, malgré ou grâce à la peur que tu faisais naître chez elles.

— Je suis une meilleure personne aujourd'hui.

— Tu es une *abomination*, articula Alpha en approchant encore son visage du sien. Tu n'assumes pas ta vraie nature. Je sais qu'au fond tu rêverais de faire comme moi ! Imagine, d'ailleurs… toi et moi, tout ce qu'on pourrait faire ensemble. Quelle paire incroyable de prédateurs on formerait. Tu pourrais tout arrêter et me rejoindre. Rejoins-moi ! Je suis sérieux.

— Tu détestes les femmes, ce qui n'a jamais été mon cas. Tu rampes sur les parois et tu te glisses par les fenêtres, comme un lézard. Tu t'attaques aux faibles par surprise et tu exultes de les voir à ta merci. Tu te persuades que tu es fort parce qu'au fond de toi tu sais que tu es un raté. Un pauvre mec incapable d'avoir une relation normale avec une femme, et tu assimiles la peur que tu lis dans leurs yeux à du respect, alors qu'il n'en est rien.

— Tu redeviens insultant, commenta Alpha sans bouger. Tu me déçois ; je m'attendais à ce que tu sois borné, mais je voulais quand même te rencontrer face à face pour qu'on ait une vraie discussion.

— En me ligotant sur mon lit ?

— Dans un premier temps. Il s'agissait d'un préalable inévitable pour que tu te tiennes tranquille. Mais j'espérais une plus grande ouverture, et qu'on aurait pu échanger d'égal à égal sans que tu te positionnes comme quelqu'un de supérieur à moi.

L'homme en noir se leva soudain, et se dirigea vers un sac à dos laissé dans un coin de la chambre. Il le lança sur le lit et le lourd contenu métallique, rebondissant sur le matelas, vint heurter la Poire. Après être retourné s'asseoir à ses côtés, Alpha, en soupirant, ouvrit la fermeture Éclair du sac et en sortit le dermographe.

— Tu sais, j'ai pas beaucoup apprécié quand, à la télévision, tu t'es permis d'utiliser tous ces mots à mon égard ; quand tu m'as traité de fou, de loser, de masturbateur compulsif. Ou encore quand tu as osé parler de ma relation avec ma mère…

— Ça tombe bien que t'y fasses allusion, réagit la Poire en observant Alpha qui déballait son matériel. En psycho-criminologie, on dit qu'un agresseur qui mutile la poitrine d'une victime s'en prend inconsciemment à sa mère…

— Les théories psycho-criminelles sont des conneries, lui assura Alpha en branchant le dermographe.

— Rappelle-moi, quelle partie du corps de ta dernière victime tu as choisie pour le tatouage ?

— Et toi, dis-moi, qu'est-ce qu'on dit quand on s'attaque à la fesse d'un homme ?

En disant ça, Alpha fit pivoter la Poire, le plaqua fermement sur le ventre et s'assit à califourchon sur ses cuisses.

La Poire se débattait autant qu'il le pouvait, mais Alpha lui décocha une violente droite en plein dans le rein, lui provoquant une douleur fulgurante qui le paralysa entièrement ; puis une deuxième, et encore une troisième, tellement éprouvantes que la Poire eut l'impression qu'il allait crever.

— Écoute-moi bien, connard – ou connasse, si tu préfères –, tu te fiches peut-être de mourir mais je peux t'infliger les pires souffrances que tu aies connues de ta vie, et j'y prendrai même du plaisir. On y passera la nuit. Alors soit t'arrêtes de gigoter, soit je détruis chacun de tes organes l'un après l'autre pendant que ton cœur battra toujours.

Pétrifié, la Poire ne fit aucun mouvement lorsque Alpha mit sa bécane en route, dans un vrombissement sourd. Ni quand l'aiguille atteignit sa peau en des milliers de picotements.

L'opération ne nécessita pas plus d'une minute. Alpha se redressa pour prendre du recul et apprécier le résultat.

— Bien mieux que la première fois, dit-il avec satisfaction.

Puis il débrancha le dermographe en tirant sur le câble d'un coup sec, et démonta quelques pièces pour les ranger dans son sac. La Poire ne bougeait toujours pas, immobilisé par le corps d'Alpha encore à califourchon sur ses cuisses. Il ne décollait pas son visage du matelas, sonné et pressé que tout s'arrête.

Soudain, la main d'Alpha lui empoigna les cheveux et tira sa tête en arrière ; et la Poire sentit une cordelette glisser sous sa gorge. Alpha relâcha ses cheveux et le lien comprima aussitôt son cou tandis qu'un garrot se resserrait derrière sa nuque. La constriction le priva brusquement d'air et la Poire eut l'impression qu'il allait y passer. La panique le poussa à relever sa tête autant qu'il le pouvait et à se débattre, mais ses mains attachées derrière lui et le poids d'Alpha ne lui laissaient aucune issue.

Alpha lui répétait de se calmer, de ne pas résister ; jouant avec la tension du garrot, dispensant le minimum d'air et de circulation sanguine comme bon le lui semblait ; il maîtrisait la bête, sa docilité, et se maintenait sur elle comme lors d'un rodéo. Et il riait, les yeux brillants de désir et de haine.

Le visage rougi, comme distendu, la Poire se focalisait sur chaque minuscule goulée d'air qu'il parvenait à inhaler. Ses yeux exorbités ne distinguaient plus les détails de son environnement ; il ne percevait que le bruit étouffé de sa respiration pénible, et n'entendit pas Alpha défaire son pantalon.

Alpha rentra en lui d'un coup sec. La douleur fut aussi extrême que la surprise. Alpha l'assaillait d'injures, pourtant sa voix régulièrement prenait des inflexions presque tendres ; il lui parlait de ses fesses, lui demandait s'il aimait ce qui arrivait. Il accélérait en lui, en l'immobilisant et en maintenant la pression sur le garrot.

Les souffrances de la strangulation et du viol le terrassaient tour à tour, sans échappatoire. La Poire appelait de ses vœux un black-out, une délivrance.

— *Tu sens comme je bande fort ? Et dire que je n'aime pas les hommes... Remarque, je ne sais pas si l'on peut dire non plus que j'aime les femmes...*

Depuis combien de temps était-il en lui ? Deux minutes ? Dix ? Vingt ? La Poire n'en avait aucune idée.

Il entendait Alpha persifler à son oreille, sans prêter attention à ce qu'il lui disait.

La Poire pensait à toutes ces femmes qu'il avait reçues, pendant toutes ces années. À ce qu'elles lui avaient raconté. La vraie peur. La terreur.

Il avait vraiment fait de son mieux pour être à leur écoute et chercher leur bourreau.

Il pensait à leur déception, aujourd'hui. Apprendre à qui elles s'étaient confiées allait les blesser une seconde fois. Jamais il n'avait voulu ça.

Il songeait à Pierre-Yves, et le revoyait. Ses larmes coulaient.

★

— Je sais que c'était bon pour toi comme pour moi, lui dit Alpha en sortant de son corps. Mais je vais me garder.

Après avoir rajusté ses vêtements, Alpha descendit lourdement du lit puis fit quelques pas dans la pièce.

— Je vais pas jouir ; pas tout de suite, et tu sais pourquoi ?

La Poire ne le regardait pas ni ne répondait, comme paralysé.

Alpha saisit une photo encadrée sur la commode, avant de la désigner à la Poire.

— Je vais lui rendre visite, à elle aussi.

La Poire tourna enfin la tête. Il vit la photo qu'Alpha lui montrait, avec Marion et lui, souriants, en combinaison de ski à Val Thorens.

Le policier recommença à s'agiter, à essayer de protester et de crier, mais aucun son ne sortait de sa bouche.

— Elle est jolie, commenta Alpha. Je sais pas toi… moi, j'adore les fliquettes. T'aurais dû la voir s'écrouler, celle que j'ai flinguée avec l'arme de son collègue. T'aurais sûrement rigolé, toi aussi. En tout cas, cette petite a l'air de beaucoup compter pour toi, poursuivit-il en ricanant. Vous êtes tout le temps fourrés ensemble et elle est la seule dont tu aies des photos chez toi.

La Poire tentait de parler, de supplier, mais les sons qu'il articulait restaient incompréhensibles après la strangulation. Alpha s'accroupit à son niveau. Leurs deux visages se touchaient presque.

— Je te remercie, mon gros… Tu m'as servi de déclic. Je ne m'attaquais qu'aux femmes, avant et… j'envisage maintenant de passer aux hommes. Tu as été un bon intermédiaire, lui dit-il d'une voix douce en observant son corps une dernière fois. Beaucoup mériteraient la même chose que ce que je t'ai fait. Et j'ai déjà ma petite idée…

Alpha se redressa soudain. Il fila d'un pas vif, sans faire de bruit.

Haletant, la Poire tendit l'oreille, mais plus aucun son ne lui parvint dans tout l'appartement. Alpha savait apparemment où habitait Marion. Face à lui, elle n'aurait aucune chance.

Les nœuds à ses poignets étaient inextricables et il n'aurait d'autre solution que de couper ses liens pour se dégager. Pendant tout le temps où Alpha s'en était pris à lui, la Poire avait pensé à son panel de couteaux japonais, dispersés sur le sol de la cuisine à la suite des intrusions d'Alpha et des flics. Mais sans espoir, jusqu'ici, de les atteindre.

Il n'avait plus un seul instant à perdre. La Poire prit son élan et roula sur lui-même pour s'approcher du bord du lit. Il tomba en plein sur son épaule, manquant de très peu de la briser. Il ne ressentait plus la douleur, ne pensait qu'à l'urgence, qu'à Marion. Une trentaine de mètres le séparait du séjour et de la cuisine.

Ramper à l'unique force de ses jambes ne lui semblait pas efficace et il reprit les roulements sur lui-même, progressant latéralement, à la manière d'un tonneau. Il franchit l'embrasure de la porte de sa chambre en pliant les jambes. Puis il poursuivit son avancée dans son couloir, toujours en roulant. Chaque tour sur lui-même tapait son épaule meurtrie et lui envoyait une décharge, mais il ne décélérait pas. Il finit par gagner la cuisine, avec son carrelage blanc qui l'aurait glacé en temps normal. L'une de ses mains, dans son dos, visa à l'aveugle l'un des couteaux à viande étalés sur le sol – il découvrirait, plus tard, des plaies multiples sur ses doigts, ses paumes et ses avant-bras, pour certaines assez profondes mais il s'en fichait ; il était comme anesthésié. Il empoigna difficilement le dos de la lame, le sang étalé sur ses doigts rendant la prise encore plus difficile. Il trancha plus ou moins au hasard.

La cordelette finit par céder, libérant ses bras. D'un coup sec, il coupa ensuite le lien à ses chevilles.

Il tituba en se relevant, manquant de s'écrouler à nouveau. Il s'agrippa au plan de travail et tint bon.

La Poire garda le couteau dans sa main serrée, et hésita un instant, qui lui parut une heure. Puis il courut comme il le pouvait jusqu'à son manteau et en extirpa son téléphone. Il choisit de consacrer de très précieuses secondes à l'écriture d'un SMS à l'intention d'Euvrard : *Alpha chez Marion. Envoie police !*

Enfin, il enfila le manteau, glissa le couteau dans sa poche et fonça pieds nus jusqu'à la sortie.

Il courait, courait.

Plus que deux cents mètres, deux cents petits mètres.

Il avait fait vite, plus qu'il ne s'en croyait capable. Alpha était sûrement déjà chez elle. Il doutait de faire le poids face à lui, avec ce simple couteau, mais il serait là. Il se jetterait sur lui et mourrait s'il le fallait.

L'appartement de Marion était situé au troisième étage, avec un balcon aux parois métalliques, comme tous ceux du même immeuble.

Les pieds nus de la Poire foulaient les milliers de pavés de la rue Paul-Belmondo, en bordure du parc de Bercy. Il apercevait l'entrée de la rue où habitait Marion.

Alors qu'il passait l'angle et atteignait enfin le bas de son immeuble, la Poire leva la tête vers les balcons, qui se dessinaient sous un ciel nuageux et sombre.

Soudain, il l'aperçut.

★

Quelle conne… Elle le haïssait de l'avoir bernée. Il les avait tous trahis, elle plus qu'aucun autre.

Elle se haïssait de n'avoir rien vu. De n'avoir pas voulu voir.

Son seul ami, son confident était un détraqué… pas mieux peut-être que ceux qu'ils s'évertuaient à mettre hors d'état de nuire…

À présent, beaucoup trop tard, elle comprenait tout : son attitude et ses explications à demi-mot. Elle avait espéré qu'il l'aimerait un jour… *Quelle idiote !* Elle était tombée amoureuse du seul homme avec lequel c'était impossible. Peut-être, d'ailleurs, était-ce cela qui l'avait attirée chez lui.

Elle voulait le tuer, à présent. Lui tirer dessus, avec son flingue, à bout portant. Mais elle en aurait été incapable, car elle envisageait déjà avec la plus intense des difficultés sa vie sans lui. Elle voulait qu'il souffre, qu'il paie, qu'il s'excuse. Qu'il lui raconte tout, sans plus aucun mystère ! Même si elle n'était pas sûre, au fond, de vouloir l'entendre…

Il semblait affligé, un peu plus tôt, quand ils avaient parlé. Sincèrement désolé de voir sa réaction. Mais pouvait-elle le croire ? Il lui avait certainement menti sur d'innombrables choses ; pourtant, elle gardait ce sentiment, ancré en elle, de le connaître mieux que personne. Elle était convaincue qu'il n'était pas dangereux. Qu'il ne l'était plus, en tout cas. Ils avaient passé tellement de temps ensemble…

Un avenir entre eux n'était pas inenvisageable. Elle ne voulait pas l'exclure. Elle ne le pouvait pas.

Avec du temps et s'il se montrait contrit, peut-être qu'elle lui pardonnerait.

Ou pas.

Anthony…

Peut-être ne pourrait-elle pas…

L'animateur d'un jeu stupide donnait de la voix en présentant ses invités. Marion avait laissé la télévision allumée dans son salon mais n'avait aucune intention de la regarder, incapable de suivre quoi que ce soit avec tout le bazar dans sa tête.

Elle était en nuisette, dans sa cuisine. La douche ne l'avait pas calmée. Ses larmes continuaient de couler par intermittence tandis qu'elle finissait son repas, composé d'une simple pomme, tranchée sur sa planche à découper.

Elle n'avalerait rien de plus, et doutait de sa capacité à dormir ne fût-ce que quelques heures. Il le fallait pourtant ; pour être d'attaque le lendemain, pour l'entendre…

Elle versa ses épluchures dans la poubelle, éteignit la lumière de la cuisine et passa par le salon. Elle se saisit de la télécommande, prête à appuyer sur le bouton *off*. Son doigt allait presser la touche, lorsqu'elle entendit le bruit d'un klaxon, un peu plus fort que d'habitude.

Marion tourna la tête vers sa baie vitrée, vit qu'elle était ouverte.

Ouverte.

Elle pivota. Une ombre s'élança dans sa direction et des bras la saisirent, avec la puissance d'un étau.

Elle se mit à crier, à se débattre ; la silhouette immense la repoussa et la fit chuter sur le plancher.

Marion se redressa vivement et put enfin observer son assaillant qui restait immobile. Dès qu'elle avait vu la fenêtre ouverte et la silhouette, elle avait compris qu'il s'agissait d'Alpha.

Alpha… Pas aussi fort, en apparence, que sa saisie ne le laissait penser. Son visage, calme, était partiellement dans l'ombre et partiellement éclairé par la lumière du téléviseur.

Elle savait qu'elle aurait très peu d'occasions ; il ne fallait pas le rater. Alors elle bondit sur lui, et lui asséna un *Dolyeu tchagui*, son coup de jambe le plus puissant, qui atteignit Alpha sur l'épaule mais ne parut provoquer aucun dégât ; elle enchaîna avec un atémi du poing, le plus fort possible, qui le percuta dans l'abdomen mais ne le fit pas non plus partir en arrière.

Tout près d'Alpha, sans élan, elle se retrouva à sa merci et ne put l'empêcher de l'attraper par la gorge et le menton ; il la souleva, à la seule force de son bras, et la projeta extrêmement brutalement sur le sol. Elle s'effondra en glissant, sur le dos.

Alors, à son tour, elle comprit qu'elle ne pourrait rien faire au corps-à-corps. Et il restait planté devant elle, en souriant, ravi de la voir ainsi par terre, craintive, haletante et hésitante.

Il lui aurait fallu son arme, mais Alpha lui barrait la route. Il voulait prendre son temps, il était là pour la violer, elle le voyait à son air empreint de jubilation.

Pas une deuxième fois, songea Marion. Jamais elle ne laisserait un homme réitérer sur elle ce qu'avait fait Loïc Pazanne.

Jusqu'ici, Alpha ne s'était livré qu'à une démonstration de force, pour l'intimider. Pour s'amuser, sans chercher à la retenir. Si elle l'attaquait de nouveau, il la bloquerait et ne la lâcherait plus ; et si elle tentait une percée jusqu'à son arme rangée dans sa chambre, il risquait de l'intercepter au passage.

Sa seule issue possible était l'endroit par où Alpha était entré. La baie vitrée, derrière elle.

En jouant sur la surprise, elle pourrait avoir quelques précieuses secondes d'avance ; les balcons n'étaient pas très éloignés les uns des autres et sa voisine était chez elle, avec son compagnon ; à trois, ils auraient plus de chances, pourraient appeler à l'aide ou alerter d'autres voisins.

Marion se redressa lentement tandis qu'Alpha restait immobile, attendant qu'elle déclenche à nouveau les hostilités.

Elle fit soudain volte-face et s'élança jusqu'à l'ouverture de la baie vitrée. Son pouls battait à ses tempes, elle n'entendait plus rien d'autre et ne se retourna pas pour voir s'il la suivait, pour ne surtout pas perdre un seul instant qui pourrait faire la différence.

En un seul mouvement, agile et fluide, elle grimpa sur sa balustrade et parvint à se mettre en équilibre. Prête à prendre son élan et à sauter.

Le garde-fou du balcon voisin était juste dans son axe, à deux mètres de distance.

La station-service...

Elle se revit, petite, à côté de Pazanne devant le guichet. Il avait lâché sa main pour compter son argent... Les gens passaient autour d'eux, sans s'arrêter.

Qu'est-ce qui se serait passé si elle avait donné l'alerte ? Si elle s'était enfuie ? À quel point serait-elle une personne différente ?

Peut-être aurait-elle des enfants, un mari qu'elle saurait aimer. Peut-être le bonheur serait-il plus accessible, plus simple.

Fuir, cette fois.

Marion fléchit les jambes et bondit !

Un instant, elle crut qu'elle était passée. Ses pieds atterrirent sur le garde-fou voisin. Elle crut vraiment qu'elle avait réussi, qu'elle se tenait en équilibre.

Elle avait bien visé, ses pieds étaient arrivés au bon endroit mais son buste n'avait pas suivi, trop en arrière.

Son corps chancela, puis bascula en direction du vide, du haut des trois étages, avec cette sensation horrible qu'elle éprouvait parfois quand elle rêvait, lorsqu'elle était plus jeune.

La Poire vit Marion tomber et s'écrouler devant lui. Par hasard, il avait levé la tête au moment exact où elle sautait, et avait été témoin de sa chute vertigineuse.

Le petit corps gisait au sol et il courut jusqu'à lui en criant. En émettant des bruits atroces, et en pleurant.

Marion avait les yeux ouverts. Elle était en vie. Ne paraissait pas souffrir.

Un filet de sang s'écoulait de sa bouche, et son corps était visiblement fracturé à d'innombrables endroits.

Elle regardait le ciel, ou bien autre chose qu'elle seule voyait. La Poire se pencha au-dessus d'elle et tenta d'articuler des phrases, de la réconforter, mais rien de compréhensible ne sortit de sa bouche. Il plaça son visage dans son champ de vision et il lui sembla qu'alors elle le regardait. Il sanglotait comme un enfant, sans même s'en rendre compte, et certaines de ses larmes tombèrent sur elle. Elle ne réagissait pas ; et semblait ne plus avoir peur.

Le visage de Marion n'avait pas été touché et elle gardait une beauté déroutante. Le reste de ses membres était tordu, comme encastré dans les pavés irréguliers.

En pleurant, en gémissant, il déposa ses lèvres sur les siennes. Puis il caressa son front et ses cheveux. Sa cage thoracique s'élevait péniblement, par à-coups.

Aucun baiser de conte de fées ne la ramènerait.

Un violent bruit de sirène accompagné d'une lumière bleue apparut au bout de l'allée.

La Poire leva la tête en direction de l'immeuble et aperçut la silhouette d'Alpha, qui s'élevait jusqu'aux plus hauts étages pour rejoindre le toit.

Il n'en avait plus rien à faire, et plongea de nouveau ses yeux dans ceux de Marion.

— *Je t'aime*, réussit-il simplement à lui chuchoter, exprimant ce qu'il ressentait alors au plus profond de lui-même ; ce qui le déchirait.

Elle ne pouvait plus parler. Il vit sur son visage de la surprise ; puis une larme naquit au coin de l'un de ses yeux et, très longue, s'écoula tout le long de sa joue tandis qu'elle le regardait.

Il eut l'impression de lire en elle une immense tristesse à cet instant. Ou bien, peut-être, était-ce autre chose.

Puis elle rendit son dernier souffle, peu avant que les secours ne les aient rejoints, en courant.

II

1

Il faisait un temps magnifique lorsqu'il ouvrit ses volets ce matin-là. Le ciel était d'un bleu très clair, parsemé de nuages filandreux ; une vive lumière, très légèrement trouble, se répandait à l'horizon en direction de Paris.

Les particules fines, songea Anthony en humant l'air froid et sec. Comme de nombreux habitants des métropoles, il avait appris à en reconnaître les symptômes. Depuis des jours, un *épisode de pollution* sévissait sur l'Île-de-France, sans espoir d'amélioration tant que l'anticyclone se prolongerait. Les chaînes info en faisaient leur une quotidienne, en ces temps d'actualité adoucie.

Il avait beaucoup à faire, comme chaque jour, mais il était libre d'organiser son emploi du temps à sa guise. Son unique rendez-vous permanent était sa leçon de Keysi, en fin d'après-midi. Tous les jours sauf le dimanche, *maître Boissaye* se déplaçait jusque chez lui pour lui donner un cours particulier pendant trois heures, dans le vaste et superbe dojo qu'il avait fait aménager dans son sous-sol. Jamais il ne manquait une seule de ces leçons. Et les rares fois où son maître avait eu un contretemps, il avait veillé à envoyer l'un de ses adjoints pour le remplacer.

Anthony hésitait à sortir se promener, avant de se replonger dans ses recherches. La veille, il avait effectué une longue séance de musculation et n'en ferait donc pas de la journée. Les marches contemplatives étaient préconisées par maître Boissaye, pour leurs vertus physiques d'une part – car moins brusques que l'entraînement auquel il soumettait habituellement son corps –, et pour s'approcher de la sérénité à laquelle il aspirait.

Alors il partit de chez lui et, en vingt minutes à peine, il rejoignit la mare Saint-James, habillé d'un épais manteau, d'une écharpe et d'un bonnet. La *mare* était son endroit préféré des environs. Un point d'eau assez étendu, en bordure du Bois de Boulogne et de Neuilly, qui s'apparentait plutôt à un lac et servait de refuge aux palmipèdes.

Il croisa beaucoup d'enfants accompagnés de leurs parents, et se souvint qu'on était samedi. Depuis qu'il vivait reclus, les jours de la semaine glissaient sur lui, comme indifférenciés. Il voyait de loin les semaines défiler à toute allure, et même les mois et les saisons.

Les petits couraient un peu partout, emmitouflés dans leurs doudounes. Les trottinettes et les roues électriques rencontraient un succès indéniable, et les parents suivaient derrière, seuls ou en groupes. Les *runneuses* et les *runners* doublaient régulièrement tout ce petit monde, écouteurs vissés dans les oreilles sous leurs bandeaux, et n'en finissaient pas de faire des tours et des tours.

Quitter son ancien appartement et s'éloigner du centre de Paris avait été un sacrifice, au début. Pourtant il avait fait le bon choix. La pression médiatique était extrêmement forte ; tout comme la probabilité, constante, de croiser d'anciens collègues. La maison de son père, sorte de bunker fleuri, lui offrait l'isolement nécessaire à ses projets. Et il s'était surpris à s'adapter parfaitement.

Son père avait à la fois laissé un grand vide et une trace tangible, mais Anthony s'était très vite senti chez lui et cette présence, invisible et bienveillante, l'apaisait, au fond. Sabrina travaillait toujours pour lui et pourvoyait à ses besoins en courses de nourriture. Il sortait le moins souvent possible, ses quelques balades mises à part. Il n'avait plus remis les pieds dans le 12e arrondissement et s'était relativement bien réhabitué à Neuilly. Le fait que la ville soit sensiblement dépourvue de violence – visible tout du moins – lui convenait parfaitement. Lors de ses rares sorties, il se fondait dans la masse et personne ne le reconnaissait. Comment auraient-ils pu, de toute façon ? Il croisait des badauds, saluait parfois des gens, par simple politesse ; pour le reste, il ne fréquentait personne.

La mort de Marion l'avait plongé dans un état d'anéantissement et de découragement complet, qui avait duré plusieurs jours. Le viol qu'il avait subi était devenu annexe ; il n'en ressentait plus la douleur, morale ou physique. Tout son être était focalisé sur la perte de Marion, dont il se jugeait en grande partie responsable. Coupable, comme de tant d'autres choses vis-à-vis d'elle…

Puis il avait mis fin à sa prostration et laissé monter en lui une *soif de vengeance*. Dirigé sa colère contre le vrai responsable ; une rage froide et créatrice.

Sa mère avait dit vrai : il n'avait plus besoin de travailler. Il aurait pu vivre dix vies avec l'argent que lui avait légué son père.

Sa quête engloutissait désormais son existence. Un but, un objectif, un seul en se levant chaque jour : l'identifier ; le retrouver. Tout son argent, toute son énergie et tout son temps étaient utilisés à cette fin. Et vingt-huit mois plus tard, il restait fondamentalement certain qu'il y parviendrait. Quel que soit le temps que cela prendrait, un an ou bien trente. Son dessein le poussait à ne rien lâcher et à survivre, jusqu'à ce qu'il aboutisse.

Ensuite, il verrait.

Il savait d'ores et déjà qu'une fois le but atteint, une part de ce qui le maintenait encore en vie disparaîtrait. Il lui faudrait trouver autre chose. Un *après*, et il n'était pas du tout sûr d'en être capable ni d'en avoir envie. Peut-être qu'il trouverait, ou peut-être qu'il en aurait assez et qu'il *mettrait un terme*, tout simplement.

Il n'en était pas encore là, de toute façon.

★

La pluie tombait enfin. Depuis la fenêtre de son bureau, Anthony observait l'eau ruisseler sur les innombrables camélias et jacinthes du jardin.

Son père était passionné de botanique, comme l'était sa mère avant lui. La grand-mère d'Anthony passait des heures à brasser son terreau, à planter et soigner ses fleurs ; Joseph puisa également tout au long de sa vie un apaisement dans cette sorte d'activité artistique à laquelle il se livrait principalement le week-end – épaulé par un jardinier le reste du temps. Anthony était de son côté totalement hermétique au jardinage. Mais il aimait regarder le mariage des couleurs et avait choisi de maintenir le jardinier à son poste, pour conserver le parc dans son état.

Il entendit quelqu'un frapper à sa porte, puis la tête de Sabrina s'immisça dans l'embrasure.

— Je vais y aller, Anthony. J'ai mis un rôti au four, avec des pommes de terre. Vous n'aurez qu'à le faire cuire pendant trente minutes.

— Merci beaucoup, Sabrina, lui dit Anthony en souriant.

— Le frigo est plein, et j'ai préparé quelques plats dans des Tupperware à réchauffer.

— C'est parfait, merci.

— Bonne soirée.

— Vous aussi.

Puis elle disparut. Elle serait de retour le mercredi suivant. Son mari travaillant les week-ends, elle préférait venir le samedi et avoir ses lundis et mardis de libres. Même si elle était très discrète, Anthony ressentit aussitôt le vide dans la maison.

Il n'appréciait pas spécialement l'idée d'avoir des domestiques. Il avait vu son père, Pierre-Yves Sully et sa mère constamment entourés et ne souhaitait pas reproduire le même schéma. Lorsqu'il était flic, dans son appartement, il se débrouillait très bien tout seul. Mais la maison était grande, et la présence de Sabrina lui avait rendu de fiers services, au début, lorsqu'il se cachait du reste du monde. En outre, elle ne paraissait pas désireuse de renoncer à sa place.

Il avait commencé par l'augmenter et lui avait fait promettre de ne rien raconter à personne, et surtout pas à la presse, de ce qui se passerait chez lui. La discrétion paraissait de toute façon faire partie intégrante de la nature de la jeune femme. Elle parlait peu, mais avait constamment pour lui une multitude de délicates attentions, qui lui rendirent la vie plus douce. Ils échangeaient quelques phrases, chaque jour où elle était là ; jamais rien d'intime. Elle ne le questionnait pas, ni n'avait jamais manifesté de réel étonnement. Pourtant, elle avait été le témoin privilégié de sa transformation.

Et des choses étonnantes, elle en avait vu, assurément.

La métamorphose n'avait pris que quelques mois. Après la mort de Marion, Anthony n'avala plus jamais une seule pilule de son traitement. Au fond, il mit à exécution le souhait d'Alpha : jeter l'Androcur aux toilettes. Revenir en arrière. Redevenir qui il était. Recouvrer sa force, qui lui avait tant manqué ce soir-là. Ressentir à nouveau la colère, sa hargne, mais les diriger contre un seul homme, cette fois !

Au bout d'environ trois mois, il retrouva une allure masculine. Il perdit des fesses, de la poitrine et du gras au niveau des épaules. Sa pilosité réapparut progressivement sur son torse et sur son visage, au détriment de ses cheveux dont une partie tomba.

Il rasa tout.

Il recouvra une voix grave, très grave, qui le surprit fréquemment les premières fois où il en usa.

Petit à petit, *la Poire* s'estompa avant de totalement s'éteindre. Anthony apprit à connaître cette nouvelle personne, cet homme physiquement bien différent de la Poire mais aussi du jeune homme qu'il avait laissé derrière lui, longtemps auparavant.

Au début, le corps qu'il récupéra n'eut rien d'athlétique. Il avait anticipé cet état et, parallèlement à la construction du dojo, il avait fait aménager une pièce annexe en salle de musculation, avec un équipement digne des plus grandes salles de sport. N'ayant été soumis à aucune réelle activité sportive depuis des années, l'ensemble de ses membres était flasque. Il programma tous les deux jours des séances de musculation, courtes mais intenses. Les résultats furent rapides et impressionnants ; cependant, il voulut progresser encore, atteindre le sommet de ses capacités et s'y maintenir, pour devenir le plus redoutable des adversaires face à Alpha.

Afin d'accélérer la croissance de sa masse musculaire, il retourna voir son « ami » Fontevaud, le pharmacien. Le saligaud rechigna un peu, en le traitant de fou et d'inconscient, mais Anthony obtint gain de cause. Il commença à prendre des corticoïdes, des stéroïdes et des extraits hypophysaires. Là encore, les résultats furent très vite apparents. Finalement, de lui-même, il décida de ralentir, de diminuer les doses à cause des effets secondaires. Une colère, ingérable, montait trop souvent en lui, et bien trop vite. Elle devenait presque continuelle et contrariait la sérénité dont il avait besoin. Une agressivité et une excitation, quelle qu'elle soit – même et surtout sexuelle –, ne coïncidait pas sur le long terme avec le mode de vie chaste qu'il s'imposait. Une fois le bon équilibre trouvé et plus d'un an après le début de son entraînement, son corps devint plus affûté qu'il ne l'avait jamais été. Sa forme physique et son énergie étaient optimales, grâce à la musculation et au cardio. Les arts martiaux donnaient un sens à ces capacités nouvelles, organisaient ses gestes. Faisaient de lui une arme.

« *Laisse-moi libre de faire ce choix.* »

La voix d'Alpha. Son léger accent. Presque effacé, ou masqué tout du moins ; mais présent. Anthony était sûr de ce qu'il avait entendu. Bien qu'il ne fût pas capable de l'attribuer à un département précis, il était certain qu'il venait du Sud. Le Sud-Ouest pouvait poser question mais l'accent de cette région, très marqué, était sensiblement différent de celui du Sud-Est, où Anthony avait passé nombre de ses vacances. Et auquel il attribuait plutôt l'accent d'Alpha.

Restait possible, selon lui, un triangle situé entre l'Hérault, l'Ardèche et le Var, composé d'une douzaine de départements. Soit une aiguille dans une botte de foin, mais une botte de foin moins grosse que la France entière.

Depuis qu'il avait été poussé vers la sortie, Anthony n'avait plus de contact avec ses anciens collègues et il ignorait l'état d'avancée de leurs investigations. Après tous ces mois sans rebondissements, ils ne devaient pas avoir grand-chose ; rien de plus que lui, sans doute. Familier de la *maison*, Anthony estimait que deux ou trois flics devaient encore être sur l'affaire. Elle restait dans les mémoires et les hautes instances ne pouvaient se permettre de totalement abandonner ; simplement, elle n'était plus une priorité. Plus depuis que la trace d'Alpha avait été perdue.

Peu après la mort de Marion et après un dernier fait étonnant, les agressions avaient stoppé. Alpha avait disparu et nul depuis n'avait été capable de dire à quel endroit du territoire il se trouvait, ni surtout s'il se trouvait encore en France.

Anthony savait qu'Alpha ne violait pas pour le sexe, mais pour la domination. Les criminologues et les psychiatres avaient tendance à généraliser ce diagnostic ; Anthony, lui, le nuançait, car dans sa carrière il avait fréquemment été confronté à des agresseurs chez lesquels la carence sexuelle faisait grandement partie des motivations. Pour Alpha, en revanche, la pénétration n'était qu'un vecteur d'emprise sur la victime qu'il choisissait. Homme ou femme, peu lui importait. Il voulait *marquer* l'autre. Il n'avait que deux objectifs : éprouver un sentiment d'omnipotence et obtenir une attention médiatique, la plus immense possible – et vraisemblablement dans une démarche revancharde vis-à-vis de la société.

Après son dernier coup d'éclat, Alpha avait mis un terme à sa *série*. Sans doute avait-il atteint, dans cette ultime agression, le paroxysme de ce à quoi il aspirait. Son acmé à lui. Et, au vu de la victime qu'il avait choisie, Anthony ne doutait pas que, selon les critères de son esprit malade, il ne puisse guère aller plus haut.

Huit jours exactement après l'agression d'Anthony et la mort de Marion, une information tonitruante tomba dans toutes les rédactions parisiennes : le ministre Gluck, pendant la nuit, avait subi une intrusion chez lui, à son domicile du 8e arrondissement. En passant par les toits, Alpha avait réussi à atteindre l'une des fenêtres de la chambre de Gluck et à l'ouvrir sans alerter la sécurité. La chambre était fermée, avec un garde du corps à l'extérieur ; et Alpha surprit le ministre en plein sommeil, seul dans son lit. Nez à nez avec le psychopathe, Gluck avait été roué de coups.

Peu d'informations filtrèrent sur le compte rendu de l'agression. De manière globale, les médias soulignèrent avec soulagement l'absence, cette nuit-là, de la femme du ministre, partie en villégiature dans leur propriété de l'île de Ré. Empreints de compassion, les journalistes conclurent que dans le malheur du ministre, le pire avait été évité ; et louèrent – tout comme la classe politique dans son ensemble – le courage du *premier policier de France* en dénonçant, à travers l'attaque de l'un des plus hauts représentants de l'État, un outrage à la nation entière.

Le ministre passa les quarante-huit heures suivantes à l'Hôpital américain, sous une garde aux effectifs doublés. À sa sortie, il ne put se dérober plus longtemps à la pression médiatique et consentit à s'exprimer sur le perron de son ministère, place Beauvau. D'ordinaire débordant d'énergie et le teint hâlé, Gluck apparut ce jour-là blafard et neurasthénique. Ses réponses furent laconiques et il n'apporta aucun éclairage sur les détails de son agression, s'abritant sous une perte de mémoire due au choc. Visiblement remué, il acheva l'entretien en adressant ses pensées émues à l'ensemble des victimes d'Alpha.

Une semaine plus tard, Gluck présenta sa démission et annonça publiquement son retrait de la vie politique. Surpris, les commentateurs attribuèrent cette décision à son traumatisme récent, mais Gluck refusa de communiquer davantage.

Encore deux semaines plus tard, un article dans *Paris Match* citant des sources anonymes insinua que le ministre Gluck aurait subi une séance de tatouage lors de l'attaque d'Alpha. Avec une extrême diligence, l'avocat de Gabriel Gluck formula des dénégations très fermes et menaça l'hebdomadaire de poursuites.

L'affaire en resta là.

Si le défenseur de Gluck avait réussi à convaincre une grande partie de l'opinion, Anthony voyait de son côté sa conviction renforcée sur ce qu'avait subi le ministre. Anthony lui-même n'avait jamais révélé ce qu'Alpha lui avait fait. Ni à ses collègues ni à la presse bien sûr. En faire état n'aurait rien changé pour lui : il serait de toute façon celui qui ôterait la vie d'Alpha, ou qui parviendrait à le traîner devant la justice.

Anthony aussi avait été tatoué, mais contrairement au ministre qui avait sûrement déjà fait effacer sa marque au laser, Anthony la gardait sciemment et la contemplait chaque jour dans le miroir, pour nourrir sans relâche sa persévérance et sa rancœur.

Dès sa prise de fonctions, le successeur du ministre promit que tous les moyens seraient mis en place pour une arrestation d'Alpha dans les meilleurs délais. La police, selon lui, mettait beaucoup d'espoirs dans les contrôles d'identité grâce au portrait-robot. Ou espérait une simple erreur du psychopathe.

Anthony, de son côté, pensait comprendre la logique d'Alpha : ayant ciblé la personne la plus haut placée et la plus détestable selon son jugement de valeurs dans cette société qu'il honnissait – hormis peut-être le Président –, il considérait sa victoire comme totale. À un moment où la pression devenait difficilement soutenable en termes d'effectifs policiers et de témoignages, il avait simplement préféré disparaître. Définitivement.

Ou momentanément ?

Anthony ne possédait pas plus d'éléments que les flics, à part ce vague accent du Sud, jamais mentionné par une autre victime. Soit bien peu de chose, et à sa place presque tous les enquêteurs du monde auraient lâché et attendu sans rien faire de tangible une hypothétique erreur d'Alpha qui n'arriverait sans doute jamais. Mais malgré l'immense difficulté, Anthony avait pour lui trois atouts : de l'argent, assez pour investir des moyens colossaux dans son enquête ; du temps ; et des compétences, surtout.

On ne naît pas psychopathe, on le devient.

Une phrase qui synthétisait les convictions professionnelles les plus solides d'Anthony, longuement acquises au fil de ses lectures et de ses années à la brigade du viol.

Si tous les agressés ne deviennent pas agresseurs, il est extrêmement rare qu'un tueur ou un violeur en série n'ait pas été lui-même victime de sévices pendant son enfance. Le Mal se copie, se reproduit. L'enfance est l'étape la plus fondamentale pour la construction de chaque être, et nul parmi les violeurs en série qu'il avait arrêtés n'avait échappé autrefois au rôle de martyr – peu importait le milieu social. Parfois violés, presque toujours humiliés, torturés. Traumatisés. 25 % des garçons violés pendant leur enfance devenaient à leur tour des agresseurs sexuels.

Du temps où il était flic et où ses résultats étaient jugés comme supérieurs à d'autres au sein de la brigade, l'unique secret d'Anthony était de se plonger dans une quantité impressionnante d'anciens dossiers, à la recherche d'une signature, d'un détail, ou même d'un méfait n'ayant en apparence aucun lien avec l'affaire en cours.

Pour l'enquête d'Alpha, Anthony avait amorcé ce type de recherches à la brigade du viol, mais les caractéristiques des attaques n'avaient matché avec aucune agression antérieure. Après la mort de Marion, suivie de son départ de la police et de son emménagement chez son père, il décida d'orienter sa stratégie sous un autre angle : d'une part il était persuadé qu'Alpha avait passé une partie de son enfance dans un département du Sud-Est, d'autre part il estimait, dans une fourchette large, que le violeur en série était âgé d'au moins 25 ans et d'au maximum 35. Enfin, au vu de la brutalité d'Alpha et du degré de cruauté de sa fantasmagorie, il était extrêmement improbable qu'il ait grandi dans un foyer aimant.

Le plan d'action d'Anthony était titanesque, mais le travail de fourmi ne lui avait jamais fait peur ; fouiller, chercher là où la maltraitance soupçonnée ou avérée d'un enfant pouvait laisser des traces – signalements de brutalité, de viol, de négligence, de fugues, d'agression sur autrui : dans les dossiers des services sociaux.

Depuis vingt-huit mois, environ sept heures par jour, l'ancien policier passait en revue des milliers de copies de dossiers, ou des fichiers numérisés qui lui parvenaient de chaque département concerné, l'un après l'autre, sur la fourchette des dix ans qu'il ciblait. Il utilisait son argent dans ce but, employant des dizaines d'enquêteurs privés, eux-mêmes chargés de graisser la patte des personnes adéquates dans les administrations, puis de faire remonter les gigantesques quantités de dossiers. Il était au sommet de la pyramide et faisait un tri, finalement assez rapide puisqu'il ne s'intéressait qu'à une chose en tout premier lieu : les photos d'identité de l'époque. Il les scrutait, du plus petit enfant jusqu'à l'adolescent, et les juxtaposait à l'image mentale encore très précise qu'il gardait d'Alpha.

S'il arrivait parfois qu'une ancienne photo le fît hésiter à cause d'une vague ressemblance et requît une vérification par des recherches plus poussées sur l'individu devenu adulte, le bilan, toutefois, près de deux ans et demi plus tard, était qu'aucun dossier n'avait matché. Mais il irait jusqu'au bout, sans rien lâcher, jusqu'à ce que cette piste soit épuisée. Il ne se décourageait pas et savait que si tout cela ne donnait rien, même après ces efforts colossaux, il rebondirait et trouverait autre chose.

Tant qu'il n'aurait pas réussi, pas une seule des journées dans les années ou décennies qui lui restaient à vivre ne serait vouée à autre chose qu'à atteindre cet objectif.

L'ANTRE DU MAL

Tous, dans le foyer, l'appelaient *la mère*. Tel était son rôle mais surtout, ils n'avaient jamais entendu leur père la nommer autrement.

Fabien ne conservait que des bribes d'images d'elle dans sa mémoire, pour la plupart issues des rares photographies gardées par la famille. Un seul souvenir, le dernier, restait absolument net dans son esprit ; vingt-cinq ans après, il la revoyait encore avec une extrême précision : sa mère, le canon dans la bouche, assise, en sueur, penchée en avant dans la pénombre de sa chambre aux rideaux tirés. Elle avait fait une tête horrible en l'apercevant, terrifiée qu'il la voie ainsi. Une expression ébahie et laide, qui lui évoquait désormais le tableau *Le Cri*, d'Edvard Munch, sans les mains sur les oreilles.

Leur père était absent ce matin-là, probablement parti rejoindre un comparse en ville, ou pris par l'un des nombreux petits boulots qu'il enchaînait sans jamais les garder longtemps ; Fabien ne s'en souvenait plus, tout ce temps après.

C'était au mois de juillet. Pourquoi sa mère avait-elle choisi d'agir à ce moment-là ? Elle eût été plus tranquille lors de la période scolaire… Il se poserait la question à maintes reprises, au cours de sa vie. Elle avait pris le risque que ses enfants soient les premiers à la découvrir, qu'ils voient avec leurs yeux de mômes sa carcasse trouée qui pissait le sang. Apparemment, elle n'en avait rien à foutre. Elle avait été saisie d'un sentiment d'urgence ; il fallait que ça cesse et le premier moment de solitude avait été opportun.

Plus tard, alors qu'ils étaient encore enfants, sa sœur lui raconta certaines scènes dont elle avait été témoin. Les fois où elle l'avait trouvée, émergeant de son lit, groggy et avec une élocution anormalement difficile ; *la mère* ne se souvenait pas de ce qui avait pu se passer pendant la nuit et avait même perdu le fil des événements de la veille, plusieurs heures avant d'avoir rejoint sa chambre. Lors de ces matinées étranges, elle se plaignait de vives douleurs au ventre, sans pouvoir les expliquer. Une souffrance qui lui tordait les viscères, et qui laissait derrière elle ses draps souillés d'excréments et de sang. À chaque fois elle s'empressait de les changer, honteuse.

Lorsque leur mère les avait quittés, sa sœur avait 10 ans et lui 6. Même si elle ne comprenait pas tout et que sa mère ne lui confiait pas les détails du calvaire qu'elle subissait, Julie était en âge de remarquer davantage de choses que Fabien. D'autant qu'elle-même n'ignorait déjà plus de quoi leur père était capable.

Une fois, lui avait raconté sa sœur, un incendie s'était déclaré en pleine nuit dans une rue voisine. Fabien n'en gardait aucun souvenir mais Julie, réveillée par les sirènes, s'était levée et avait aperçu leur père qui se précipitait hors de la chambre en enfilant ses chaussettes, pour aller voir dehors de quoi il s'agissait. Julie avait rejoint sa mère, et l'avait découverte attachée aux barreaux du lit. Inquiète, elle avait tenté de la réveiller, mais rien n'y faisait. À côté du lit se trouvaient une poire à lavement et divers objets plus étranges les uns que les autres. Fabien comprendrait plus tard que leur père la droguait. Depuis combien de temps se livrait-il à ces expériences sur elle ?

Fabien, lui aussi, gardait des flashs. Sa mère prenait l'essentiel des coups, subissait les humeurs, très fluctuantes, et les injures.

Salope ! Poufiasse ! Pute !

Elle était son esclave. Jamais elle n'avait cherché à fuir – à sa connaissance, du moins. Sauf la dernière fois, de la plus radicale des façons. Elle attendit ce mois de juillet pour se tirer ; ou bien peut-être, ce matin-là, avait-elle atteint un sentiment de trop-plein. Le mari dehors, les gosses partis jouer dans l'ancienne carrière, avec leur cousin Bruce et d'autres enfants. Elle s'était emparée du fusil de chasse que son mari gardait sous le lit. L'avait chargé. Encore en robe de chambre, décoiffée, elle avait foutu le canon dans sa bouche pour en finir, sans prendre la peine de laisser une lettre ou de dire adieu. Elle avait fait vite, sans prévoir que l'un de ses enfants pourrait revenir afin de récupérer une affaire oubliée.

Désireux de crâner avec son sifflet dans la carrière, Fabien avait fait demi-tour jusqu'à chez eux, grimpant les marches de l'escalier quatre à quatre et tombant face à face avec sa mère.

Elle avait ôté le canon de sa bouche, l'air horrifié, puis pressé son fils de déguerpir. Le gosse avait obéi, rejoint sa chambre pour récupérer le sifflet, l'avait plongé dans sa poche ; ensuite il était reparti, d'un pas beaucoup moins rapide… *La mère* avait refermé la porte de sa chambre, aux trois quarts.

Fabien ressortit de la maison, sous un soleil vif et brûlant. Il s'arrêta dehors, un peu chancelant. Le môme de 6 ans comprenait que quelque chose clochait, il avait mal au bide. Il attendit encore, n'osant pas remonter pour éviter une remontrance.

Il sursauta quand le coup de feu retentit, mais sans éprouver de réelle surprise. Le monde s'écroulait sous ses pieds et il s'assit par terre en se recroquevillant, ses genoux entre ses bras, tremblant et haletant comme un petit chien.

Il hésita à monter, sans en trouver le courage. Sa sœur, leur père et des tas d'autres gens virent le corps ; lui, jamais. Il ne lui apparut que dans ses rêves, de toutes les façons imaginables. Plus tard, après l'incinération, il assisterait sa sœur dans le nettoyage de la chambre. Julie, dernière femme de la maison, était assignée par leur père à cette corvée. Le sang sur l'éponge, les bouts d'os et de cervelle ; les traces persistantes. La fille ne bronchait pas ; Fabien l'observait faire et ne pleurait pas non plus.

À partir de cette période, Fabien commença à s'échapper de plus en plus dans la nature, quelques heures, tant que son père ne le rappelait pas. Il aimait grimper aux arbres, et montait parfois jusqu'aux cimes avec une facilité déconcertante. Puis, à mains nues, il s'essaya à la grimpe, sur de la roche, avec la même aisance. L'effort, le risque, la solitude lui vidaient un peu la tête.

★

Leur père s'appelait Joël et disait à tout le monde de l'appeler *Jo*.

Un sacré bougre d'enfoiré, son père. Si Alpha était un sale type – devenu ou né ainsi –, nul doute que son père était de son côté l'une des plus vives incarnations du Mal.

Par pur machisme ou par esprit pratique, beaucoup d'hommes préfèrent avoir un fils. Pas Jo. Jo avait confié à sa femme – et à ses enfants plus tard – qu'il aurait voulu avoir des tas de filles. Pourquoi ? Pour le servir, et pour les violer.

Véridique. Sacré *Jo*.

Joël était resté muet, lorsque *la mère* l'avait, d'une certaine façon, quitté. Pour la première fois, Fabien avait vu son père véritablement touché, la mine défaite. Presque sonné. De là à en déduire qu'il aimait finalement sa femme… Il avait surtout perdu celle qui lui apportait le plus ; une épouse corvéable à merci et il n'était pas sûr de retrouver un jour compagne équivalente.

Joël n'était pas du genre à se laisser longuement abattre. Il afficha bien vite à nouveau sa bonne humeur en société, et son sourire benoît qui lui permettaient si souvent de duper son monde. Ses démons, Jo les dissimulait derrière les murs de son foyer, ostensibles uniquement pour ceux qui partageaient sa vie.

Le quadragénaire ne proscrivait, pour lui-même comme pour les membres de sa famille, aucun crime ni délit. Les vols, cambriolages ou brutalités, les viols et toute infraction à la loi n'étaient pas moralement répréhensibles. Seul comptait pour lui le fait de ne pas se faire prendre.

Rien d'autre que sa propre personne n'importait à Jo. Il était persuadé d'avoir toujours raison, et à ses yeux la société et ses principes n'existaient pas.

Joël avait un frère, Edmond ; tous deux se partageaient un vaste terrain sans grande valeur, hérité de leur père, un artisan qui avait, de son vivant, une assez bonne réputation. Les deux frères scindèrent la propriété en deux et firent chacun construire un semblant de bâtisse avec le reste de leur legs.

N'ayant aucune autre famille et ayant pris soin de se brouiller avec celle de feu sa femme, Joël n'invitait jamais personne, à part quelques copains de larcins ou de beuverie.

Joël était avant tout ferrailleur, et collectait toutes sortes d'objets, le plus souvent dans un état de détérioration très avancé, qu'il désossait dans sa cour. On trouvait de tout dans ce petit terrain face à chez eux : carcasses de voitures, tas de débris, appareils ménagers le plus souvent rouillés, bidons en métal, grillage, brouettes remplies de machins et de trucs, bâches, paniers, balais, sacs, chaises cassées…

Le vieux semblait s'épanouir dans cet environnement merdique. Le capharnaüm ne le dérangeait pas. Lorsque Alpha repensait à son père, une séquence lui revenait sans cesse, comme figée dans sa mémoire : il revoyait le *Jo*, à califourchon sur l'un de ses vélos retapés, une jambe pendante et le buste bien droit ; il se laissait rouler, avec un sourire franc mais désagréable à voir, la peau brunie par le soleil qui cognait si fort ; et *le père* faisait le tour de sa cour, interminablement, en les regardant de haut et en riant, comme un roi sur sa terre de rouille.

Un *vieux dégueulasse*, dans tous les sens du terme, il fallait bien le reconnaître. Les chiures des différentes volailles qu'il élevait et laissait en liberté jonchaient la terre battue, les bâches, les cartons et les couvertures entassées. L'hygiène était un domaine qui incombait exclusivement aux femmes et, en l'absence de sa mère, Julie en avait la responsabilité, que ce soit dedans ou dehors. Ainsi que de toutes les autres tâches ménagères, et de cuisiner ce qu'il rapportait à manger.

Peu de monde s'aventurait chez eux. Les deux frères étaient assez déplorablement perçus par la population locale. Beaucoup de gens sentaient que quelque chose clochait, et que les murs du ferrailleur abritaient très certainement des violences domestiques. Beaucoup fermèrent les yeux mais quelques voix s'élevèrent, et dans le doute, le maire alerta les services sociaux à deux reprises. En public, Joël savait arborer un masque bienveillant, l'air débonnaire du type un peu simplet, assez brave, qui veillait sur ses petits garnements avec la brusquerie d'une certaine tradition du terroir, quoique sans réelle brutalité ni perversion. *Un bon veuf*, qui faisait des efforts avec *bien peu*.

Les visites des assistantes sociales, prises sur rendez-vous, n'eurent aucune suite véritablement négative et furent progressivement espacées. Jamais les gosses ne dénoncèrent Joël.

« *Si tu parles, je tue ton frère ! Je lui brise le crâne, tu m'entends ?* »

Avec ça, il la tenait. Et elle encaissait. Elle n'en parlait à personne. Elle était résignée.

Du temps de *la mère*, les deux gosses assistaient à des scènes de coups et d'humiliation, qu'eux-mêmes subissaient régulièrement. En revanche, les assauts sexuels étaient discrets, dissimulés visuellement par la porte et les cloisons de leur chambre.

Lorsque Julie devint l'unique représentante de la gent féminine dans la maison, son statut d'enfant évolua en celui de maîtresse et de servante de Joël. Très vite, le père devint de plus en plus pressant envers elle, plusieurs fois par semaine, puis plus souvent encore à partir du moment où elle devint une jeune femme *formée*. Parfois, il ordonnait à Fabien de déguerpir ; souvent il exigeait qu'il reste. Le garçon assistait aux lamentations de sa sœur, aux cris et aux rires du vieux.

« *Si tu fais pas ce que je veux, je vous zigouille tous les deux, lui d'abord, devant toi ! Je serre son cou jusqu'à ce qu'il crève !* »

Jo se servait de la présence de son fils pour édifier son chantage, mais il aimait aussi sentir le regard du gosse. Il jouissait d'avoir un spectateur et lui ordonnait de bien observer et de prendre exemple. Du haut de ses 6 ans, Fabien ne comprenait pas toujours ce à quoi il assistait. Il avait surtout peur pour sa sœur. Et il ressentait un puissant malaise, une sensation viscérale, abominable, qu'il était encore incapable d'interpréter.

Par moments – en journée ou le soir –, son père le prenait à part dans la cuisine et lui enseignait ses vérités sur les femmes.

« *Elles ont ce qu'elles méritent, ces SALOPES, ces PUTES ! Juste bonnes à baiser... Tu dois jamais leur faire confiance, elles sont le Mal. Tu vaux mieux qu'elles.* »

Ses yeux plantés droit dans les siens, Jo parlait à son fils avec un débit calme mais intense. Il exigeait toute l'attention du garçon et s'exprimait comme s'il allait lui révéler l'une des plus grandes vérités de la vie. Temporairement, il laissait de côté sa posture de tyran domestique avec ses grognements, ses injures, ces sévices où il le ligotait au radiateur pendant des heures et le fouettait à coups de ceinture ou de martinet, parce que le gosse avait fait trop de bruit en jouant avec ses voitures ou pour tout autre motif.

Malgré leur caractère répétitif, Fabien aimait ces instants de tranquillité avec son père, où ce dernier semblait pour une fois vouloir partager des choses avec lui. Souvent, ses diatribes contre les femmes évoluaient en un réquisitoire contre la société, contre *les autres*.

« *Face aux autres, on est un bloc !* »

Les pires horreurs pouvaient se dérouler dans la cellule intrafamiliale, en extérieur Joël ne souffrait pas que quiconque s'en prenne à l'un des siens.

Un jour, il apprit qu'un mec de 16 ans persécutait quotidiennement Julie. Pour des raisons obscures, ce type – petite terreur locale – aimait molester et insulter *la sœur*. Un traitement de souffre-douleur, somme toute moins dur que celui que Jo infligeait à sa propre fille, néanmoins, dans l'esprit du vieux, manquer de respect à l'un des membres de son clan revenait à s'en prendre directement à lui.

Jo chargea alors son fils, âgé de 12 ans à l'époque, de venger sa sœur.

Fabien se renseigna sur ses habitudes et alla à la rencontre du mec, un soir où ce dernier rentrait de l'école avec des copains. Plus petit d'une tête et plus jeune de quatre ans, Fabien se posta tout de même devant lui, sans éprouver la moindre peur. Il avait l'habitude d'encaisser les coups ; mais il n'en reçut aucun ce jour-là. Dès le début des hostilités, Fabien fut le seul à atteindre sa cible et le déchaînement de violence dont il fit preuve ensuite laissa les comparses du type absolument pantois, eux qui ricanaient pourtant quelques instants plus tôt en voyant le *morveux* se dresser face à leur *chef*.

Fabien ne retint aucun de ses coups, lesquels fusèrent avec une aisance et une puissance que lui-même ne soupçonnait pas. Les deux premiers coups de poing atteignirent son adversaire en plein visage et le firent reculer de trois bons mètres, manquant de le faire trébucher. L'aîné ne voulait pas se laisser humilier mais Fabien revint à la charge et l'envoya cette fois au sol, puis il bondit sur lui et lui balança un coup dans la mâchoire et un deuxième en plein dans le nez, qui fit jaillir le sang.

Tout, dans cet affrontement physique, lui parut d'une étonnante facilité… Et durant sa vie entière – mais Fabien l'ignorait à cette époque – il éprouverait la même aisance dans les combats de rue ; quelque chose d'inné et de libérateur.

Son adversaire tenta de se protéger avec ses bras et ses mains mais Fabien en voulait encore et lui agrippa rageusement la tête tout en plaçant ses pouces sur ses paupières, prêt à les enfoncer dans ses orbites, en montrant les dents et en criant.

Soudain, il fut tiré en arrière ; un copain du type s'était précipité sur lui pour les séparer. Un instant de plus et il lui écrasait les yeux.

La victime, qui avait eu la peur de sa vie, gueulait comme un dément.

Les deux autres mecs n'en revenaient pas non plus et observaient Fabien se relever après qu'ils l'eurent projeté plus loin. Il était encore un peu haletant mais globalement assez calme. L'action avait été foudroyante.

Puis Fabien décampa en courant, sans leur laisser le temps d'unir leurs forces.

Les parents du gamin de 16 ans ne déposèrent pas plainte et il ne fut jamais inquiété.

Si cela avait été le cas, peut-être les choses auraient-elles été différentes par la suite ?

Peut-être. Ou peut-être pas.

Déjà, à cette époque, il était comme déconnecté. En grandissant, même le sort de Julie l'intéressa de moins en moins. Il voyait qu'elle s'était faite à tout ça, qu'elle ne protestait plus. Moins qu'avant.

La seule fois où elle s'était rebiffée, c'était quand le vieux avait voulu que Fabien la prenne, juste après lui.

« *T'es un grand, maintenant, mon gars, tu vas perdre ton pucelage !* »

La sœur était devenue enragée, elle beuglait, vociférait, menaçait le vieux de le tuer ; avant de lui promettre de faire tout ce qu'il voudrait mais pas ça. Jo avait rigolé et laissé tomber. Trop éméché, pas assez motivé.

Le reste du temps, elle laissait Jo faire ses trucs. Il la baisait comme une poufiasse et il disait qu'elle aimait ça. Peut-être le vieux n'avait-il pas tort. Peut-être avait-il cerné sa vraie nature. Elle disait qu'elle faisait ça pour son frère, pour le protéger.

Une femelle faible, incapable de se protéger elle-même.

Qu'est-ce qu'elle croyait ?

Qu'elle avait tout le temps un œil sur eux, que le vieux n'était pas capable de coincer son fils dans la nature, un jour de soûlerie ?

Elle ne savait rien et elle n'avait rien besoin de savoir. Pas besoin de sa protection, il avait fini par se défendre lui-même. Les vieux cons comme ça, ça finit toujours par devenir plus faible qu'un fils qui grandit.

Jo s'était prudemment focalisé sur sa fille, et Fabien se fichait de la voir servir d'esclave. Il se désintéressait de Julie, comme de tous les autres. Détaché de toute souffrance étrangère à la sienne ; quand il n'en jubilait pas.

Sa sœur était stupide et le vieux ne valait guère mieux. Au collège, ses professeurs disaient de Fabien qu'il avait des capacités, cachées sous une « paresse crasse » et des problèmes comportementaux. Il aurait aimé les voir, ces connards, ouvrir un livre dans la *maison du Jo*. Le vieux donnait le change en les laissant faire leurs devoirs un minimum, par crainte de voir débarquer à nouveau les services sociaux. Pour le reste, il préférait les voir marauder plutôt que bouquiner. Le vieux salopard considérait toute velléité de se cultiver comme une perte de temps, voire une insulte à sa personne.

★

Toute la première partie de sa vie, il avait rêvé de voir la mer. Sans s'expliquer pourquoi, les photos, les moments à la télévision où elle apparaissait le fascinaient.

Avant même de l'avoir approchée, touchée, sentie, l'enfant sut très tôt qu'elle serait son unique amour véritable. L'unique endroit où sa présence aurait un sens. Il serait un pirate, un capitaine, un mousse. Il fantasmait sur la lumière, sur les couleurs, l'immensité désertique, la fureur des éléments. Le silence qui n'en était pas un. Les voyages…

Aller ailleurs, partout, sur la terre aussi. Voir.

Son cul-terreux de père ne lui avait jamais fait quitter le canton. Il parcourut tous les continents, et pratiquement chaque mer.

Jo ne fit pas d'histoires quand Fabien voulut partir. En manipulateur avisé, sans doute avait-il senti que son influence sur son fils s'amenuisait chaque jour, et qu'il valait mieux qu'il prenne le large. Un seul fauve à la maison suffisait, et Joël n'envisageait pas de laisser filer Julie aussi facilement que son frère.

Peut-être aussi s'était-il dit que le gosse reviendrait vite, échaudé par la difficulté. Au contraire, Fabien trouva très rapidement du travail, essentiellement sur des navires de charge et des bateaux de pêche, sans faire le nez sur tous les postes les plus rébarbatifs.

Il fit la connaissance de Jean-Marc lors d'un trajet en direction de Manille. Un sacré pervers, Jean-Marc, qui n'avait pas grand-chose à envier au Jo. Un grand gaillard, Jean-Marc, costaud ; la barbe épaisse, tout comme ses bras. Pour une raison inconnue, ce Québécois de 37 ans fit son possible pour se rapprocher du jeune Fabien. Sans doute avait-il senti son potentiel. Les prédateurs sexuels, c'est connu, développent un instinct pour déceler les victimes qui seront le moins aptes à se défendre, et peut-être en est-il de même pour repérer leurs semblables.

Jean-Marc aimait sauter des prostituées, non seulement sans les payer mais en les prenant de force. Il haïssait les femmes, qu'il considérait comme de simples outils qu'il suffisait d'utiliser, dès lors qu'il les avait choisies et même si elles n'étaient pas consentantes ; quant aux prostituées, elles attisaient chez lui une haine particulière, car à ses yeux elles étaient mères de tous les vices. Fabien songea à maintes reprises et avec intérêt que cette rage ciblée cachait très certainement quelque chose, il n'osa cependant jamais vraiment interroger son compagnon.

Sa rencontre avec Jean-Marc engendra deux *premières fois* : son premier viol et son premier meurtre. Dans son patelin ardéchois, Fabien avait couché en tout et pour tout avec deux filles. Sans avoir eu besoin de les forcer, bien au contraire. Il était beau garçon, et son côté ténébreux ne laissait pas la gent féminine indifférente. La sporadicité de ses expériences sexuelles ne le dérangeait pas, d'autant que ses fantasmes de violence sexualisée n'étaient pas encore véritablement apparus en lui. Dans ce domaine, les virées avec Jean-Marc firent office de déclencheur.

Le Québécois l'entraîna à ses côtés pour des soirées mémorables dans les rues de Manille. Une nuit, ils attirèrent une pute de 25 ans environ dans une chambre d'hôtel bas de gamme ; comme à son habitude, Jean-Marc ne comptait aucunement la rémunérer pour ses services et voulait la voir en baver et l'entendre crier. Jean-Marc fut le premier des deux à abuser d'elle, puis Fabien prit le relais, dans la chambre poisseuse. Le cran d'arrêt de Jean-Marc sous sa jolie petite gueule, pour qu'elle laisse faire.

Le premier viol fut comme une première cigarette. Fabien éprouva peu de plaisir, et même une sensation parfois désagréable. Mais il savait que s'il récidivait, il pourrait vite y prendre goût. En la baisant, il se mit à serrer le cou de cette salope. La strangulation brutale provoqua un écoulement sanguin par sa bouche et ses narines ; elle était tout près de crever. Il aima voir l'espoir s'évanouir dans son regard. Une peur, animale et véritable. L'incompréhension, l'horreur. Jean-Marc comprit que Fabien allait la tuer et l'en empêcha de justesse.

Qui s'intéresserait au viol d'une pute ? En revanche, un crime sexuel, là, c'était autre chose, un coup à finir dans une geôle tiers-mondiste à quinze dans quinze mètres carrés.

Jean-Marc avait raison.

Mais les jours qui suivirent, à Manille, Jean-Marc prit peu de précautions et le mac de la pute les retrouva. Contrairement aux deux fêtards, le mafieux prenait la chose très au sérieux. Et lorsqu'il sortit une lame pour les planter, Fabien n'eut d'autre choix que de la retourner contre lui.

Il y eut une enquête de police, cette fois.

Ils durent passer dans la clandestinité et se faire faire de faux papiers.

Leurs chemins se séparèrent ; le périple initiatique et pervers du duo cessa peu après son commencement. Jean-Marc repartit vers le nord, et Fabien vogua vers d'autres océans, sous de nouvelles identités.

★

Il retrouva Jean-Marc trois ans plus tard. De passage au Canada, comme il connaissait son véritable nom et sa ville d'origine, Alpha réussit à entrer en contact avec ses parents. Les vieux du Jean-Marc, des taiseux, parurent notablement étonnés lorsque Alpha se présenta comme un ami de leur fils, qui souhaitait prendre des nouvelles. La chose ne semblait pas courante. Mais ils consentirent à lui donner sa nouvelle adresse, à Murdochville, plus à l'intérieur des terres. À part ça, ils ne lui dirent rien d'autre, et Alpha eut la surprise de sa vie le jour où il toqua à la porte de Jean-Marc et lorsque ce dernier ouvrit.

— Mes parents m'ont prévenu que t'étais passé chez eux. Mais je pensais pas que tu viendrais jusqu'ici, lui déclara le gros lard avec un sourire gentil.

Bordel ! s'exclama intérieurement Alpha. Son ami avait désormais la carrure d'une dame forte. Une voix improbable, et plus un seul poil sur le visage ou sur le haut du torse. Quelque chose qu'il n'identifiait pas encore l'avait foutrement changé, pourtant c'était bien lui.

Après l'avoir fait entrer, conscient du malaise, Jean-Marc s'empressa de fournir des explications :

— Je t'aurais prévenu si j'avais eu ton numéro… *Ils* m'ont chopé, tu sais. Après Manille, je suis rentré ici, au Canada, un peu au calme. Un soir, j'ai flashé sur une fille, dans un pub du coin. Elle s'est bourré la gueule à mort, cette cruche, j'ai pas pu résister, tu me connais, dit-il d'une voix mal assurée et ridiculement aiguë, en gratifiant Alpha d'un clin d'œil et d'un sourire pathétiques. Je l'ai défoncée dans ma bagnole, à moitié dans les vapes. Ils m'ont retrouvé, putain ! déplora le Québécois en essuyant ses tempes mouillées de sueur avec sa manche. Heureusement, j'ai pas été hyperviolent. Mais j'avais des antécédents, ici ; je risquais d'en prendre pour des années, alors ils m'ont dit que j'aurais une peine plus adoucie si je m'engageais à prendre leur traitement.

— C'est quoi ?

— La castration chimique. Ils t'enlèvent la testostérone, pour supprimer ta libido !

Alpha détailla Jean-Marc de la tête aux pieds, avec une incrédulité et un dégoût dans le regard qu'il ne masquait même pas. S'en apercevant, Jean-Marc continua :

— On m'avait dit tout et son contraire, et même que c'était inefficace : mais quand on te les *cisaille*, mon pote, ben tu préfères aller pêcher la truite que la bonne femme…, dit-il en désignant son matériel de pêche, dans un coin de la maison.

— T'avais pas d'autre choix ?

— Pas si je voulais éviter les dix ans de taule. Et tu sais, Fabien, ajouta-t-il en transpirant comme un geek qui aurait couru le cent mètres, je me sens beaucoup mieux comme ça, en fait. Les saloperies que j'avais dans la tête me bouffaient complètement à l'intérieur. Je me suis rendu compte que j'aimais plus l'homme que j'étais, tu vois ? Quelqu'un de dangereux, d'ingérable… J'aime pas faire du mal, en fait. Je me sens beaucoup mieux comme ça.

Alpha eut subitement la gerbe. Au sens propre, une nausée soudaine, qui l'envahit et faillit l'entraîner aux toilettes. Entendre cette *chose* déblatérer ces conneries. Un castré, putain… Un lâche. Lui qu'il admirait tellement, avant…

Sa seule envie était de s'enfuir, au plus vite. Ne plus jamais le revoir. Jean-Marc parut s'en rendre compte, même si Alpha garda ses pensées pour lui. Avant qu'il ne s'en aille, Jean-Marc, en insistant, parvint à obtenir de lui un e-mail, pour échanger d'hypothétiques nouvelles. Puis il observa la haute silhouette aux cheveux longs qui s'éloignait, sans se retourner.

Deux ans plus tard, dans un cybercafé de Kyoto, Alpha consulta sa boîte mail et découvrit un message des parents de Jean-Marc. Ils l'informaient du suicide de leur fils, à la suite d'une dépression.

Ayant trouvé son adresse électronique dans les affaires de leur fils et sachant qu'ils étaient amis, ils tenaient à prévenir Alpha et lui communiquer la date des obsèques – déjà passée lorsqu'il eut connaissance du mail.

Alpha ne répondit pas et supprima le message.

Jean-Marc ne fut pas le seul à casser sa pipe, à quelques mois d'intervalle. Jo était diabétique depuis des années.

L'unique moment où son tortionnaire de père devenait aimable, craintif et tourmenté comme un enfant était celui de sa piqûre, dont Julie avait la charge. De manière générale, dès qu'il était malade, la brute redevenait une petite chose piteuse, au bord de l'agonie, cherchant le réconfort de sa fille qui, soudainement, devenait précieuse à ses yeux.

Elle écrivit à son frère pour lui annoncer la mort du *vieux*. Un e-mail, son seul lien avec les siens dans ce monde si vaste.

Alpha en resta sur le cul, et relut le mail de nombreuses fois tellement la chose lui parut irréelle. Le vieux ne faisait plus partie de sa vie. Il était mort dans son sommeil, retrouvé le matin dans son lit, avec un visage paisible. Il n'avait pas souffert, précisait sa sœur.

Mort comme un bienheureux : comment croire, après cela, en une justice ?

Le mail était ancien lorsque Alpha en prit connaissance, et Joël devait être six pieds sous terre depuis au moins deux semaines.

Longtemps, Alpha retrouva Jo dans ses rêves. Un grand corps, qui tournait à vélo, roulait sans s'arrêter, sur la terre battue crasseuse. Il le voyait au ralenti, qui l'observait ; sans qu'il prononçât un mot ; un sourire éclairait son visage, sur lequel transparaissait le vice, dans toute sa quintessence.

2

Un verre d'eau gazeuse à la main, Anthony retourna s'asseoir sur le confortable siège en cuir de son bureau. Puis il appuya sur une touche de son ordinateur pour le relancer. Il ouvrit ensuite le dossier contenant la liste de ses contacts et la fit défiler, de haut en bas, jusqu'à la ligne qui l'intéressait.

Dehors, l'arroseur automatique balançait des giclées d'eau avec la régularité d'un métronome. Le jardinier foulait tranquillement la pelouse, en évitant les gouttes. Un arrosoir à la main, il allait de parterre en parterre pour un soin plus minutieux des fleurs. L'été démarrait chaudement, en ce 5 juillet. Anthony avala une gorgée d'eau pour s'humecter la bouche, puis il décrocha le combiné de son téléphone fixe et composa le numéro qu'il avait recherché.

— Allô ? Allô, j'écoute ? s'impatienta l'interlocuteur.
— C'est Anthony à l'appareil.
— Qui ça ?
— Anthony Rauch.

S'ensuivit un silence à l'autre bout du fil. Anthony ne chercha pas à le combler. Il laissa passer quelques instants et reprit :

— On peut discuter, Théo ? J'aimerais parler avec toi ; j'aimerais te voir, même.

— Nom de Dieu…

Théo marchait dans un couloir du commissariat quand il reçut l'appel. Le grand gaillard s'arrêta soudain et s'appuya contre un mur en se courbant, le combiné contre l'oreille. Il leva les yeux vers le plafond, en haletant malgré lui, en faisant le moins de bruit possible.

Putain de voix grave. Rauque, même.

Le culot du mec.

— Écoute, Anthony, lui dit-il en se grattant la joue, je t'avoue que te revoir, ça me fout la trouille.

— T'as aucune raison d'avoir peur.

— Oh, j'ai pas peur de toi, répondit Théo avec un rictus, plus proche de la grimace que du sourire, et avec de légers tremblements incontrôlés. Pas du tout, même. J'ai peur de ce que je vais ressentir, et de ce que je pourrais te faire, à toi…

— Je comprends. On s'est pas vus depuis longtemps et tu auras un choc. Mais je te connais et je pense que tu peux dépasser ça, pour Marion. J'aurais disparu depuis le premier jour et t'aurais plus de mes nouvelles, s'il ne s'agissait pas de la venger. Tout ce que je fais, depuis près de trois ans, est dans ce but. Vous n'avez rien de concret sur Alpha, je me trompe ?

Pour unique réponse, Anthony perçut un soufflement désagréable dans le combiné.

— Moi, je sais. Je sais qui il est, reprit Anthony en appuyant la fin de sa phrase. Je vais tout faire pour obtenir justice, pour Marion. Tout seul, peut-être ; ou alors avec toi. En tout cas, j'en parlerai qu'à toi et à personne d'autre. Je préférerais t'avoir à mes côtés, Théo. Marion comptait pour toi ; et surtout, tu es bon.

★

Théo arriva le premier au point de rendez-vous, un quart d'heure avant l'heure prévue. Toute la journée, il n'avait pensé qu'à ça. Avec autant d'appréhension que d'impatience.

Il l'avait tellement maudit, Anthony. Plus rien n'avait été pareil, durant ces trois années. Leur brigade, traumatisée, aurait mérité la prise en charge par une cellule psychologique, comme les survivants des crashs d'avion. Trahis par le meilleur d'entre eux. Bernés. L'aiguille de sa boussole, comme celle de tous les autres, tournait dans le vide depuis. À qui pouvaient-ils faire confiance ?

Au sein de la brigade, Théo avait été le plus touché. Coup sur coup, il avait perdu les deux collègues dont il était le plus proche. La vérité sur Anthony l'avait assommé. La mort de Marion l'avait détruit. Qu'est-ce qu'il l'aimait, putain, cette môme… La réciproque n'était sûrement pas à la hauteur de ses attentes. Toutes ces années ils se charriaient, constamment dans la vanne. S'il avait su, il aurait pris du temps seul avec elle, pour échanger, mieux la connaître et se livrer.

Les fliquettes lui avaient toujours fait beaucoup d'effet, et Marion plus que toutes les autres. Jamais il n'avait rencontré de fille plus courageuse et téméraire. Et futée, bien plus que lui, en tout cas. Il avait chialé toutes les larmes de son corps, ce soir-là et les jours suivants, pendant plus d'une semaine. Dès qu'il était seul chez lui, ou dès qu'il était dans son coin ; jamais devant les autres.

Forcément, il n'avait pu se retenir de tenir Anthony pour responsable, d'autant que le véritable meurtrier courait toujours. Il savait pourtant qu'il en bavait autant que les autres, et même plus… Dès que Théo y repensait, il revoyait cette image : Anthony, accroupi près de Marion sur le trottoir ensanglanté. Les secours tentaient d'emporter le corps, et lui le retenait. Il n'y avait plus rien à faire, la vie s'était échappée d'elle depuis longtemps.

Quand ils l'avaient transféré à la brigade, ils ne l'avaient pas ménagé. Tous voulaient des explications. Lui ne répondait rien. Accablé, fermé à double tour.

Que pouvaient-ils faire ? Ils l'avaient gardé un peu au poste pour l'entendre. Il restait prostré, ne délivrant qu'un minimum d'explications, pour éviter d'être interné en hôpital psy. Il avait évoqué cette jeune fille, qu'il avait fréquentée plus jeune. Il avait confié s'être mal comporté vis-à-vis d'elle, puis était retombé dans un silence dont il ne n'était plus sorti ensuite. Alors ils avaient effectué des vérifications mais, même si les faits n'avaient pas été prescrits, il n'y aurait rien eu à faire, ni sur ça ni sur l'Androcur. Les autorités elles-mêmes tenaient à ce que l'affaire se tasse, et ils avaient laissé Anthony tranquille à la condition qu'il ne fît plus parler de lui.

Théo avait préféré garder ses distances, au début des auditions. Par peur de lui péter la gueule. Nerveux comme il était, à tout moment ça pouvait partir. Il lui arrivait de ressentir du plaisir à laisser libre cours à sa colère, mais là, il n'en avait même pas envie. Tout le temps où Anthony fut entendu comme témoin, Théo ne lui adressa qu'une ou deux phrases, auxquelles Rauch ne répondit pas. Et après son éviction de la brigade du viol, jamais il ne chercha à le revoir. Anthony non plus, d'ailleurs.

Pour leurs retrouvailles, trois ans après, Anthony avait choisi le Train Bleu, gare de Lyon, non loin de la brigade. Un bel endroit. Restaurant et salon de thé, à la décoration somptueuse, sur les murs et jusqu'au plafond, et un service aux petits soins.

Autrefois, le côté un peu *bourge* d'Anthony charmait Théo. Parce qu'au fond il n'en jouait pas. Il avait grandi comme ça, voilà tout. Il s'efforçait d'être comme eux, les flics, de se fondre dans la masse et de ne rien laisser paraître. Pourtant, à certains moments, les goûts de luxe auxquels il avait été habitué depuis l'enfance ressurgissaient involontairement. Il n'y avait aucune prétention derrière ça, juste un goût du confort, sans égoïsme puisqu'il aimait les en faire profiter aussi.

Il était différent des autres flics, indéniablement. Mais le côté hautain qu'il pouvait dégager au premier contact s'estompait très vite lorsqu'on le fréquentait. Sa carapace n'était qu'une façade, due à sa réserve. C'était du moins la conclusion à laquelle était arrivé Théo, avant le coup de massue de la vidéo d'Alpha.

Avant ça, il pensait fréquenter quelqu'un qui, simplement, préférait écouter les autres que parler de…

« *Salut, Théo.* »

La voix provenait d'à côté de lui, un peu en arrière. Il ne l'avait pas vu entrer. Théo tourna la tête puis, quand il voulut se redresser, sa main glissa malgré lui sur le haut de sa chaise et il faillit perdre l'équilibre. Anthony était tout près de lui, calme. Il ne souriait pas. Théo l'examina des pieds à la tête. Il paraissait plus grand. Sans doute parce qu'il se tenait plus droit.

L'homme qu'il avait connu était quasi méconnaissable. Sa masse graisseuse avait fondu. Il n'était pas plus mince, mais mieux bâti, sculpté comme un sportif. L'arrêt de son traitement ne pouvait pas avoir suffi, songea Théo, il s'était forcément musclé. Une carrure imposante, désormais plus que la sienne, constata le policier avec une pointe d'amertume.

Le choc et l'émotion lui donnèrent une nausée qu'il réprima.

Les yeux bleus n'avaient pas changé – les mêmes que ceux de Louisa Rauch. Il avait en revanche rasé son crâne et laissé pousser sa barbe, épaisse et bien taillée. L'ensemble lui donnait l'air d'un *dur*, d'un type beaucoup plus sûr de lui, qu'il ne fallait pas chatouiller.

Anthony fut le premier à tendre la main, et Théo s'en saisit.

★

— Il a une sœur, encore en vie. Sa mère s'est suicidée quand il était enfant et son père est mort il y a quelques années. Sa sœur est restée vivre en Ardèche, dans un village voisin. Je te dirai le nom du village un peu plus tard, ainsi que toutes les infos précises si t'es avec moi sur ce coup et si j'ai ta parole. Elle vit seule et ne s'est jamais mariée. Son frère et elle ne se voient plus depuis des années, puisqu'il passe sa vie aux quatre coins du monde, au gré de ses voyages. Mais ils communiquent parfois, par le biais d'une adresse e-mail. Il se connecte de façon épisodique depuis les cybercafés de pays étrangers et consulte son compte. En cas de pépin, comme ça, elle peut lui écrire ou prendre de ses nouvelles ; lui-même en donne parfois spontanément. Il tient à elle…

Assis face à Anthony, agité intérieurement et dubitatif, Théo l'écoutait avec la plus grande attention. Il n'avait pas touché à son assiette.

— Elle sait que son frère est Alpha ? Elle sait que c'est lui et ce qu'il a fait ? l'interrogea-t-il.

— Je l'ai rencontrée et on a beaucoup parlé. Je n'avais vu qu'une seule photo de son frère, enfant, et elle m'en a montré d'autres de lui à l'âge adulte. Là, j'ai su qu'il s'agissait d'Alpha et j'ai fini par jouer cartes sur table. Julie – c'est son prénom – connaissait l'affaire par les infos, comme tout le monde en France, mais elle n'avait jamais fait le lien avec son frère. Elle me l'a assuré et je la crois. Je pense qu'elle dit la vérité à ce sujet. Elle est tombée de haut et, évidemment, elle a mis en doute ce que j'avançais. Pourtant elle a accepté de me confier une brosse à cheveux qui appartenait autrefois à son frère, et j'ai fait faire une analyse

ADN dans un laboratoire privé. Je l'ai ensuite comparée avec celle d'Alpha. Julie m'a cru quand je lui ai annoncé que ça avait matché ; je pense que, au fond, elle savait que son frère était quelqu'un de dangereux, sans imaginer à quel point. Elle est écartelée entre son affection pour lui et le choc d'apprendre quel monstre il est devenu…

— Qu'est-ce qui te fait penser qu'elle ne l'a pas prévenu ensuite ?

— J'ai couru le risque, et comme je te l'ai dit, je la crois. Sa jeunesse n'a pas été rose, c'est le moins qu'on puisse dire, mais c'est une femme bien. Elle m'a confié des choses intimes, des souvenirs, et m'a donné des gages de sa bonne volonté, comme avec la brosse à cheveux, et surtout en me communiquant l'adresse e-mail de son frère. J'ai engagé quelqu'un pour la *craquer*… et j'ai tous ses échanges ; elle est la seule personne au monde avec laquelle il communique vraiment.

— Si tu as son adresse e-mail, s'anima Théo, alors tu peux le localiser, on le tient. On peut relever les adresses IP sur lesquelles il se connecte ; tu n'as qu'à tout me donner, tout ce que tu as, et je pourrai le pister…

— Je veux pas passer par la brigade, je ne veux m'en remettre à personne d'autre.

— Alors fais-le toi-même ! Un hacker travaille pour toi ? Donc dès qu'une IP tombe, tu peux savoir où Alpha se trouve…

— C'est l'une des deux possibilités, tu as raison. Mais cette solution implique d'avoir un constant décalage, un temps incompressible pour la faire analyser et se rendre ensuite sur le lieu où Alpha était quand il s'est connecté sur cette IP. À l'autre bout du monde, peut-être… Et ensuite, il faudra faire une enquête, sur place, qui risque de nous faire remarquer. Je ne veux pas m'en remettre à la police locale… je ne les connais pas et, de toute façon, ils n'agiraient pas sans une demande de la police française. On pourrait n'y aller que toi et moi, mais tu penses que deux Français passeraient inaperçus, à poser des questions ? Il suffit qu'Alpha ait quelques contacts et qu'on parle à la mauvaise personne, qui l'alerte ensuite… Et là, s'il nous grille, il rompt le fil et on le perd, peut-être définitivement. Il arrêtera de consulter son adresse mail, et il changera d'identité. L'administration française n'a plus aucune trace de lui, Alpha se fait payer au black et travaille dans le seul but de voyager et de se nourrir.

— Quel est ton plan, alors ?

— Le faire revenir ici. Il va venir, bientôt…

— Comment tu le sais ?

— Parce que Julie est malade d'un cancer. Je l'ignorais en la rencontrant, bien sûr. Elle me l'a avoué alors qu'on réfléchissait à une solution pour atteindre son frère. Elle lui avait caché sa maladie, pendant des mois, mais elle savait qu'une fois prévenu il reviendrait, et donc elle vient de le faire ; et Alpha lui a répondu, et en effet il va revenir la voir.

— Il lui a répondu ?

— Oui, ce matin même.

— Ah bon…, réfléchit Théo en plissant le front. Et quand est-ce qu'il compte arriver ?

— Sa sœur l'ignore, répondit Anthony en s'enfonçant dans son siège. Alpha n'est pas du genre à fixer des rendez-vous et elle ne sait même pas dans quel pays il se trouve. Mais il va tenir parole et revenir, elle en est sûre, et ce jour-là elle me préviendra et je me rendrai sur place.

— Comment tu comptes faire ? Planquer là-bas ?

— Non, Julie me préviendra de son arrivée quand je serai encore ici, à Paris. Dans ce scénario je suis dépendant d'elle, mais finalement c'est mieux car il est trop prudent, il surveillera sûrement les environs avant de mettre les pieds là-bas et de se montrer. Une équipe, même réduite, risquerait de se faire voir et il repartirait. Je veux pas prendre ce risque. Mon plan, c'est de descendre dès qu'il y sera, et de le cueillir avant qu'il ait le temps de comprendre ce qui se passe.

— Si elle ne se trahit pas sous l'émotion, ou si elle ne te trahit pas toi délibérément…

— C'est pour ça qu'il faut faire vite, partir en Ardèche dès qu'il se sera montré.

En disant cela, par une fenêtre à côté d'eux, Anthony désigna les immenses lignes de quais qui se dessinaient dans la gare, avec les trains en partance.

Théo hocha la tête et s'enfonça dans son siège.

— Et tu veux faire ça sans équipe d'intervention ? Tout seul ?

— Pas seul mais avec toi, lui dit Anthony comme une évidence. Tu crois vraiment qu'on fera du moins bon boulot qu'eux, en tapant par surprise ? Tous les deux, ce qu'on perdra en puissance on le gagnera en flexibilité. On sera armés et même s'il est très fort, il ne court pas plus vite que les balles…

— Tu veux agir complètement en dehors des règles, en gros…

— Aucune de nos règles ne nous a permis de l'avoir, jusqu'ici…

Théo grimaça avec une moue dégoûtée. Nerveux, il tapota des doigts sur la table.

— Qu'est-ce que t'attends de moi, putain, Anthony ? lâcha-t-il avec impatience et comme prêt à mordre.

— Que tu m'accompagnes. Si tu le veux… – Anthony le regardait, les yeux grands ouverts et en réfléchissant. – Je peux m'entourer de mercenaires, ou je peux le faire avec toi. Et je préfère que ce soit avec toi, avec quelqu'un dont je connais le travail. Personne d'autre dans la *maison* ne me suivra sur ce coup-là, sans tout verrouiller légalement, sans faire des repérages et risquer de tout faire foirer ! Je suis conscient du risque que ça représente pour ta carrière, mais si tu leur livres Alpha – et ce sera toi qui le leur livreras, j'insiste là-dessus car je me fous d'une quelconque reconnaissance de ces gens-là –, si tu leur livres un tueur de flics, un type qui s'en prend même à des ministres, qui ira te chercher des crosses après ? Qui ira blâmer l'homme qui a arrêté Alpha, quelles que soient ses méthodes ?

— Tu me comprends pas, je me fous complètement qu'on me cherche des crosses après. Si je le fais, ce sera pour Marion, pour rien d'autre, et ils peuvent me virer de la brigade et me muter dans le trou du cul du monde, je m'en cogne. Mais je veux faire les choses bien, ou ne pas les faire du tout.

— On fera exactement ce qu'il faut. Sa sœur est avec nous, on n'entrera pas par effraction. Si on doit l'abattre, j'en prendrai la responsabilité, je porterai le chapeau, que ce soit toi ou moi qui tire. Je leur dirai que je t'ai attiré dans un piège et que tu ignorais ce que je voulais faire. Ils me prennent pour un fou, de toute façon, et pour moi la police, c'est terminé ; je n'ai plus que cet objectif et rien d'autre.

Des voyageurs allaient et venaient sporadiquement autour des deux hommes, chargés de valises. De vieilles dames voyageaient en binôme, visiblement joyeuses de ce qui les attendait. Des familles avec enfants se dépêchaient.

Les deux anciens amis restèrent immobiles un long moment, face à face, sans se quitter des yeux.

— Alors, Théo, demanda enfin Anthony. Est-ce que tu es avec moi ?

3

Le store du Velux était resté entrouvert et Alpha, allongé sur le lit dans la pénombre, distinguait quelques étoiles plus brillantes que les autres. Il n'avait pas sommeil. Pourtant sortir, s'aventurer dehors ne le tentait pas. Sa sœur dormait-elle déjà ?

Il jeta un regard vers le réveille-matin, posé sur sa table de nuit. Babiole minable branchée sur secteur. 0 h 16.

La chambre était décorée simplement et avec goût. Julie en avait toujours eu, même dans la misère crasse. Les fins de mois n'avaient pas toujours été difficiles, parfois le vieux parvenait à se mettre sur de bons coups. Et peu porté sur les vêtements, voitures ou autres plaisirs d'apparence, Jo n'avait jamais été dépensier ; seuls sa ferraille et l'exercice de son vice l'intéressaient. Mais quand il n'y avait rien, il n'y avait vraiment rien, toutefois Julie était toujours parvenue à faire du minimum un repas convenable. Ou à rendre leur intérieur moins lugubre qu'il n'aurait pu l'être.

À la mort de Jo, Julie avait vendu la baraque pour s'installer ici. Alpha lui aurait volontiers laissé sa part pour qu'elle garde tout, mais elle tenait à partir. Tout ça pour s'installer au final à moins de deux kilomètres… Elle avait trouvé une plus petite maison, avec là aussi un vaste terrain donnant sur la nature, en lisière de forêt. La nuit, les sangliers creusaient partout.

Elle s'y plaisait, apparemment. Se livrer, partager des confidences, c'était pas leur truc à tous les deux. Elle vivait seule, sans mari ni amant. Du moins Alpha le pensait. Personne ne voulait d'elle, ou alors elle ne voulait plus de personne. Alpha penchait pour la deuxième option. Le vieux l'avait sûrement dégoûtée des hommes, tellement elle en avait bavé. Non content de leur avoir offert une enfance infâme, Jo leur avait aussi légué sa santé défaillante, apparemment. Julie avait vraiment un teint blafard, quand Alpha l'avait découverte un peu plus tôt, de retour de son boulot d'ATSEM dans une école maternelle. Lui était arrivé par le car dans la matinée. Puis il avait marché environ sept kilomètres, jusqu'à la maison de sa sœur. Personne. Elle finissait vers 16 heures, et Alpha en avait profité pour faire un tour et vérifier qu'aucun comité d'accueil ni aucune surveillance n'était en place. Il n'avait plus remis les pieds en France depuis presque trois ans. En milieu d'après-midi, lorsqu'elle avait enfin passé le portail et l'avait aperçu, assis sur les marches devant chez elle, Julie s'était arrêtée et l'avait observé, un moment qui lui avait paru long. Elle était pâle, malgré le soleil qui embrasait le pays, et semblait éreintée. Puis elle avait souri tristement, poursuivi son avancée jusqu'à lui, avec les épaules lourdes, et tous deux avaient échangé trois bises, avant qu'elle ne l'invitât à entrer chez elle sans faire de commentaire. Lorsqu'ils s'étaient revus précédemment, elle lui disait qu'il était beau et exprimait sa joie de le revoir ;

égoïstement, cette fois il se sentit un peu déçu qu'elle n'exprimât rien de plus. Il attribua cette attitude à une fatigue et à une lassitude extrêmes. Le traitement avait commencé. Julie était encore jeune et s'était montrée plutôt combative, tout au long de sa vie, pourtant, en la voyant, Alpha songea que la bataille était loin d'être gagnée…

Le reste de l'après-midi, ils discutèrent un peu, elle prit de ses nouvelles et lui des siennes. Il lui parla de ses voyages, et elle de l'hôpital. Sa maladie avait été dépistée à temps, disaient les médecins. Ils avaient bon espoir.

Puis elle passa un long moment à préparer le repas du soir, pendant qu'il regardait la télévision dans le salon, en descendant quelques bières qu'elle avait achetées en prévision de sa venue. Ils dînèrent devant la télé, et discutèrent très peu. Alors qu'elle s'apprêtait à gagner sa chambre en alléguant sa fatigue, il lui demanda – avec une hésitation qui lui était inhabituelle – si elle était contente qu'il soit là, et elle lui répondit avec sincérité que oui : elle était soulagée. Elle lui assura qu'ils parleraient davantage le lendemain, et qu'il pourrait en profiter pour aller escalader le spot non loin d'ici, ce qu'il avait effectivement en tête.

1 h 15.

Alpha était plongé dans ses pensées, les yeux ouverts, quand il perçut soudain le bruit d'un véhicule à l'extérieur. Pas réellement un bruit de moteur, plutôt des roues qui avançaient lentement sur du gravier, très certainement dans le chemin qui jouxtait la maison.

Puis le bruit cessa. Sans claquement de portière, sans rugissement de moteur au moment d'accélérer.

Avec une agilité féline, Alpha bondit hors du lit, et déplaça une petite table qui faisait office de bureau jusque sous le Velux. Il grimpa dessus, ouvrit le Velux en grand et passa la tête dans l'embrasure pour observer le plus loin qu'il le pouvait. Il ne distinguait pas grand-chose, l'angle était fermé. Aucun bruit ne subsistait dehors, mis à part ceux, familiers, de la nature. Ses épaules ne passaient pas et il renonça à se glisser sur le toit.

Pas de quoi s'alarmer, a priori. Bien qu'assez reculé, l'endroit n'était pas dépourvu de voisins. Il descendit de la table et la replaça correctement sans faire de bruit.

Il avait soif.

En descendant les dernières marches de l'escalier, il eut la surprise de découvrir sa sœur, fantomatique, debout dans la cuisine, en robe de chambre... Elle était livide, la bouche entrouverte avec une expression qui lui évoqua celle de leur pute de mère, quand il l'avait interrompue avant qu'elle ne se fît sauter la cervelle.

Julie était plantée au centre de cette cuisine blanche, seule pièce éclairée de la maison ; elle parut elle aussi surprise de le voir debout.

— Qu'est-ce que tu fais là ? lui demanda-t-il.

— J'ai fait un cauchemar et je me suis levée.

Sa coiffure était ébouriffée. Son air inquiet ne disparaissait pas. Elle paraissait désorientée, hagarde, et Alpha se demanda si les tumeurs ne s'étaient pas propagées jusqu'au cerveau.

— Tu devrais te recoucher, lui conseilla-t-il.

— Et toi, qu'est-ce qui se passe ? s'enquit Julie en plissant le front.

Sans répondre, Alpha se dirigea vers un placard, dans lequel il attrapa un verre. Puis il passa à côté de sa sœur et rejoignit le frigo, dont il ouvrit la porte ; il en étudia brièvement le contenu, saisit une bouteille de lait et commença à s'en verser un verre entier. Une fois rempli, il le but sans s'interrompre tout en regardant sa sœur.

— J'ai entendu du bruit dehors, lui dit-il après avoir dégluti. Une voiture… t'as des voisins qui rentrent tard.

— Je n'ai rien entendu, dit-elle. – Puis après avoir réfléchi, elle ajouta : – Parfois, des jeunes viennent flirter pas loin.

Alpha la toisa quelques instants, appuyé nonchalamment contre le frigidaire. Il hocha la tête, visiblement satisfait de la réponse.

Ils restèrent comme ça, dans le silence ambiant. Lui, détendu, elle les bras croisés sur sa poitrine. Il essayait de lire en elle. Sa position figée persistait et n'était pas normale. Elle tremblait.

— On dirait que tu as peur, commenta Alpha.

Elle leva soudain la tête vers lui, en soutenant son regard. Il continuait à la jauger.

— Tu as peur de mourir ? Ou tu as peur de moi ?

— Je suis ta grande sœur… je n'ai pas peur de toi.

— Pourquoi tu pleures ?

Et en effet, deux larmes, comme synchronisées, s'écoulaient jusqu'à ses joues.

— Il faut que je te dise quelque chose, Fabien.

Elle s'approcha légèrement de lui en disant ça, ses yeux intenses et profondément tristes braqués sur lui. Elle chuchota, sans qu'il comprît pourquoi…

— Joël… – Elle hésita un temps, avant de reprendre : – Jo… n'est pas mort de sa maladie, tu sais. Je l'ai tué… Je l'ai tué.

— Quoi ? réagit Alpha, décontenancé.

— Je voulais qu'il meure… Je ne pouvais plus supporter qu'il soit là, avec moi…, articula difficilement Julie, en grimaçant et en étouffant toujours sa voix d'une façon étrange. Il voulait que je sois son infirmière, que je m'occupe de son traitement, de ses piqûres… Alors un soir, je lui ai mis toute la dose… Tout… trop… Et il est mort, pendant la nuit.

Elle lui agrippa le poignet, d'une main chaude et douce, qui le fit sursauter. Julie était bouleversée mais comme vindicative en lui racontant ça.

— Je ne voulais pas qu'il s'en sorte, tu comprends ? Tu comprends, Fabien ? Il méritait de mourir… mille fois.

— Pourquoi tu me racontes ça ? demanda Alpha, incrédule et presque agacé.

— Pour que tu le saches ! dit-elle avec véhémence, en s'approchant encore de lui. – Ses larmes coulaient de plus en plus, sans qu'elle cherchât à les réfréner. – Je veux que tu saches qu'il a eu… au moins une infime partie de ce qu'il méritait. Il n'est pas mort de sa belle mort…

Il l'écoutait, mal à l'aise, et souhaitait se détacher d'elle mais n'osait pas la repousser. Son contact l'oppressait, les choses se bousculaient dans sa tête.

— On n'y est pour rien, lui dit sa sœur, tout près de lui, avec une intensité presque agressive. C'est pas ta faute…

Elle avait prononcé ces deux phrases presque en souriant, et soudain elle lui caressa la joue, d'un geste empreint de compassion. Alpha trouva cette caresse détestable ; et surtout, il ne comprenait pas son attitude.

— Mais qu'est-ce que tu racontes ? lui demanda-t-il, énervé désormais.

Julie regardait son frère, tellement grand devant elle.

— C'est pas ta faute, Fabien… C'est la faute à personne…

— Arrête de répéter ça, tu as l'air d'une idiote….

— Personne n'est responsable ; les autres non plus, tu sais…, ajouta Julie comme une supplication.

— Quoi ? Qu'est-ce que tu dis ?

— Si tu te rends, chuchota encore sa sœur, je leur expliquerai, ils comprendront… Ils ne savent pas, ils ver…

Rageusement, il empoigna la gorge de Julie et la souleva du sol. Elle agitait un peu les pieds en l'air, mais pas excessivement, cherchant surtout à dégager les mains d'Alpha autour de son cou à l'aide des siennes… Lui fulminait, ne la lâchait pas et voulait savoir :

— Qu'est-ce que tu dis ? Pourquoi tu me dis ça ?

— À l'aide ! À L'AIDE ! parvint à crier Julie d'une voix qui manquait d'air, en regardant vers un couloir qui menait au salon.

Alors Alpha comprit.

Dès que les pas résonnèrent dans l'autre pièce, Alpha lâcha sa sœur et agrippa le manche d'un long couteau de cuisine, laissé sur une table tout près de lui.

Puis, en rasant le mur, il s'élança vers la porte du couloir, au fond de la pièce sur le côté. Et bondit à l'assaut du premier assaillant.

L'événement fulgurant qui suivit se déroula au ralenti dans l'esprit de ses participants, comme lors d'un accident grave ou pendant une agression très brutale.

Théo surgit en premier du couloir, juste devant Anthony. Au ralenti, son arme à feu se dévoila dans l'embrasure de la porte, suivie de ses bras tendus. À ce moment précis, Alpha fondit sur lui et empoigna ses avant-bras pour l'empêcher de pivoter, avec une force et une vitesse considérables qui surprirent Théo ; puis dans un même élan et tout en continuant de bloquer ses avant-bras, Alpha enfonça de toutes ses forces son couteau en plein sous l'aisselle du flic, dans cette zone non protégée par le gilet pare-balles. La lame transperça d'un coup sec le creux axillaire, jusqu'à la garde ; sans attendre, Alpha la retira dans un jaillissement de sang, pour la planter beaucoup plus bas, en plein dans la cuisse de Théo.

Toujours au ralenti, les yeux exorbités et le visage déformé par l'horreur, Théo bascula en avant, accompagnant sa chute d'un hurlement.

Anthony, resté coincé par son ami dans le couloir exigu, eut la présence d'esprit d'avancer en biais pour se positionner face à Alpha. À moins d'un mètre de lui, le psychopathe n'attendit pas et l'attaqua à son tour. La main gauche d'Alpha chercha à dévier l'arme d'Anthony tandis que son bras droit, encore armé du couteau, visa d'un geste ample la partie basse de son abdomen, située sous le gilet pare-balles.

À nouveau, l'action se joua en un instant : Alpha réussit à percuter l'arme d'Anthony mais, alors que la main de ce dernier chavirait, un coup de feu partit. La balle brûlante perfora la cuisse d'Alpha mais n'arrêta pas son élan et il planta presque au même moment son couteau dans le bas-ventre de l'ancien flic.

Alpha recula d'un pas, par réflexe, sans s'écrouler au sol mais en poussant un râle. Anthony, lui, s'appuya contre le mur juste derrière. Le couteau restait figé en lui, en bas du gilet. Son pistolet avait été projeté sur le carrelage durant l'impact. Les deux hommes demeuraient debout, non loin l'un de l'autre, un peu sonnés. Ils ne se regardaient pas dans les yeux, occupés à observer leurs plaies respectives et les mains de l'adversaire.

Alpha passa ses doigts sur sa blessure et regarda son sang d'un air agacé. Anthony était en sueur, haletant, mais ne gémissait pas. Les seuls geignements dans la pièce provenaient de Théo, allongé sur le sol, extrêmement mal en point. Et de Julie, horrifiée par la scène.

Se désintéressant d'Anthony, Alpha décida d'avancer, pratiquement à cloche-pied, dans le couloir d'où étaient venus les deux hommes. Anthony vit son ennemi s'éloigner en boitant. Puis il chercha des yeux son arme à feu, glissée plus loin sur le carrelage. D'un geste douloureux et lent, il tira sur le manche du couteau resté planté en lui, en étouffant un cri.

La main sur sa plaie pour la comprimer, il évalua la distance qui le séparait du pistolet. Le rejoindre puis s'accroupir pour le ramasser lui parut alors impossible. L'arme de Théo était moins loin, à quelques mètres devant Julie. D'une voix presque chevrotante, il demanda à la sœur d'Alpha de la lui apporter. Les larmes dégoulinant sur ses joues, l'air navré, elle ne put s'y résoudre et hocha négativement la tête.

— Occupez-vous au moins de mon ami, s'il vous plaît, l'adjura Anthony. Et appelez les secours.

Puis il décida de suivre Alpha, son couteau à la main. Julie s'exécuta et s'accroupit auprès de Théo, qui respirait difficilement au sol.

Alpha avait un peu d'avance, mais Anthony était en possession de ses deux jambes et, même s'il chancelait, il le rattraperait vite. Il l'aperçut par une fenêtre, qui claudiquait en direction des bois. Anthony parvint dehors à son tour, dans l'air frais de la nuit. Il distinguait bien Alpha, même si l'obscurité grandissait tout autour d'eux, et il avançait derrière lui, se rapprochant petit à petit. Le psychopathe ne se retournait pas, tout à sa fuite. Quand quelques mètres seulement les séparèrent, Anthony bondit contre son dos et Alpha s'écroula, en geignant.

Il se tourna sur le dos, dans la poussière. Anthony restait debout, le couteau dans une main. De l'autre, il ouvrit l'étui à sa ceinture qui renfermait une paire de menottes et l'en extirpa, prêt à rabattre le demi-cercle métallique autour d'un des poignets d'Alpha.

— Tu peux aller nulle part, lui assura Anthony, sur ses deux jambes et en pointant le couteau devant lui. Je te fais une faveur en ne t'égorgeant pas… Rends-toi maintenant !

Avec la plus grande des difficultés, il mit un genou à terre et chercha à attraper la main d'Alpha, lequel se laissa étonnamment faire. Mais au moment où la main d'Anthony l'agrippa, Alpha lui tordit le poignet, le coinçant entre ses mains et pivotant de tout son corps sur lui-même ; la technique évoqua à Anthony de l'aïkido ou du jujitsu et l'entraîna dans une chute inéluctable et extrêmement douloureuse. La torsion de son poignet brisa l'articulation d'un coup sec, provoquant une rupture des ligaments du long fléchisseur et déclenchant une douleur insoutenable dans ce muscle de l'avant-bras. Anthony s'effondra sur le sol. Aussitôt Alpha s'élança sur lui, à califourchon. Les deux hommes entamèrent une lutte en se regardant face à face. Bien qu'également en proie à une douleur intense et épuisé par l'effort, Alpha dévisagea Anthony de ses yeux brillants.

— C'est toi, gros lard ? C'est toi ? lui demanda-t-il avec un mélange d'émerveillement et de rage.

Anthony résistait mais l'un de ses bras ne répondait plus. Il ne sentait pas la douleur, son cerveau cessant de communiquer l'information pour se focaliser sur sa survie. Cependant, il ne faisait pas le poids. Alpha restait plus fort, et sans doute l'eût-il encore été même si Anthony avait été en possession de ses deux bras. Il le comprit à ce moment, avec une forme d'impuissance et de résignation.

— Je t'ai laissé en vie l'autre fois… Mais tu t'en es pris à ma sœur et je vais te regarder crever sous mes mains ! lui dit-il avec des yeux qui n'étaient plus que haine.

Alpha ne se servit pas du couteau. Il saisit le cou d'Anthony et serra avec une force implacable. Anthony interposait sa main et serait sûrement mort bien vite sans l'entraînement intensif qui avait été le sien. Il fixait les yeux d'Alpha ; noirs et terrifiants malgré la beauté de ses traits. Les goulées d'air n'entraient plus. Il gesticulait tant qu'il pouvait, utilisant les précieuses secondes qui lui restaient avant la mort.

Il était le seul responsable, pour Théo comme pour lui. Tout ce qu'il avait pensé anticiper avait échoué.

Avant de perdre connaissance, il crut apercevoir une silhouette, non loin d'eux, dans l'obscurité.

Soudain, le bruit d'un choc retentit.

L'épais manche d'une hache, sans lame, s'était abattu derrière les omoplates d'Alpha. Un homme, debout, venait d'arriver furtivement. Un homme dont Anthony vit le visage, et qu'il ne connaissait pas.

« *Lâche-le, saloperie !* »

Malgré la puissance du coup, Alpha restait sur Anthony et refusait de lâcher sa gorge ; il tourna la tête, sans comprendre ce qui se passait. Alors, comme la première frappe n'avait pas suffi, l'inconnu souleva une deuxième fois la cognée et asséna un coup énorme en plein derrière le crâne d'Alpha, lequel s'effondra, cette fois, inconscient.

Anthony put à nouveau respirer, avec un bruit atroce ; il se demanda si Alpha était mort, puis il regarda vers cet homme debout, sans comprendre qui il était. Son sauveur, un sexagénaire assez trapu, examina rapidement Alpha pour s'assurer qu'il était bien évanoui. Alors il esquissa un sourire.

— Ne t'inquiète pas, Anthony, je suis avec toi, lui dit-il.

Et cet homme s'approcha de lui, et voulut le prendre en dessous des épaules, mais Anthony résistait un peu.

— Je suis de ton côté, laisse-moi faire.

L'homme le tira dans la poussière, sur des dizaines de mètres, le ramenant vers la maison. Il était fort. Anthony examina son visage, à l'envers. Il avait une calvitie et un reste de cheveux blancs. Un visage buriné par la vie, un nez aplati par les fractures. Des yeux vifs, intelligents. Anthony ne le connaissait pas, pourtant il eut l'impression de l'avoir déjà vu.

— Tout va bien se passer, Anthony, le rassura-t-il à nouveau, tandis qu'il le faisait glisser sur la terre sèche.

— Qui êtes-vous ?

L'homme fit comme s'il n'avait pas entendu et le déposa tout près de la maison.

— Je dois aller chercher l'autre, se contenta-t-il de répondre avant de repartir.

La douleur, dans le bras d'Anthony, se faisait de plus en plus insupportable, maintenant qu'il était hors de danger. Le sang-froid et la méticulosité du sexagénaire lui évoquèrent un ancien soldat. Ou un tueur à gages… Il n'avait aucune idée de qui il pouvait bien être.

Il se redressa un peu et vit au loin cet inconnu qui croisait les mains d'Alpha dans son dos, pour lui glisser la paire de menottes d'Anthony. Puis il tira le long corps sur le sol, à son tour, jusqu'à venir le positionner tout près de lui.

Ils étaient allongés, presque côte à côte, l'un sur le ventre et l'autre sur le dos. Alpha demeurait inconscient. Fatigué par l'effort, l'inconnu reprit son souffle.

— Mon ami est à l'intérieur, lui expliqua Anthony. Il est grièvement blessé, peut-être mort, même. Une femme est avec lui, aidez-le s'il vous plaît…

— J'aimerais t'aider encore, mais je dois partir, lui répondit l'homme.

Il restait immobile, un peu courbé, les paumes juste au-dessus de ses genoux.

— Pourquoi ? Qui êtes-vous ?

— Les deux réponses sont liées. Je dois m'en aller ; je n'ai aucun matériel médical de toute façon, et la femme à l'intérieur a sûrement déjà appelé les secours.

— Qui êtes-vous ? insista Anthony en le dévisageant.

L'homme le regardait dans les yeux, avec calme.

— Tu ne dois parler de moi à personne, Anthony, pas même à ton collègue s'il s'en sort. Ni vous ni moi n'aurions à y gagner. Oublie jusqu'aux traits de mon visage. Aux policiers qui t'interrogeront, explique que tu l'as arrêté seul, lui dit-il en désignant Alpha, toujours immobile près de lui. Raconte tout ce qui s'est passé, en éludant mon intervention. De toute façon, tu ne pourrais rien prouver ni expliquer. J'ai agi pour te sauver, alors rends-moi service en retour. Rends-toi service. Fais comme si tu ne m'avais jamais vu.

L'homme n'avait pas bougé et continuait de fixer Anthony avec une expression mystérieuse. À la fois bienveillante et inquiétante.

— Bonne chance, lui dit-il, avant de filer d'un pas furtif en direction d'un muret qui donnait sur la route.

Les pompiers arrivèrent sur place moins de deux minutes après. Puis, plus tard, la police.

Encore en vie, Théo fut le premier à être évacué. Anthony révéla aux policiers que l'homme inconscient et menotté près de lui était *Alpha*, le criminel recherché depuis trois ans.

À aucun moment il ne mentionna l'inconnu qui l'avait sauvé in extremis, ni ce soir-là ni après.

La première fois qu'il avait entendu parler de castration chimique, il devait avoir 12 ans, pas tellement plus. Et il se souvenait encore parfaitement de ce qu'il avait ressenti.

Sa mère déjeunait dans une brasserie, avec un confrère doublé d'un ami cher, maître Antoine Marciano. Anthony était rarement convié par Louisa à ses repas entre adultes, sauf lors de soirées chez elle. De manière générale, il aimait beaucoup écouter sa mère parler, sans tout comprendre mais en percevant des bribes de ses discussions, lesquelles tournaient principalement autour de son travail. Elle évoqua ce jour-là un dossier criminel dont elle sortait tout juste et dans lequel elle s'était beaucoup impliquée. Le cas d'un prédateur sexuel, difficile à défendre, et elle confia certains de ses états d'âme à son confrère.

Avec le recul, il était impossible pour Anthony de se rappeler si les deux ténors du barreau trouvaient la peine trop longue, ou justifiée. Quoi qu'il en soit, maître Marciano avait été le premier à évoquer la *castration chimique*, et l'expression avait retenu l'attention d'Anthony car il avait déjà entendu parler de *castration*, mais sur des animaux.

Maître Marciano disait regretter l'absence d'un tel traitement en France avec un encadrement judiciaire, contrairement à d'autres pays. Outre l'intérêt pour de potentielles victimes supplémentaires, le pénaliste arguait qu'une telle mesure aurait été bénéfique au client de Louisa, permettant à sa consœur d'obtenir une baisse notable de ses années de détention. Louisa n'était pas d'accord, radicalement opposée à ce genre de solution qui, d'après elle, entravait la dignité humaine. Et elle ne doutait pas que si un jour elle était mise en place, cette alternative générerait un chantage récurrent des magistrats pour l'obtention d'une peine réduite.

Anthony profita d'un blanc dans la discussion pour demander à sa mère ce qu'était la castration chimique, et elle lui expliqua que la prise d'un médicament empêchait la sécrétion des hormones mâles et inhibait la libido – selon certains avis du moins. Intéressé, il osa demander – malgré la présence de maître Marciano – si le sexe de l'homme disparaissait. Elle lui répondit que non : les organes sexuels restaient intacts, tandis que d'autres choses changeaient.

— Des choses qui empêchent ces hommes de s'en prendre à d'autres gens ? lui demanda Anthony. – Avant d'ajouter : – Ou même à des enfants ?

Sa mère réfléchit un temps avant de répondre, tout en le fixant dans les yeux. Puis elle expliqua que ces gens étaient malades et qu'ils méritaient d'être soignés, mais pas de cette façon. Tout n'était pas si simple, il le comprendrait plus tard, lui dit-elle. Certaines mesures drastiques étaient fascistes et indignes de notre société.

Les arguments de sa mère achevèrent ce jour-là de le convaincre. Pour un temps encore réduit, à la fin de l'enfance et avant le passage à l'adolescence, les enfants tendent à se ranger à l'avis de leurs parents.

LA POIRE

[illegible]

[illegible] qu'il [illegible] qu'il était an-
[illegible]

Moins d'un an après la mort de Pierre-Yves Sully, Louisa déménagea une nouvelle fois, dans un duplex de deux cents mètres carrés situé dans le 11e arrondissement.

Anthony et elle y habitèrent seuls. À la suite des événements de la Chênaie, les liaisons de Louisa se firent extrêmement discrètes et elle n'imposa plus à son fils quelque cohabitation que ce fût avec un autre homme. Elle disparaissait seulement parfois le temps d'une nuit ou d'un week-end, confiant alors son fils à des domestiques ou à son père.

Louisa lui avait fait promettre de garder le secret. Eux seuls devaient être au courant de ce qui s'était passé. Anthony s'était docilement plié à cette consigne de sa mère, à tel point que le sujet était devenu tabou, même entre eux. Les rares fois où il avait essayé d'y faire allusion, Louisa avait fait en sorte de ne pas poursuivre la discussion et s'était montrée agacée. Amplifiant ainsi le sentiment de honte jamais effacé chez lui.

Elle lui disait qu'il fallait oublier. Qu'il était au-dessus de tout ça et que Pierre-Yves était mort, de toute façon. Qu'il ne fallait plus y penser et au contraire aller de l'avant. Qu'il était beau, intelligent, et réussirait tout ce qu'il voudrait dans sa vie. Il ne fallait pas s'apitoyer, car les gens se comportant comme des victimes étaient considérés comme des victimes. Être fort était essentiel.

Anthony la crut. Il fallait enfouir tous ces souvenirs sous un tapis, au fond d'une pièce fermée à double tour. Il ne se confia à personne à ce sujet, pas même à son père. Longtemps, il se demanda si ce dernier avait été mis au courant, et par la suite il eut la conviction que oui. Il se posa d'ailleurs souvent cette question, durant son adolescence, en rencontrant des membres de sa famille ou des amis de ses parents : savaient-ils ? Sa mère le leur avait-elle dit ?

Louisa Rauch honnissait les psychiatres, psychanalystes, psychologues, psychothérapeutes, psys en tous genres. Elle les brocardait, arguant qu'ils étaient plus fous que leurs patients. Elle détestait tout particulièrement les experts des tribunaux et s'évertuait à les déstabiliser et les discréditer avec la maestria dont elle était capable.

Avec le recul et grâce à tout ce que son expérience au SRPJ lui avait enseigné, Anthony savait que sa mère s'était fourvoyée : priver un enfant de la parole, l'empêcher d'extérioriser son traumatisme auprès d'un professionnel – ou simplement d'un confident – risquait de créer une bombe à retardement. Et l'erreur était encore plus incompréhensible venant d'une avocate.

Avant les incidents de la Chênaie, Anthony n'avait pas le souvenir d'avoir été un enfant malheureux. Même le divorce de ses parents n'avait pas éteint une certaine joie de vivre et un optimisme quant à ce que lui réservait l'avenir. Il savait jouer seul et s'occuper, comme beaucoup d'enfants uniques, mais il était également enjoué en compagnie des autres, et il devenait souvent le meneur. Par la suite, Anthony se sentit plus craintif et moins sûr de lui ; et si la solitude ne lui avait auparavant jamais été intolérable, elle devint peu à peu un refuge, de plus en plus nécessaire pour qu'il se sentît mieux.

Les véritables changements survinrent à la puberté. Il vécut très mal cette période, de 12 à 15 ans environ. Son corps changea, sans qu'il y fût préparé et avec toutes les imperfections que connaissent les jeunes adolescents. Sa psychologie évolua également. À ce moment de leur existence, la plupart des garçons sont dénués de compassion envers les autres, et portés à s'humilier mutuellement. Un âge crétin et cruel qui apparaît lorsque la puberté commence, et où une victime de moqueries ou de brimades cherche à devenir le bourreau d'un plus faible ; avide de trouver un bouc émissaire pour faire diversion et ne plus en être un soi-même. Scruter les défauts d'un autre pour faire rire à ses dépens, à gorge déployée, sans ressentir le mal. Fort heureusement, ces jeux sadiques ne durent pas et s'amenuisent naturellement vers l'entrée au lycée, ou bien restent le fait d'adolescents immatures ou sociopathes, très vite montrés du doigt par les autres.

En surpoids vers l'âge de 12 ans, Anthony connut son lot de moqueries. Il s'agissait là de son seul véritable défaut physique, car il avait pour le reste hérité les traits de sa mère. Certains gamins peu sûrs d'eux se jetèrent sur ce point faible pour le railler de façon récurrente. Et lui-même trouva ses propres victimes, sans davantage de remords que ses bourreaux. De nombreux adolescents connaissent ce genre de troubles, et d'aucuns les jugent même formateurs. Pour Anthony, au contraire, cette période ne fit qu'attiser un mal-être enfoui, sans générer aucun bienfait.

Sa mère était souvent absente. À cette époque, la carrière de Louisa atteignit son sommet « médiatico-judiciaire », avec moult procès emblématiques. Elle devint la numéro un des avocats, hommes et femmes. Délivrée des chaînes de ses deux mariages, elle bénéficiait toujours de l'aura de Pierre-Yves Sully et du nom des Rauch ; les presses écrites et télévisées se l'arrachaient car elle était une *bonne cliente*. Elle sortait un livre tous les deux ans. Et bien que son cabinet employât dix personnes, Louisa passait son temps en déplacement dans les innombrables tribunaux de France.

Anthony ne la voyait jamais ! Du moins était-ce son impression. Son père, pas en reste de travail, ne se bousculait pas non plus pour passer des après-midi avec lui. Sans la présence des domestiques qui se succédaient, Anthony eût été libre comme l'air !

Les images de Pierre-Yves Sully lui revenaient souvent en tête. Pierre-Yves qui lui disait qu'il l'aimait, qu'il était le plus beau, ou qui lui faisait des pipes en lui demandant d'autres horreurs. Heureusement, il arrivait que ces images le laissent tranquille quelques jours. Rarement.

Anthony mangeait, bouffait. Pour chasser son dégoût. Jusqu'à avoir envie de gerber, mais pour une vraie raison, cette fois. Lorsque Louisa rentrait, elle ne s'apercevait de rien ; rien ne pouvait entraver l'ouragan *Louisa*, elle parlait de tout sauf de ça, sauf des sujets essentiels. Le silence de sa mère le rongeait.

Vers 13 ans, il commença pour la première fois à envisager de mourir. Par la suite, il ne se délesterait jamais vraiment de cette tentation mortifère, plus ou moins tenace selon les périodes. Pourtant, il n'arrivait pas à se résigner à passer à l'acte, convaincu au fond qu'il y avait du gâchis dans cette démarche, et que du meilleur pouvait toujours survenir. Il vécut avec ce dégoût de lui-même, qui ne le quitta jamais vraiment pendant les années qui suivirent. Un dégoût qui prenait sa source dans le fait d'avoir couché avec son beau-père. D'avoir pratiqué et subi ces horreurs.

Il ne fugua pas, contrairement à beaucoup de gamins désœuvrés de son âge. À quoi bon ? Sa mère n'était jamais là. Elle aurait envoyé quelqu'un le chercher à sa place : son père, une employée, ou bien les flics… Occupée à défendre un assassin, un criminel de guerre ou un violeur… Lors des audiences, elle avait la responsabilité de la vie d'un homme, ou d'une femme, martelait-elle sans cesse.

Il commença à fumer des clopes. Beaucoup. Pour la faire chier, principalement. Qu'est-ce qu'elle avait à dire ? Elle fumait deux paquets par jour.

Elle sentait que ça puait la clope, en rentrant. Elle le sermonnait. Et lui acquiesçait, en promettant d'arrêter. Et sitôt qu'elle était repartie, il rachetait des cartouches avec l'argent qu'il lui chipait. Pas beaucoup, quelques billets par-ci par-là. Sa mère ne voyait pas, ou en tout cas ne disait rien. Indifférente, muette…

Il se mit à voler des trucs, dans des commerces et des supermarchés. Pour l'adrénaline et pour la transgression. Il devait être doué car personne ne l'attrapa, pourtant il s'en serait fiché ; il n'avait pas du tout peur, au contraire, parfois il désirait se faire prendre. Il imaginait les policiers autour de lui, qui l'auraient interrogé en cherchant la source de ses problèmes. Et lui, qui aurait été contraint de vider son sac et de relater les abus de son beau-père, mort, et dont seule sa mère, la célèbre pénaliste, était au courant.

À l'époque, il devint plus teigneux et commença à rendre les coups, et même à aimer ça. Marre d'être emmerdé, besoin de se défouler, ne plus craindre personne. Ses professeurs s'en rendirent compte mais n'alarmèrent pas ses parents, car Anthony restait un bon élève. Brillant, même, selon certains. Et son allure vestimentaire n'évolua pas tellement – rien à voir avec un *grunge* ou un *punk*, phobies collectives en ces temps-là du corps enseignant. Anthony restait un garçon de bonne famille en apparence, poli et parfois même réservé. Mais s'il ne changeait pas en extérieur, intérieurement il ressentait une colère qui ne faisait que croître.

Féru de sport, son père eut l'excellente idée de l'initier au rugby, vers ses 15 ans. Anthony se prit de passion pour cet exercice, qui constituait pour lui une échappatoire dans laquelle il se ressourçait. Il était bon, et devint l'un des maillons les plus forts de son équipe. Très bien intégré dans le groupe. Il aimait cet effort intense qui lui permettait de dominer son corps, de le maîtriser par le sport et d'en faire ce qu'il voulait. Même la douleur, les chocs et les fractures ne lui déplaisaient pas… Sa masse graisseuse fondit et ses muscles gonflèrent. La pratique intensive du sport sculpta son corps en une silhouette élancée. Il se mit à plaire aux filles, beaucoup.

Son père et lui se rapprochèrent, notamment grâce au rugby. Leurs discussions étaient pudiques, superficielles, jamais conflictuelles. Il sentait que son père l'aimait mais qu'il ne savait trop comment faire et ne se départait pas d'une certaine réserve. Avec sa mère, au contraire, tout était excessif. Excessive absence lorsqu'elle disparaissait, des jours, voire des semaines. Puis intrusive à l'excès sur des sujets qui l'intéressaient plus que d'autres, comme ses résultats scolaires. Elle était ambitieuse quant à sa réussite et ils se disputaient régulièrement. Sa vie amoureuse, étonnamment, l'intéressait aussi et elle le bombardait de questions qui le mettaient mal à l'aise, dès qu'elle sentait qu'il fréquentait quelqu'un.

Louisa était un vrai bulldozer, sans tact et sans psychologie, alors qu'elle s'enorgueillissait du contraire. Sa présence ne passait pas inaperçue. Elle était le soleil et lui l'ombre. Ils s'engueulaient de plus en plus. Supporter ses exigences et ses indiscrétions après de longues périodes d'absence – d'autant qu'elle évitait constamment le sujet clé – l'excédait chaque jour davantage.

L'été de ses 16 ans, il passa deux mois très agréables dans la maison de son père. Sa mère était accaparée par un très long procès d'assises, puis elle partit deux semaines au Maroc en compagnie d'un ami cher afin de se ressourcer un peu. À la rentrée, se trouvant très bien chez son père et dénué d'une quelconque envie de retourner dans le luxueux mais morne appartement de sa mère, il estima que *la plaisanterie avait assez duré* et demanda à rester vivre à Neuilly. Son lycée n'était pas si loin, et l'organisation serait simple. Il prétexta vouloir se rapprocher de son père. Et, bien que surprise, cette fois Louisa ne s'opposa pas à sa décision.

★

Le premier incident survint la nuit du 3 octobre, l'année de ses 16 ans. La date restait gravée dans sa mémoire, toutes ces années après, car pour la première fois il avait véritablement compris que quelque chose clochait.

Il voyait la fille, allongée sur le ventre, sur le lit du type, les yeux clos et la bouche entrouverte. Totalement ivre et certainement droguée.

Elle s'appelait Laura Desforges. Le type chez qui la fête avait lieu s'appelait Yohann Pelletier, et Laura et lui étaient en couple. Anthony ne l'avait jamais rencontré avant, et s'était retrouvé dans cette soirée grâce à un pote, Loïc, qui lui avait proposé de l'accompagner. Une fête géniale au commencement, dans un hôtel particulier du 16ᵉ. De ce que lui avait dit Loïc, le père de Pelletier était directeur d'achats pour une société de grande distribution.

Les adultes avaient déserté les lieux et une bonne quarantaine de gosses s'éclataient dans toutes les pièces de la maison sur deux étages. Loïc et Anthony étaient parmi les plus jeunes, mais ne dépareillaient pas avec leur 1,80 mètre. Loïc avait disparu, quand

Anthony s'était retrouvé dans cette chambre, en compagnie de tous ces mecs et de Laura. Impossible de se remémorer après toutes ces années où était passé Loïc ; sans doute était-il rentré chez lui.

Il était vraiment tard, peut-être 2 heures du matin. Le père d'Anthony était moins strict que bien d'autres.

Une musique électronique, sourde, provenait encore du salon. Les volets de la chambre étaient fermés et quelques lampes, sur lesquelles des foulards bleus avaient été disposés, diffusaient une lumière froide et tamisée.

Anthony avait la tête *cassée* par l'alcool et le shit. Au moins lui, contrairement à d'autres, n'avait pas touché aux ecstasys proposés par certains. Assis le cul par terre et adossé au mur dans un coin de la chambre, il surmontait ses envies de s'endormir ou de gerber.

Ses yeux dans le vague accrochaient parfois le visage de Laura, tandis qu'elle dormait, allongée en biais sur le lit. Une face de lune, tournée vers lui ; un joli visage au nez épais, légèrement retroussé. La peau blanche avec des taches de rousseur adorablement disséminées, et une longue chevelure blonde. Sa jupe, un peu relevée, laissait entrevoir ses fesses, et la main de Yohann se baladait sur ses cuisses et remontait jusqu'à son sexe, qu'il caressait en écartant la ficelle de son string. Elle ne réagissait pas. Yohann riait, rigolait à l'intention de ses copains, et lorsque deux autres mecs entrèrent dans la pièce, il les somma vivement de fermer la porte derrière eux. Tous semblaient se connaître et personne ne tenait compte de la présence d'Anthony.

Au total, ils étaient sept dans la pièce et Laura était l'unique fille. Yohann fit s'enrouler le string le long de ses jambes, et invita deux potes à lui à le rejoindre sur le matelas. Ils semblaient s'être mis d'accord au préalable. Les gars passèrent leurs mains sur l'ensemble du corps de la fille, de sa poitrine jusqu'à son sexe ; puis ils introduisirent leurs doigts.

Deux autres types debout observaient la scène. L'un d'eux souriait, tandis que l'autre paraissait au contraire agacé et désabusé ; il sortit bientôt en grommelant quelque chose d'incompréhensible et en refermant derrière lui.

Ils retournèrent la fille sur le dos et elle revint un peu à elle. Elle se mit soudainement à protester, à tenter de les écarter avec des gestes maladroits, les yeux toujours mi-clos, tandis que les types sortaient leurs sexes. Deux d'entre eux lui imposèrent une pénétration orale et vaginale, pendant qu'un troisième la maintenait en place et l'empêchait de remuer les bras. Régulièrement, ils *tournaient*. Elle ne hurlait pas mais disait clairement *non*, et tentait vainement de réunir ses forces afin de les repousser.

Que lui avaient-ils fait prendre pour la mettre dans cet état ?

Elle renonça assez vite à lutter pour s'échapper. Néanmoins tout, dans son langage corporel, indiquait qu'elle était contre. Ni l'autre spectateur aux côtés d'Anthony ni lui ne firent quoi que ce soit pour arrêter l'action. Anthony restait figé, par terre, hypnotisé par la scène. Pleinement conscient de ce qui se déroulait devant lui.

Et pourtant, il n'avait jamais ressenti pareille excitation… Son érection, dans son jean, était à son comble et douloureuse. Il savait que ce qui se déroulait devant lui était légalement et moralement très grave. Il aurait pu l'aider, leur dire à tous de dégager ou sortir lui-même de la chambre et donner l'alerte. Les autres filles présentes, sans aucun doute, auraient fait cesser le viol.

À ce moment-là, il n'en eut aucune envie.

La seule chose qu'il désirait était de sortir son sexe, de se masturber devant cette scène ; seule la pudeur le retenait. L'humiliation et le désarroi de cette inconnue exacerbaient sa libido, sans qu'il comprît pourquoi. Des larmes coulaient sur les joues rougies de cette fille et elle conjurait par moments les garçons d'arrêter, vaseuse ; elle protestait en pleurant. Et Anthony fixait son visage triste, ses fesses, ses formes, ses bourreaux exacerbés par l'effet de groupe ; et la fascination qu'il ressentait était irrépressible.

Son empathie pour elle ne reviendrait que plus tard, après s'être branlé de façon compulsive dans un coin isolé chez les parents de Yohann, incapable de patienter jusqu'à chez lui. Il avait joui derrière un escalier, au rez-de-chaussée, et aussitôt le sentiment de culpabilité était réapparu, accompagné de honte.

Non, il n'avait rien fait pour aider cette fille. *Qu'est-ce qui n'allait pas chez lui ?*

Il avait filé comme un voleur, lorsque Yohann les avait tous fait sortir de la chambre, une fois son affaire finie. Yohann s'était enfermé avec Laura qui gisait sur le lit en gémissant, groggy, et Anthony avait vu la porte se refermer sur elle ; puis il avait quitté l'étage sans avertir personne.

Qu'est-ce qui clochait chez lui, putain ? Et si des gens avaient été témoins de ses viols à lui, sans s'interposer ni rien dire ensuite ?

Pourtant, il n'avait fait ni l'un ni l'autre.

Il y repensa très souvent. Par moments, il voulut dénoncer ce qu'il avait vu, mais la peur et surtout la culpabilité l'en empêchaient.

Lorsqu'il se masturbait, ses pensées ne se focalisaient plus que sur ce seul souvenir, et alors son sentiment de culpabilité disparaissait, avant de ressurgir brutalement une fois son plaisir obtenu. Ses fantasmes les plus secrets et les plus vifs, peu à peu, ne tournèrent plus qu'autour du viol, sans qu'il réussît à s'expliquer pourquoi.

★

Il était beau, et pouvait avoir à peu près qui il voulait. Et ne se retint pas d'en profiter. À l'adolescence, il multiplia les conquêtes, sans s'attacher à aucune d'elles.

Le flirt l'intéressait peu. Lui qui avait déjà tant fait, tant vu, se montrait souvent pressé. Les jeux de séduction et autres amuse-bouches avaient tendance à l'ennuyer. Les jeunes filles de son âge étaient plus enclines à prendre leur temps et à voir en ces préludes un rituel ludique, charmant et nécessaire. Un pas en avant, un pas en arrière. Il ne tombait pas amoureux mais il avait des pulsions, et ces jeunes filles se révélaient être un moyen de les assouvir, ou bien un obstacle parfois. S'il n'aimait pas jouer longuement, plus que tout il aimait le moment où elles cédaient.

Plus elles cédaient facilement, plus il se lassait vite. Et s'il ne forçait aucune d'elles à passer à l'acte, en secret il fantasmait de les prendre de force. Il se sentait déconnecté à l'égard de ces filles qui, au fond, ne lui en tenaient aucune rigueur, voire s'attachaient encore un peu plus à lui.

Il s'interrogeait sur ses pulsions, lancinantes et dont il était le seul à connaître la véritable noirceur. Le viol le fascinait. Il développait une fantasmagorie de plus en plus violente au fil des mois et de ses aventures, et s'inquiétait, à froid, de désirer voir la souffrance des femmes, à cause de lui ou d'autres. Lui qui n'aurait jamais fait de mal à un animal ou à un enfant et qui, au fond, se jugeait sensé, n'arrivait pas à comprendre son manque d'empathie à l'égard des femmes, et déplorait ses fantasmes. Longtemps, il se crut incapable de bâtir une relation normale avec l'une d'elles, qu'il aimerait comme dans les films ou les romans. Et puis, soudain, il se mit à en fréquenter deux en parallèle, très différentes l'une de l'autre, et desquelles il tomba amoureux.

À Amandine, il se livra plus qu'à aucune autre. Elle fut sa première petite amie véritable – ainsi que la dernière à ce jour. Ils firent connaissance pendant le deuxième semestre de leur année de terminale, et restèrent ensemble de nombreux mois.

On pourrait dire que ce fut Amandine qui lui courut après, plus que le contraire. Au début tout du moins. L'adolescente jeta son dévolu sur lui après s'être un peu renseignée, sur sa personnalité ainsi que sur sa famille, et elle fit tout ensuite pour qu'il la remarquât, sans en avoir l'air bien entendu.

Elle était blonde aux cheveux courts, d'une beauté légèrement inférieure à la sienne. Mais d'un charme et d'une intelligence qui, sans doute, le dépassaient. Amandine, à cette époque déjà, connaissait des problèmes de drogue et de cyclothymie. Plutôt que de voir en ses addictions un repoussoir, Anthony accepta de se laisser initier par elle, tant aux drogues douces qu'à la cocaïne, aux prises d'ecstasy et de LSD, en évitant seulement l'héroïne et le crack. Les humeurs changeantes de l'adolescente ne l'effrayèrent pas non plus, et ne firent qu'attiser en lui un mélange de fascination et d'insécurité constante, cocktail explosif qui le rendirent éminemment plus attaché à elle qu'il ne l'avait jamais été à ses anciennes conquêtes.

Elle ambitionnait de devenir avocate, ou écrivaine. Louisa Rauch représentait à ses yeux une légende, et elle souhaitait ardemment la rencontrer. Étonnamment, la mère d'Anthony parvint à trouver un créneau au sein de son emploi du temps surchargé, et organisa chez elle un déjeuner en compagnie des tourtereaux. Si les interventions d'Anthony lors du repas s'avérèrent proches du néant, l'échange entre l'adolescente et son aînée fut au contraire nourri et cordial. Nullement inhibée, l'étudiante couvrit la pénaliste d'éloges et lui posa moult questions sur son parcours, tout en s'enquérant de son point de vue sur tout un tas de sujets. Louisa se montra amène et disponible. Toutefois, quelques jours plus tard, l'avocate profita d'un moment seule avec son fils pour lui glisser, sur le ton de la confidence, qu'elle avait trouvé Amandine polie mais que quelque chose n'allait pas, qu'elle *ne la sentait pas*. Elle n'ajouta spontanément rien de plus et Anthony, bien que surpris, se garda de demander davantage d'explications pour ne surtout pas lui montrer que son point de vue avait de l'importance. Et cet avis négatif ne l'incita nullement à ne plus revoir sa petite amie, bien au contraire.

Malgré son attachement à Amandine, une autre fille occupait également ses pensées. Plus jeune que lui cette fois, âgée de 16 ans. Anthony la connaissait depuis le début de son adolescence et avait très souvent joué avec elle, durant l'été, les semaines où il venait habiter chez son père. Maleesha était la fille aînée de ses employés de maison, une famille sri-lankaise qui logeait dans les dépendances. La famille, composée des deux parents, de Maleesha et de son petit frère, était charmante et très discrète, et le père d'Anthony l'appréciait à sa juste valeur.

Enfant unique, Anthony trouvait souvent le temps long pendant ses vacances, et la présence de Maleesha s'avéra maintes fois utile pour le tirer de l'ennui. Dès qu'ils se retrouvaient, ils redevenaient des compagnons de jeux lors de journées estivales souvent longues, et s'amusaient dans la piscine ou dans le jardin, pour des parties de cache-cache, de ping-pong ou de Frisbee. Elle s'appliquait pour être à sa hauteur, parce qu'il était plus grand et qu'elle avait secrètement le béguin pour lui. Lui s'en fichait un peu et ne la regardait pas vraiment. À ses yeux, elle représentait avant tout un petit être humain pas trop empoté et presque toujours disposé à s'amuser avec lui. Le fait qu'elle soit une fille ne l'intéressait absolument pas, d'autant qu'elle avait deux ans de moins, et sans aucun doute aurait-il préféré un garçon du même âge.

Lorsqu'il eut 17 ans et elle 15, son regard changea. Il faut dire qu'elle-même avait beaucoup évolué, et d'une façon que, naïvement, il n'avait jamais antiipée. Le long corps maigrichon avait pris de l'ampleur, et s'était comme vallonné. Les traits de son visage avaient mûri. La fillette avait fait place à une jeune fille d'une beauté saisissante, sans exagération.

La famille de Maleesha était *cingalaise*, l'une des deux principales communautés qui composent le Sri-Lanka, avec les Tamouls. Son père, bien que catholique très pieux, avait épousé une femme bouddhiste. Le physique des femmes cingalaises évoque celui des *latinas* sud-américaines, par la couleur de leur peau, le charnu de leurs lèvres et le noir de leurs cheveux. Scolarisée en France depuis leur arrivée, Maleesha s'habillait comme une adolescente européenne et se maquillait parfois, haussant sa beauté d'un cran supplémentaire. Néanmoins, les principes d'éducation de ses parents étaient très stricts ; ils lui interdisaient par exemple de sortir après 22 heures, même lorsque ses amies organisaient des soirées. Pour ses deux parents, une jeune femme – même majeure – n'avait pas à sortir tard ni à fréquenter des garçons. Ils surveillaient attentivement son emploi du temps et il était établi que tant qu'elle vivrait sous leur toit, jamais ils ne l'autoriseraient à découcher. Et Maleesha obéissait, avec une douceur dépourvue de rébellion, davantage pour ne pas décevoir ses parents que par une réelle acceptation de ces règles venant d'un pays qui n'était plus vraiment le sien.

L'été avant son passage en classe de terminale, les sentiments et l'attirance physique d'Anthony pour

Maleesha s'exacerbèrent. Elle-même, loin d'être indifférente envers lui – et ce depuis des années ! –, ne fit rien pour empêcher le rapprochement. À l'abri des regards, une chaude journée du mois d'août, ils échangèrent un baiser. Puis ils continuèrent à s'isoler autant qu'ils le purent, quelques courts moments chaque jour, jusqu'à la reprise des classes. Leur flirt restait chaste, se résumant à des baisers et des caresses par-dessus les vêtements. Leur attirance physique était extrêmement vive et la tentation de passer à l'acte difficile à réprimer. Mais plus qu'aucun autre homme, Maleesha respectait son père et ses principes. Maachah tenait à ce que sa fille garde sa virginité jusqu'au jour de son mariage, et elle s'efforcerait de se conformer à cette règle, le plus longtemps possible tout du moins. Anthony acceptait la condition.

Longtemps, il ne comprit pas la véritable nature de ses sentiments pour Maleesha. Toutes les années qui avaient précédé leur rapprochement, il l'avait considérée comme un genre de cousine un peu collante et ennuyeuse, et son changement de point de vue avait été soudain. Il vivait cet émoi avec un léger sentiment de honte, et appréciait au fond le secret que la jeune fille lui imposait. Ils continuèrent à se réserver des moments d'intimité pendant l'année scolaire qui suivit. Mais sans énoncer de mots d'amour ni de promesses. Non déclarée ni dénommée, leur relation était un genre d'amitié sensuelle, qu'ils consommaient au gré de leur temps libre.

Ne pouvant s'offrir totalement et n'osant espérer qu'un jour Anthony l'épouse, à aucun moment Maleesha ne formula d'interdiction qu'il allât voir ailleurs. Ils discutaient finalement assez peu, partageant autre chose. Lorsqu'il commença à fréquenter Amandine, Anthony attendit environ trois semaines pour en parler à Maleesha. Et il ne le fit que pour des raisons pratiques, afin d'éviter qu'elle les aperçût sans être au courant, lorsqu'il invitait sa petite amie officielle chez lui. Il le lui révéla sans prendre de pincettes ni exprimer une quelconque culpabilité. C'était ainsi, ils ne sortaient pas ensemble, après tout. Surprise, Maleesha accueillit la nouvelle sans toutefois lui faire de scène. Elle ne lui en voulait pas, et s'en voulait davantage à elle-même de ne pas pouvoir lui offrir ce qu'un homme occidental attendait d'une femme. Il était assis à côté d'elle et quand il approcha son visage, peu après, pour l'embrasser, elle le freina tout de même dans son élan.

— Attends…, lui dit-elle. Tu veux qu'on continue à se voir ?

— Ben oui, répondit-il comme une évidence.

— Et ta copine ?

Maleesha le fixait, en observant ses réactions.

— C'est pas si sérieux que ça… ça ne change rien, répondit-il nonchalamment.

— Moins sérieux que nous ?

Anthony lui répondit que c'était différent, avant de chercher à nouveau sa bouche, pour un baiser qu'elle ne repoussa pas, cette fois.

Différente, sa relation avec Amandine l'était, en effet. Pendant la période qu'ils passèrent ensemble – assez courte avec le recul –, il put laisser libre cours à ses fantasmes. Jamais auparavant il ne s'était autant livré à quelqu'un, avec l'illusion d'être compris. À

Amandine, il parla de tout, il raconta tout, des agissements de son beau-père au viol collectif auquel il avait assisté et qui lui avait plu. La jeune femme savait écouter et était avide de ses secrets. Elle semblait même y prendre un plaisir teinté de vice ; une certaine excitation. Naïvement, au début il crut être celui qui distribuait les cartes. Il voyait en Amandine une sorte de petit oiseau pur – sa morphologie, elle-même, évoquait ça – et pensait la corrompre. Après les événements dramatiques qui suivirent, il la tint au contraire en partie pour responsable. Vingt ans plus tard, il ne lui en voulait plus, et savait que c'était accorder trop d'importance à son emprise. Le mal était déjà en lui, elle n'avait fait que souffler sur les braises. Amandine était une jeune fille fragile, comme lui, mais différente de ce qu'il avait cru.

À quel point lui avait-elle menti ? Sur sa virginité, déjà, et sur ses sentiments. Il n'avait rien exigé, pourtant elle lui avait assuré qu'il était le premier, et qu'elle l'aimait plus qu'elle-même ou que quiconque. Plus tard, en mettant un terme à leur relation et avec une intensité identique, elle lui jura qu'elle n'avait jamais rien éprouvé pour lui et qu'il était stupide. Beaucoup de gens se conduisent ainsi lors d'une rupture ; cependant, elle lui parut plus sincère à ce moment qu'à tous ceux qui avaient précédé.

Si Amandine ne fut pas le déclencheur de son passage à l'acte, elle en fut un accélérateur. Leur influence mutuelle était néfaste.

Jamais auparavant il n'avait fait l'amour comme avec elle. Elle l'initia à diverses substances, et lui au sexe le plus poisseux et le plus violent. Il fantasmait sur le viol et elle aussi. Alors ils simulaient des actes contraints, alliés à de la brutalité en tout genre et à l'humiliation. Elle accueillait ses perversions avec l'épicurisme le plus déchaîné, et rechignait parfois à obéir dans l'unique attente d'une punition plus violente encore. Plutôt que de le réfréner, elle l'entraînait toujours plus loin.

Ils discutaient beaucoup, de lui plus que d'elle. Ensemble, ils rejouaient les différentes scènes, et Anthony prenait parfois le rôle de son beau-père. Sur le moment, la jouissance était là, presque terrassante, mais à froid ces mises en scène le laissaient anéanti. Lucide, il voyait que leur relation était malsaine, mais elle devenait sa drogue dure. Il fit beaucoup de cauchemars à cette époque. Il avait peur. Les seuls moments où il se sentait bien étaient en la compagnie d'Amandine, en la baisant ou dans ses bras, dans des moments d'affection. De calme. Elle l'excitait, le hantait, il pensait constamment à elle. Et elle lui faisait croire qu'il était tout : son âme sœur et son maître.

Leurs jeux sexuels devinrent de plus en plus poussés. Il la baisait de toutes les façons possibles, la tenait, la giflait, l'insultait, l'étouffait… Elle prenait plaisir à la servitude, et lui jouissait d'être devenu celui qui avait le contrôle. Ils explorèrent un vaste panel de déviances, qui faisait froid dans le dos à l'homme qu'il était devenu deux décennies après. Il leur en fallait toujours plus, aller plus loin, trouver plus humiliant.

L'essentiel du plaisir d'Anthony consistait à corrompre cette fille comme lui-même l'avait été. Quitte à dépasser les rares limites qu'ils avaient fixées, à lui mentir, risquer de la blesser ou de la décevoir, la trahir. Son beau-père lui avait appris à tout salir, principalement les liens qui l'unissaient aux autres.

Bientôt, les relations en duo s'avérèrent mornes et insuffisantes pour aller aussi loin dans la perversion qu'il le voulait. Il commença à l'offrir à d'autres hommes, d'abord en l'exhibant ; le soir, il la faisait avancer seins nus à ses côtés, dans des endroits du Bois de Boulogne où des types sortis de nulle part s'approchaient pour voir ou tripoter sa poitrine. Puis ils commencèrent à faire l'amour dans la voiture de son père, garée dans des lieux connus pour être des rassemblements de voyeurs. Petit à petit ils ouvrirent les portières, car il voulait la voir baisée par d'autres. Les jeux, les défis allaient toujours plus loin. À chaque étape, elle renâclait puis finissait par céder. Il aimait la voir sucer ces types, baiser avec ces inconnus, le plus souvent vieux et moches. Lui se branlait en regardant la scène, et chaque moment de honte et de dégoût une fois fini ne constituait qu'un court laps de temps avant que son envie ne revienne.

Il l'offrit également à ses amis, chez lui, lorsque son père était absent. L'environnement était plus confortable et ses copains de lycée, dont Loïc faisait partie, ne disaient pas non pour profiter d'Amandine dans son rôle d'esclave sexuelle.

Dans sa recherche perpétuelle de plus de sensations, il lui ordonna de se prostituer. Il la laissait plantée sur un boulevard et l'observait, au loin, habillée en pute et qui attendait debout dans la nuit. Le corps de l'adolescente avait du succès et les bagnoles s'arrêtaient vite, portière ouverte. Puis Amandine revenait avec le fric, qu'Anthony comptait mais dont il se foutait. Seules la souillure et la soumission d'Amandine l'intéressaient.

Malgré tout ça et si étonnant que cela puisse paraître, il éprouvait des sentiments très forts à son égard. Il ne vit à aucun moment la rupture arriver, et cette dernière le frappa en plein thorax.

Un jour où il rejoignait Amandine chez elle, après qu'il l'eut embrassée, elle lui annonça que tout était fini et lui demanda de repartir. Sur le moment, il ne comprit rien à ce qu'elle lui racontait et exigea plus d'explications, quitte à faire du forcing et à la bloquer face à lui. Alors elle aussi se mit en colère et décida de vider son sac ; les phrases jaillirent de sa bouche avec une cruauté inattendue. Elle ne voulait plus le revoir, et ne l'avait jamais aimé, lui dit-elle. Elle avait voulu faire des expériences pour plus tard écrire un livre, et sonder toute la dégueulasserie qui sommeillait en lui comme en d'autres hommes. Elle qui avait si longtemps fait preuve de masochisme dans leur relation devint sadique, perfide, et lui parla de sa mère et de Pierre-Yves Sully.

Anthony n'avait pas le cœur à la frapper mais elle, en revanche, ne s'en priva pas ; et tandis qu'il l'empoignait en lui assurant qu'elle était à lui et en insistant de façon pathétique pour coucher avec elle, elle le gifla et se mit à l'insulter, sans la moindre commisération. Elle lui dit qu'il était un abruti, un décadent et un dégénéré. Elle lui avoua avec jubilation qu'elle voyait quelqu'un d'autre.

— *Loïc, pauvre imbécile !*

Elle lui hurla de sortir de chez elle et il commença à reculer, groggy. Elle affirma qu'il ne savait rien d'elle car elle avait menti sur presque tout, uniquement pour s'amuser.

— *Tu violeras tes enfants, comme ton beau-père t'a violé !* entendit-il avant que la porte ne claquât.

★

Il s'éloigna de l'immeuble d'Amandine, la vue brumeuse, en pilotage automatique. Sans y avoir consciemment réfléchi, il préféra rentrer chez lui à pied, sur une demi-douzaine de kilomètres ; il errait parmi les gens sans les voir, sous le choc de la trahison et surtout sans la comprendre, et emprunta les innombrables rues sans éprouver de fatigue.

Lorsqu'il arriva chez lui, il aperçut Maleesha qui ressortait de l'annexe avec un garçon de sa classe, Sylvain, qu'Anthony avait déjà vu avec elle. Tous deux riaient et se bousculaient un peu, et Maleesha raccompagna son ami le long de l'allée de la propriété, jusqu'à la grille. Anthony, en sueur, demeura immobile à les observer. Ils paraissaient très complices et même assez intimes. On était mercredi après-midi.

Anthony sentit une colère l'envahir. La trahison et les mots d'Amandine continuaient de lui tenailler l'estomac, mais la tristesse fit soudain place à une sorte de rage devant cette gamine frivole qui s'amusait sans lui. Elle lui mentait, comme l'autre.

Amandine et lui avaient déjà parlé de Maleesha. Amandine n'était pas jalouse, bien au contraire ; elle avait vite compris la teneur de leur lien et exigé plus de détails. Souvent, elle l'avait provoqué à ce sujet ;

elle s'amusait du caractère chaste de leur relation et se moquait de lui. Elle le traitait de *naïf*, suggérant que Maleesha allait voir ailleurs sans le lui dire, peut-être avec Sylvain, d'ailleurs, qu'ils avaient déjà vu à ses côtés. Amandine initiait des jeux de rôle dans lesquels elle interprétait celui d'une Maleesha tantôt lubrique, tantôt victime des assauts d'Anthony. Ce dernier se prêtait au jeu et aimait ça. Il baisait Amandine, en libérant tout ce qu'il souhaitait secrètement faire à l'autre.

Il ne s'agissait de rien de grave, au fond, seulement d'un fantasme. Mais ce jour-là, en l'apercevant encore une fois avec Sylvain, il se dit que peut-être il était naïf, en effet. Peut-être qu'il était *con*, comme le lui avait dit Amandine. Du moins s'en persuada-t-il à ce moment-là.

Il aurait aimé avoir la circonstance atténuante de l'alcool, si tant est qu'elle en fût une, mais non. Il était le seul maître de ses choix et de sa volonté.

Même Amandine n'y était pour rien, au fond. Il était une bombe à retardement et l'avait délibérément laissée exploser ce jour-là.

Il attira Maleesha chez lui, jusque dans sa chambre. La jeune fille le suivit sans difficulté, confiante et amoureuse. Seulement étonnée de sa mauvaise humeur.

Il provoqua une dispute ; lui dit qu'il savait tout.

Depuis combien de temps couchait-elle avec ce mec, Sylvain ? Maleesha se mit à rire, croyant à une mauvaise blague, mais Anthony ne riait absolument pas. Elle essaya de le raisonner puis elle voulut partir, mais il la retint. Le plus souvent très douce, Maleesha avait toutefois son caractère et s'emporta elle aussi, mais il était différent, brutal. Elle lui criait dessus pour le raisonner et qu'il la lâche ; il s'en fichait. La maison était vide.

Il la fit tomber à la renverse sur son lit et plaqua sa main sur son visage, avant de chercher à l'embrasser. Elle se dérobait et faisait de son mieux pour le repousser, mais il devenait de plus en plus violent et lui faisait mal. Il était fort. La situation le faisait bander, et même les pleurs et les supplications de la jeune fille augmentaient son désir, dans ce moment irréel et morbide. Il l'immobilisa en pesant de tout son poids sur elle, fit rouler sa culotte d'un geste sûr et la pénétra d'un coup.

Maleesha hurlait de douleur et de terreur, mais il étouffait ses cris sous ses mains, tout en s'agitant à corps perdu en elle, sans la moindre pitié ni retenue.

Elle était prostrée quand il eut terminé. Il remarqua du sang sur son pénis, et sur les cuisses et la robe de Maleesha.

Sa jouissance passée, il prit conscience de ce qu'il venait de faire. La honte commença à croître en lui. Puis il s'assit à côté d'elle, sans savoir quelle attitude adopter.

Maleesha continuait de pleurer, recroquevillée en position fœtale sur le matelas ; elle l'observait avec un regard en coin et une expression terrifiée. Anthony posa sa main sur sa cuisse et elle sursauta, avant de bondir avec une énergie qui le surprit pour fuir hors de sa chambre et de sa maison. Anthony comprit cette fois, avec une lucidité désespérée, qu'il était un monstre et qu'il irait en prison.

Il sut que sa place était en prison. Ou au cimetière.

Les événements qui suivirent demeurèrent beaucoup plus flous dans sa mémoire. Le choc fut trop soudain, et certainement trop grand. De ce dont il se souvenait, il resta plusieurs heures isolé dans sa chambre, à ressasser l'horreur de ce qu'il avait fait. Son père ne rentrerait que beaucoup plus tard.

Des cris au loin le tirèrent de sa torpeur. Des lamentations, étouffées par les vitres de sa chambre. Les hurlements véhiculaient une épouvante et une tristesse insondable, mais aucune haine, et il comprit qu'un autre drame avait eu lieu.

Anthony sortit de la maison et se rapprocha des membres de la famille de Maleesha, qui s'effondraient dehors, qui s'étreignaient en libérant des gémissements inhumains. Il discerna certains mots.

Il n'eut pas la force de monter la voir.

Sitôt arrivé dans l'appartement de Louisa, il gagna la salle de bains et fit couler l'eau tiède à fort régime. Puis il se déshabilla et, entièrement nu, partit jusqu'à la cuisine pour choisir un couteau japonais dans la collection de sa mère.

Son corps plongé dans l'eau, le manche du couteau à la main, il approcha la lame de son poignet gauche et trancha d'un coup sec la peau fine et abondamment innervée. La douleur l'électrifia, avant de peu à peu décroître. Le sang s'écoulait par saccades et se mêlait à l'eau du bain, puis il trouva la force de placer son couteau dans sa main gauche et de couper l'autre poignet, sur une dizaine de centimètres. La douleur fut une nouvelle fois très vive lorsqu'il baigna ses bras dans l'eau ; puis il n'y pensa plus.

Anthony trouva une position confortable et cessa de bouger. D'abord perdu dans le vague, son regard s'attarda sur les différents flacons de sa mère, disposés sur le rebord de la baignoire, près du robinet.

Elle ne rentrerait que tard le soir. Anthony pleurait un peu. Tout ça n'avait rien d'un essai ou d'une simulation, il était décidé à en finir. Seule cette option lui paraissait tolérable : par sa faute, elle était morte, il avait anéanti la personne la plus douce qu'il avait eu l'occasion de côtoyer. Il l'avait frappée, trahie, et éprouvé du plaisir à le faire. Un plaisir indéniable et vif.

Il était un criminel, nullement meilleur que Sully. Seule sa mort protégerait les autres, et ce n'était que justice.

Le sommeil l'avait emporté depuis longtemps lorsqu'il entendit la voix ; les cris, les jurons. La panique, la colère.

Des gifles atteignaient son visage, sans lui faire mal.

Elle lui ordonnait d'ouvrir les yeux et, au prix d'un effort incommensurable, il y consentit. Tout était flou et tournait dans la pièce, son corps était secoué maladroitement. Louisa était là, avec une expression de rage, et disait des choses qu'il ne percevait pas. Elle le tirait hors de l'eau, déchirait des serviettes et criait, son visage près du sien. Puis il referma les paupières.

★

Il n'émergea réellement que deux jours plus tard, dans la chambre d'une clinique. Son père était assis à côté du lit, dans un sale état visiblement.

Par intermittence, Anthony était parfois revenu à lui et avait déjà aperçu son père à son chevet, assoupi dans le large fauteuil.

Jamais sa mère.

Son père avait interrompu toutes ses affaires pour attendre son réveil. Il lui expliqua que c'était Louisa qui l'avait découvert et conduit aux urgences, et qu'elle avait dû s'absenter mais qu'elle passerait très prochainement le voir.

Très touché et en larmes, son père voulut connaître les raisons qui avaient poussé Anthony à vouloir se donner la mort. Devant l'hésitation de son fils, Joseph évoqua le suicide de Maleesha. Il se déclara lui-même profondément atteint, mais insista sur le fait que rien ne justifiait qu'il la suivît dans cette folie !

Anthony lui demanda si elle avait laissé une lettre, et son père lui révéla l'existence d'un mot. Elle écrivait seulement à sa famille qu'elle les aimait, mais qu'elle voulait cesser de vivre.

— Elle s'est tuée à cause de moi, confia Anthony à son père, tout en se mettant à pleurer.

— Qu'est-ce que tu racontes ?

— On s'est disputés. Je l'ai violée, ajouta son fils sans détour. Je l'ai agressée et je l'ai battue, elle était vierge et je l'ai forcée à coucher avec moi. Je l'ai fait en sachant ce que je faisais. Tout est de ma faute, je suis un monstre ; je suis dangereux et je dois aller en prison. Ou je veux qu'on me laisse mourir.

Joseph Rauch parut ne pas comprendre, totalement figé sous le choc. Les mots ne parvenaient plus à sortir de sa bouche entrouverte.

Tremblant, il se leva soudain.

— Je reviens, ne bouge pas, dit-il à son fils, avant de marcher maladroitement pour quitter la pièce.

Près d'un quart d'heure plus tard, son père revint et se rassit, livide.

— Tu as vraiment fait ça ? l'interrogea-t-il avec gravité.

— Oui. Et je suis dangereux, je pourrais recommencer un jour, affirma Anthony avec une émotion intense.

Après un temps d'hésitation, plongé dans un profond silence, son père reprit la parole :

— Je sais ce que ce salaud t'a fait, et je me rends compte que j'ai eu tort de ne pas t'interroger sur ça, par méprise et par lâcheté. Ta mère et moi avons fait les mauvais choix.

Anthony sentit beaucoup d'amour dans les mots de son père, et le vit sincèrement rongé par ses erreurs.

— Rien ne vaut la peine de se tuer, dit-il avec conviction.

Puis il ajouta cette phrase, qui s'avéra malheureuse bien qu'elle se voulût réconfortante, et qui hantait encore Anthony tout ce temps après :

— Et tu sais, quoi que tu aies fait aux yeux de la loi, ta mère est là et trouvera des solutions pour t'innocenter.

En réalité, une fois de retour, sa mère se chargea de lui expliquer avec le plus grand professionnalisme que, dès lors que la victime d'un viol était décédée et dans la mesure où l'auteur de son viol ne l'avait pas assassinée, jamais ce dernier ne pourrait être poursuivi pénalement.

Décidé à faire justice lui-même, à préserver la société de ses pulsions et à ne pas vivre plus longtemps avec tous ses remords, Anthony prémédita un second suicide et passa à l'action dès qu'il en eut l'occasion. Écœuré par lui-même et par la folie de ses parents, il grimpa sur le rebord de la fenêtre d'une chambre voisine – devant son occupant, éberlué ! – et sauta dans le vide.

Il s'écrasa deux étages plus bas, avec diverses fractures et un trauma crânien, mais bien vivant.

Quelques jours après le début de sa deuxième période de convalescence, Anthony comprit que le véritable courage eût été d'aller voir la famille de Maleesha et de se dénoncer. Mais Joseph l'informa que ses parents avaient décidé d'enterrer leur fille dans leur pays natal, et de reprendre une vie là-bas. Le suicide de Maleesha les avait anéantis et, totalement déboussolés, ils étaient repartis au Sri-Lanka avec leur fils cadet, sans attendre. En apprenant la nouvelle, Anthony soupçonna son père d'avoir passé un accord financier avec ses anciens employés pour les faire taire, et il s'en indigna ; l'homme d'affaires lui jura avec sincérité qu'il s'agissait là uniquement de leur choix et qu'il n'y était pour rien. Leur douleur et une honte, injustifiée bien sûr, leur rendaient intolérable le fait de rester en France. Son père reconnut avoir fait preuve de générosité pour leur départ mais n'y voyait rien d'indigne. Il avait préféré ne rien leur révéler de ce qui s'était passé entre Anthony et leur fille, et persistait dans ce choix. Il demanda à son fils – peut-être avec raison – si d'après lui leur apprendre que leur fille avait été victime d'un viol aurait pu d'une quelconque façon alléger leur peine, déjà gigantesque ?

Anthony envoya chier le psychiatre de la clinique, et jamais sa mère ne lui fit de reproche à ce sujet.

Trop tard. Il avait trop à sortir. Et l'idée même d'aller mieux, de réparer quelque chose, lui paraissait indigne alors que Maleesha était morte. Au bout de quatre semaines, la jambe encore boiteuse, il obtint l'autorisation de rentrer au domicile de son père, sous sa surveillance accrue et sous celle de tous ses employés, nouveaux pour certains. Il continua aussi à prendre les antidépresseurs prescrits par son médecin.

Même quand il était isolé dans sa chambre, ses fantasmes finissaient par revenir. Ils ne le quittaient jamais longtemps. Anthony les évacuait, en solitaire, et ses remords n'étaient pas longs à arriver.

Un jour, il décida que s'il ne devait pas mourir – pas immédiatement du moins –, alors il devait s'efforcer de rectifier certaines choses. Il ne pouvait plus rien pour Maleesha mais repensait très souvent à Laura, la jeune fille qui s'était fait violer devant lui. Il souhaitait discuter avec elle et lui proposer de témoigner en sa faveur, près de deux ans après. Il parvint à trouver son adresse et se rendit devant chez elle, un jour d'été.

Elle ne le reconnut pas, et la chose n'avait rien d'étonnant. Lorsqu'ils se revirent, elle était assez belle, dans un meilleur état que la fois précédente. Ne sachant comment aborder le sujet d'une façon délicate, Anthony décida d'aller droit au but : il lui dit qu'il avait assisté au viol collectif dont elle avait été victime lors de cette soirée, initié par son petit ami, et qu'il y repensait chaque jour et s'en voulait de n'avoir rien fait, de n'être pas intervenu, uniquement par lâcheté. Et qu'il voulait à tout prix l'aider, tout ce temps après.

La jeune femme, très légèrement plus âgée que lui, sembla absolument décontenancée par ce qu'il lui racontait et elle devint livide, malgré sa peau tannée par le bronzage. Laura perdit immédiatement son sourire, et parut agacée d'entendre tout ça. S'apercevant du trouble qu'il avait causé, Anthony insista pour montrer que sa démarche était sincère et lui demanda si elle s'était confiée à ce sujet à la police ou à un proche.

— Je sais pas ce que tu crois avoir vu cette nuit-là, mais t'as rêvé, lui répondit-elle d'un ton agressif.

— Franchement, j'ai pas rêvé. J'étais bien dans la pièce, reprit-il d'une voix plus douce. Mais peut-être que toi, tu t'en souviens pas parce que… je crois qu'ils t'avaient fait prendre des trucs.

Elle le fusillait du regard, et tournait régulièrement la tête pour s'assurer que personne ne venait. Puis elle reprit, en s'approchant un peu et sur un ton encore plus dur :

— Pour qui tu te prends ? Je te dis qu'il s'est rien passé. Alors tu vas rentrer chez toi, et tu vas plus jamais revenir ici, tu m'as comprise ?

Devant la tête circonspecte d'Anthony qui hésitait sur l'attitude à adopter, elle ajouta :

— Pour ton info, Yohann et moi on est encore ensemble, c'est mon mec ! Tu comprends ? Alors t'oublies ce que tu crois avoir vu et t'en parles à personne. Maintenant, tire-toi !

Il ne la revit jamais. Cependant, l'envie de réparer, d'aider d'autres victimes et de protéger la société contre ces monstres – parmi lesquels il s'incluait – subsistait en lui.

Une fois n'est pas coutume, un jour sa mère le prit « entre quatre-z-yeux », afin d'avoir une discussion approfondie. Avec calme et sérieux, elle lui demanda s'il s'était enfin décidé à vivre, ou s'il avait encore ses idées suicidaires. Alors, il lui déballa ce qu'il avait sur le cœur. Il annonça à Louisa que s'il envisageait bien d'intégrer la fac de droit à la rentrée, ce ne serait pour emprunter, à terme, aucune des filières auxquelles ils avaient songé initialement.

Il comptait devenir policier.

La tête que fit sa mère en entendant ces mots fut le seul moment réjouissant qu'il connut cet été-là. Mais il ne la laissa pas l'interrompre et lui assura, avec calme mais autorité, que ce serait *ça ou rien* ; puis il l'informa encore qu'il avait besoin d'elle, pour lui procurer un traitement médical.

Et que si Louisa lui refusait son aide, alors il se laisserait crever.

LOUISA

[illegible]

[illegible]

[illegible]

[illegible] n'avait jamais [illegible]
sonne. On maintenait les gens dans cet état d'une voix
doucereuse, on leur [illegible]

Contrairement à elle, son fils n'avait jamais semblé vraiment aimer la vie.

Enfant, bien sûr, il était différent. Avant le drame. Avant l'horreur. Il était affectueux vis-à-vis d'elle à cette époque, demandeur de sa présence, et l'aimait sans conditions. Souriant, un bel enfant, même s'il portait déjà en lui une très légère réserve et une mélancolie.

Elle pensait réellement que les choses s'arrangeraient avec le temps. Pourtant, elles n'avaient fait que se dégrader.

Elle s'était toujours refusée à le considérer comme une victime. À le conforter dans cette posture, dans laquelle la société tendait de plus en plus à ranger les accidentés de toutes sortes, de façon complaisante. Pendant toute sa carrière de pénaliste, elle avait observé l'augmentation de cette tendance à la victimisation à tout crin.

Se revendiquer victime n'avait jamais aidé personne. On maintenait les gens dans cet état, d'une voix doucereuse, en leur laissant croire qu'un procès soigne et répare. Mieux que quiconque, Louisa savait que les assises ne résolvaient pas tout, et que les accidents sont des choses qui arrivent. Il fallait se battre.

Elle s'était toujours battue. Avec un appétit de vivre.

Victime, elle ne l'avait jamais été. Son père le fut ; mais jamais elle ne l'avait considéré comme tel.

Il s'appelait Janos Magyar et travaillait comme médecin. Très engagé politiquement, il fut lâchement exécuté durant l'insurrection hongroise de 1956. Homme courageux et prévoyant, Janos avait anticipé le pire et pris ses précautions afin de permettre à Dori et *Lujza*, sa femme et sa fille unique, de fuir vers l'Ouest quarante-huit heures avant sa mort. Lujza était alors âgée de 4 ans, et sa mère et elles réussirent à gagner Paris, où un dénommé Matyas Elek, contact émigré de Janos, les accueillit.

Rapidement, la cohabitation s'avéra pesante et les maigres richesses emportées pour le voyage s'épuisèrent. Aussi, bien qu'elle n'eût jamais travaillé, Dori fut contrainte de chercher un emploi sans qualification. Des membres de la diaspora hongroise la mirent en relation avec la famille Rauch, qui cherchait une employée de maison. Dori fit la connaissance de Jacqueline Rauch, mère de Joseph, femme ô combien vive et éclairée, qui n'avait elle non plus jamais travaillé mais régnait sur sa famille en véritable matriarche. Touchée par le vécu de la jeune veuve et mise en confiance quant à son sérieux, Jacqueline offrit à Dori une place honnêtement rémunérée, ainsi qu'un logement dans les dépendances, où sa fille et elle habitèrent.

Du plus loin qu'elle se souvenait, Louisa avait toujours rêvé de devenir avocate. Elle avait les qualités pour. Un sens inné de l'éloquence, qu'elle développait depuis le plus jeune âge et qu'elle maniait avec justesse devant des professeurs interloqués, dans une langue qui n'était originellement pas la sienne.

Elle gravit chacune des classes de l'école républicaine avec des notes remarquables et les félicitations. Tous prédisaient à sa mère qu'un jour elle brillerait. Dans les débats scolaires, comme plus tard lors des audiences, Louisa avait la rage de convaincre et de défendre. *Défendre !* Toujours défendre. Son opinion, comme l'opprimé.

Plaider, comme passion. Très tôt, elle sut que le droit serait sa religion et les salles d'assises son temple. Elle n'envisageait aucune autre spécialité que le pénal, et pourtant elle fit ce choix à une époque où il était le moins brigué par les jeunes avocats, voire un peu méprisé. Les choses avaient bien changé depuis. En ce temps-là, les femmes étaient sous-représentées et les quelques courageuses exerçaient leur profession dans une misogynie palpable, venant à la fois du milieu judiciaire et de la clientèle.

Les grands avocats le deviennent pour plaider. Étudiante, elle dévorait les audiences et épiait les ténors. Elle était fascinée sans être impressionnée, convaincue qu'un jour elle ferait aussi bien qu'eux.

Plus tard, lors de ses toutes premières affaires, elle observa l'étonnement des juges, d'abord teinté d'un amusement plus ou moins discret, lorsque la parole lui était donnée pour plaider. Une femme. Belle, en plus. Très belle, diraient certains. Qui ne reniait pas sa féminité mais la revendiquait, au contraire ; sans en jouer toutefois. De quoi étonner ces vieux messieurs, et même les jeunes. Petit à petit, elle avait vu l'écoute des magistrats se faire plus attentive, et ceux-ci se délester de leur condescendance initiale. Jusqu'à ce qu'elle les tînt, pendus à ses lèvres.

Elle se forgea très vite une réputation. Son nom se mit à circuler, parmi les clients puis peu à peu dans les médias. Elle était dure avec les juges et connue comme telle, usant de sa répartie dévastatrice. Elle ne mentait jamais à la cour, mais ne reculait devant aucun moyen légal pour faire acquitter un client, guettant le moindre vice de forme et les négligences procédurales.

Elle défendait corps et âme, avec fougue, avec hargne, des hommes et des femmes de tous horizons. Elle ne faisait pas de tri, ne se pinçait pas le nez devant quelque affaire trop épouvantable ou immorale. Le droit n'était pas de la morale. S'étonnait-on qu'un médecin soigne un meurtrier ou un violeur ? Les avocats, comme les médecins, prêtent serment. La mission de l'avocat est de se battre pour que tout coupable soit condamné à une peine juste.

Elle avait rêvé de ce métier toute sa jeunesse, et il la combla encore plus qu'elle ne l'avait imaginé. Sa profession lui prit beaucoup, mais lui offrit infiniment en retour. Elle aimait préparer les dossiers, comprendre l'humain. Puis entrer sur la scène des assises et s'adonner aux joutes oratoires et à la dialectique pour convaincre. Le trac, avant le commencement des débats, lui tordait les viscères et lui donnait envie de vomir. La vie d'un homme entre ses mains… Ensuite, comme une artiste de théâtre, une fois lancée rien ne l'arrêtait.

Les soirs d'acquittement, elle éprouvait de l'euphorie, quelque chose d'addictif, comme une drogue, tant l'enjeu avait été fort. Elle se sentait la meilleure. Après la condamnation, au contraire, c'était tout le procès qu'elle refaisait mentalement, seule dans sa chambre. Se remémorant sa plaidoirie, dont il ne restait rien hormis les notes qu'elle avait griffonnées en amont.

Des chambres d'hôtel provinciales, elle en vit des centaines, arpentant la France de long en large, à la rencontre des différents palais de justice. Des voyages dignes, là encore, d'une artiste en tournée ; des chambres exiguës faisant office de bureau, des restaurants presque vides à la nuit tombée. Beaucoup de cigarettes, beaucoup de solitude, beaucoup de temps loin de chez elle.

Son fils lui en avait beaucoup voulu.

Elle avait un ego fort, bien sûr. Tous en avaient un, dans la vaste famille des pénalistes, dont beaucoup disaient qu'elle était la reine. Avide de victoires et de notoriété. La médiatisation était inévitable pour bâtir une belle carrière d'avocate. Elle présentait des avantages en lui offrant des affaires importantes, mais suscitait aussi l'acrimonie. On la trouvait trop dans la lumière, trop grande gueule ; une bonne cliente pour les JT. Cependant, au final, tous reconnaissaient que Louisa brillait autant sur les marches des tribunaux, face caméra, qu'à l'intérieur des salles d'assises. Maîtresse dans l'exercice de l'interrogatoire et du contre-interrogatoire, elle gagnait des causes ingagnables. Sa repartie vexait, surtout venant d'une femme. Sa confiance en elle irritait, souvent pour la même raison.

Mais de manière globale, les avocats s'apprécient entre eux et se comprennent. Tous ont à peu près les mêmes défauts : un nombrilisme allant de pair avec leur narcissisme ; et les mêmes qualités que sont leur âme bohème – y compris chez les plus bourgeois –, un humanisme et un rejet de tout manichéisme. Ils aiment beaucoup se retrouver et partager une bouffe ensemble, chez les uns et les autres, dans une buvette ou dans un restaurant étoilé. Ils rient énormément ensemble, tous se connaissent et un nombre non négligeable d'entre eux essaie, inconsciemment, de rectifier une injustice personnelle. Ils formaient pour Louisa une deuxième famille.

Lorsqu'elle était enfant, Louisa fréquenta très peu Joseph Rauch. Parce qu'il était plus âgé, de huit années, et parce qu'il était très discret, se montrant rarement dans le jardin de la propriété. Mais les fois où ils se croisèrent, jamais Joseph ne témoigna d'une quelconque arrogance à son égard, et il se montra au contraire très gentil avec elle. Tout comme avec sa mère.

Vers les 17 ou 18 ans de Louisa, l'attitude de Joseph Rauch évolua radicalement. La beauté de la jeune Hongroise naturalisée française n'avait cessé de croître durant son adolescence, transformant son corps dégingandé en une silhouette proche de la perfection. Son visage, très bien dessiné, avait aussi du caractère et s'avérait plus intéressant que certaines figures lisses. De l'avis de tous, Louisa Magyar était resplendissante, et sa vivacité d'esprit saupoudrée d'une solide confiance en elle ajoutait encore à son sex-appeal.

Joseph Rauch n'y resta pas insensible. Retourné chez ses parents le temps d'un week-end, Joseph se retrouva avec Louisa à deviser sur la terrasse pendant une demi-heure qui s'avéra délicieuse, et il eut la surprise de découvrir l'étrange créature qu'était devenue celle qui, dix ans plus tôt, courait dans son jardin à moitié nue.

Tombé éperdument amoureux, Joseph affronta sa timidité légendaire et proposa à Louisa, par téléphone, de se retrouver pour une séance de cinéma en ville, suivie d'un dîner dans un bon restaurant. Louisa ne partageait pas véritablement ses sentiments mais se laissa convaincre, encouragée par sa mère et amusée d'y voir une sorte d'ironie de son destin.

Elle passa une excellente soirée en compagnie de Joseph, même si celle-ci faillit se terminer tragiquement : sujette aux fausses-routes depuis l'enfance, surtout lorsqu'elle était émue, Louisa sentit soudain sa trachée entravée par un morceau de poulet, et l'air et la parole lui manquer. Joseph vit la belle étudiante devenir pourpre et paniquer devant lui, et comprit qu'elle étouffait. Il se redressa aussitôt et commença à lui taper dans le dos, de plus en plus fort, en vain ; un serveur voulut s'interposer et prendre les choses en main, mais Joseph ne lâchait pas Louisa. Il la fit se lever, et la secoua tant et si fort que finalement, par accident, il réussit à lui faire recracher le bout de poulet. Plus choqué par cet épisode que l'étudiante elle-même, Joseph lui proposa aussitôt de la ramener chez elle pour se reposer, mais Louisa préféra poursuivre leur repas.

L'incident eut pour immense mérite de briser la glace entre eux, et Joseph se révéla à Louisa sous un jour qu'elle ignorait. Elle découvrit un homme très cultivé, bienveillant et étonnamment drôle. Doté de beaucoup d'autodérision, Joseph lui provoqua quelques fous rires, elle qui aimait tant ça. Il la faisait parler, l'admirait, aimait lui faire découvrir des choses qu'elle ignorait de par son jeune âge. Enfin, il l'encourageait à devenir celle qu'elle désirait être.

Leurs corps s'entendirent bien, également. Alors ils se mirent en couple et, rapidement, Joseph la demanda en mariage.

Jacqueline Rauch était elle aussi une femme de caractère, et elle appréciait sincèrement Louisa, car elle avait conscience de son potentiel et de ses qualités. Elle mit cependant son fils en garde lorsqu'il choisit de demander sa main car, lui dit-elle sans détour, elle n'était pas certaine qu'il parviendrait à *tenir* sa femme. À la *retenir.*

Jacqueline avait souvent observé Louisa, et connaissait sa joie innée et le sentiment de liberté qu'elle dégageait. Une fillette puis une jeune femme lumineuse, solaire. Aimante envers son fils, Jacqueline connaissait également ses qualités et ses défauts, et redoutait que sa belle-fille ne s'ennuyât dans son mariage. L'avenir ne la détrompa malheureusement pas.

Une fois ses études pour devenir avocate achevées, Louisa se laissa persuader par son mari de concevoir leur premier enfant. Sans jamais se confier à quiconque sur ce sujet, Louisa regretta par la suite, assez souvent, de ne pas avoir attendu. Si elle aimait son fils, materner ne l'intéressait pas. L'existence la passionnait, le bouillonnement de l'actualité, de la vie en société, les mondanités. Et son rôle de mère s'avéra dès le début être davantage un obstacle qu'un accomplissement. Étrangement, Louisa s'était toujours sentie plus *fille* que *mère*. Fille de Janos Magyar, médecin hongrois lâchement assassiné par ses opposants politiques. Fille de Dori Magyar, veuve immigrée devenue femme de ménage. Elle revendiquait sa filiation. Mais sentait, sans s'expliquer pourquoi, que le rôle de mère n'était pas vraiment fait pour elle.

Joseph et elle se virent de moins en moins, de par leurs emplois du temps respectifs. Une monotonie s'installa peu à peu, un certain agacement, aussi. Louisa fréquentait quotidiennement de nombreux hommes, de tous milieux et parmi les plus brillants. Beaucoup la courtisaient.

Elle pouvait trouver « mieux » et avait soif de se laisser séduire par quelqu'un qui l'élèverait encore, intellectuellement – pas financièrement. Elle décida un jour de divorcer et Joseph ne put rien y faire.

Avant son mariage, elle avait signé sans discuter un contrat financier extrêmement strict, et ne fit pas d'histoires pour obtenir quoi que ce soit de plus lors du divorce. Louisa tenait à réussir et à faire fortune par ses propres moyens ; repartir de zéro la rassura, d'une certaine façon, et lui rendit un vrai souffle de vie. Le bien le plus précieux qu'elle conserva fut le nom des Rauch et une partie de leur réseau, qui lui permirent de gagner des années avant d'exploser professionnellement.

Joseph ne se remaria pas et, lui-même accaparé par d'éminentes responsabilités professionnelles, il laissa leur fils aller vivre chez sa mère, même lors de la brève période où elle emménagea chez Pierre-Yves Sully à la Chênaie.

Les premiers mois de Louisa avec Sully furent incroyables. Les avocats sont des artistes contrariés, au fond, et elle eut l'opportunité de côtoyer l'un des plus grands. Elle ignorait tout de ses penchants à cette époque, et ne voyait chez Pierre-Yves que le génie dans son art, célébré dans le monde entier. Les plus grandes stars lui faisaient la cour et se bousculaient à leur table. La plupart devinrent ses amis et le restèrent. Ils formaient un couple resplendissant, libre, rejetant les diktats de la société. Une relation prétendument fondée sur le respect, sans pression et ô combien enrichissante, pour elle qui souhaitait s'ouvrir à la culture et à son monde.

Elle l'avait profondément aimé. Plus qu'elle n'avait aimé d'autres hommes. Elle n'avait rien vu venir. Absolument rien. Le choc avait été… incommensurable.

Toutes ces années après, pratiquement chaque jour elle y repensait et revoyait son fils dans son petit lit, ce fameux soir où il s'était servi de ses dessins pour lui faire comprendre l'indicible. Elle avait mis du temps à décrypter ce qu'il lui montrait. Cette chose impossible, irréelle. Et puis son cœur s'était comme déchiré. L'enfant, allongé dans la pénombre, lui confiait son calvaire dans la crainte. Elle voyait ce petit ange, qu'elle était censée protéger. Une douleur aiguë l'avait transpercée, comme rien de semblable auparavant. Suivie d'une colère sourde.

Elle avait dû sortir de la chambre, filer dans la salle de bains car elle se sentait mal. Envie de vomir ses tripes, sans y parvenir. Enfin elle était revenue en s'efforçant de garder le contrôle, et avait promis à son fils d'en reparler le lendemain. Elle qui savait manier les mots mieux que quiconque en temps normal s'était soudain trouvée à court et n'avait réussi qu'à l'exhorter à s'endormir pour gagner un peu de temps et réfléchir à ce qu'elle allait faire.

Elle s'était rendue dans leur chambre. Pierre-Yves l'y attendait, allongé sur le lit, immobile. Il la regardait avancer. Soupçonnait-il quelque chose ?

Elle ne fit pas de scène. *Garder son sang-froid. Être sûre.* À quatre-vingt-dix-neuf pour cent elle l'était déjà, toutefois il lui fallait réfléchir encore et lever ses derniers doutes.

Lorsqu'il vint se blottir contre elle, elle refusa ses avances, puis se déshabilla rapidement et se coucha. Tout contact avec lui la dégoûtait mais il ne fallait pas agir avec précipitation.

Dans le lit, elle refusa de l'embrasser. Allongée sur le côté, face à lui, elle le regardait. Puis, sur une impulsion, elle saisit son sexe dur et le serra dans sa main, sans bouger. Elle tenait cette queue, autrefois source de plaisir et maintenant de toute sa haine. Lorsque Sully s'impatienta et commença à bouger le bassin, elle serra plus fort, jusqu'à le faire geindre de douleur et se dégager. Puis il essaya de grimper sur elle.

« J'AI DIT NON ! » réagit-elle, avec une fermeté et une noirceur qui l'arrêtèrent dans son élan. Alors elle se tourna de son côté, et Sully marmonna quelque chose d'incompréhensible. Elle ne dormit qu'une ou deux heures, cette nuit-là.

Le lendemain, elle interrogea son fils comme l'aurait fait un professionnel. Elle sut qu'il disait vrai et qu'il n'aurait pas pu tout inventer. Depuis la veille, un sentiment de culpabilité l'étreignait. Elle avait livré son enfant à un pédophile de la pire espèce. Sully s'était joué d'elle. Le monde entier chantait les louanges d'un monstre.

Le monde entier n'avait pas besoin de savoir, pourtant il devait disparaître. Plus jamais il n'approcherait son fils. Plus jamais il ne vivrait après ce qu'il leur avait fait à tous les deux.

Le tuer. Elle qui détestait les juges, pour une fois elle en serait une. Comment tolérer qu'il s'en sorte, après ce qu'il avait fait à Anthony ? Car défendu par les meilleurs, il pourrait s'en sortir ; mieux que personne Louisa Rauch pouvait le prévoir. Que risquait-il, au fond ? Quatre ans ? Deux ans avec les remises de peine ? Après des années d'instruction, d'attente. D'auditions éprouvantes pour son fils. Une médiatisation qui marquerait ce dernier toute sa vie au fer rouge. Personne n'ignorerait jamais plus qu'Anthony Rauch avait été violé. Des examens psychiatriques auraient lieu. Un procès, avec les mêmes sempiternelles questions rabâchées par le président à la victime. Un accusé qui oserait faire croire que le garçon prenait du plaisir et en redemandait. Tant de fois, elle avait vu ça.

Que Sully ressorte libre à l'issue de l'audience ou même après quelques années d'incarcération lui était insoutenable. Le voir à nouveau dans la presse, exercer son art, gagner des prix internationaux…

Elle ne salirait pas sa mémoire, mais il devait quitter ce monde.

Albert Merlin était son ami. Il était l'homme le plus brillant et le plus puissant qu'elle eût rencontré et elle savait que lui-même la tenait en haute estime. Habilement, elle avait su l'aider à se tirer d'inextricables ennuis judiciaires. Elle connaissait certains de ses secrets sulfureux. Un homme parti de si bas n'arrivait pas si haut sans que le sang coule. Plusieurs fois, il lui avait promis de lui rendre service dès qu'elle aurait besoin de son aide.

Il fut le premier à qui elle raconta l'histoire. Lorsque Albert lui demanda ce qu'elle envisageait de faire, sans hésiter elle répliqua qu'elle voulait que Sully meure, mais que cela ressemble à un accident. Albert insista pour savoir si elle était sûre de son choix, non pour la dissuader mais pour s'en assurer.

Un mois environ après la mort de Sully, Louisa voulut absolument connaître chaque détail de sa dernière soirée. Et Merlin accepta de répondre à ses questions, juste une fois. Une seule.

Deux membres du personnel rapproché de Merlin, ponctuellement employés pour les besognes les plus basses, avaient été chargés de la mission. À l'aide des informations fournies par Louisa, *Michel* et *Jacques* s'étaient introduits dans la Chênaie et avaient surpris Sully alors qu'il était seul dans la maison, peu avant minuit. Pendant plusieurs heures ils le gardèrent captif, sans violence mais en le menaçant d'une arme. Ils discutèrent avec lui, à la table de sa cuisine. Sully avait tout d'abord pensé à un cambriolage. Voyant qu'ils prenaient leur temps, il chercha à comprendre ce qu'ils voulaient ; les deux nervis se contentèrent de sortir quelques bouteilles d'alcool de son armoire, avec un verre. Puis ils l'obligèrent à boire.

L'un des deux hommes de main, Michel, finit par lui parler d'Anthony. De ce qu'il raconta ensuite à Albert Merlin, le réalisateur fondit en larmes, et exprima son regret. Les deux hommes l'obligèrent à continuer à boire, tout en lui assurant qu'ils attendaient quelqu'un et qu'au final il s'en sortirait vivant.

Ensuite ils décidèrent d'aller dehors et attirèrent Sully à leurs côtés. Lorsque ce dernier comprit qu'ils le menaient au lac, il rechigna à avancer mais, totalement ivre, il ne put offrir aucune vraie résistance.

Louisa voulut tout savoir, y compris les détails de l'exécution. Une fois au bord de l'eau, l'un des deux nervis se colla contre le dos de Sully et lui bloqua les bras, tandis que l'autre homme saisissait ses jambes. Ils le déplacèrent ainsi sur quelques mètres, sans le frapper mais en l'immobilisant tandis qu'il s'agitait, puis ils pénétrèrent dans l'eau et l'inclinèrent en biais, tête en bas.

Ils le plongèrent sous la surface en relevant ses jambes vers le ciel noir. La tête sous l'eau, Sully se débattait mais ils le ceinturaient fermement pour ne pas avoir à le cogner et risquer de laisser des marques. Rapidement, les jambes cessèrent de s'agiter et ils lâchèrent le corps, qui se mit à dériver. Ils dispersèrent les bouteilles d'alcool vides près du lac, et effacèrent les traces de leur passage à l'extérieur et dans la maison.

★

Elle pensait qu'Anthony s'en sortirait. Elle était persuadée que la cicatrice, bien que douloureuse, ne le défigurerait pas. Le temps devait faire son œuvre, ressasser ne menait à rien.

Anthony était sauvé, après tout. Vengé, même si cette conception était en temps normal à l'opposé de la sienne. Trois décennies plus tard, Louisa était en mesure d'analyser toutes les erreurs qu'elle avait commises. De toute façon, son fils ne se privait pas de les lui bombarder à la première occasion.

Il lui reprochait son silence. De n'en avoir jamais reparlé, les années qui suivirent.

Elle n'y arrivait pas. Verbaliser les choses était son métier, elle n'avait pas d'excuse, mais elle n'y arrivait pas. Un psy aurait aidé, sans doute. Elle ne les supportait pas. Déformation professionnelle, agacement récurrent lors de ses face-à-face avec eux durant les audiences. Et puis, révéler ce que Sully avait fait à Anthony, même à quelqu'un sous serment, les aurait potentiellement mis en danger. Depuis qu'il était grand, Louisa encourageait son fils à en voir un, mais il lui rétorquait que c'était trop tard, non sans une certaine malice.

Anthony lui reprochait aussi ses absences lorsqu'il était enfant. Elle n'avait pas été une mère présente, elle devait bien le reconnaître. Son métier l'avait dévorée, passionnée. Elle avait réussi là où tant d'autres femmes avaient renoncé, découragées par les procès interminables et les départs loin de chez elles, préférant s'orienter vers le droit de la famille ou du travail, plus adéquat avec la gestion d'un foyer.

Sans véritable modèle, elle en était devenue un pour toute une génération de jeunes avocates.

Avec l'âge, le tumulte de sa profession l'intéressait un peu moins. Sa vie était derrière elle, elle le savait. Souvent, elle répétait qu'elle avait l'impression d'avoir vécu trois vies, alors que tant de gens *ne vivent pas*. À présent, ses questionnements portaient sur ce qu'elle allait laisser. Un bilan mitigé, glorieux d'un côté et désastreux de l'autre.

Elle s'en voulait d'avoir été aveugle vis-à-vis d'Anthony. Avant, et après. Lorsqu'elle avait trouvé son fils chez elle, dans sa baignoire et dans une eau rougie par son sang, son cœur s'était brisé une seconde fois. Elle aurait tout donné pour mourir à sa place et qu'il survive. En pleurant et en criant mais sans abandonner, elle avait déchiré des linges et soulevé le corps de son enfant, puis fait les garrots. Appelé les secours et imploré son fils de vivre, lorsqu'il était inconscient. De se battre et de ne pas la laisser seule.

Par miracle, il avait survécu. Et dans l'attente de son réveil, Louisa n'avait rien trouvé de mieux à faire que de se rendre à un procès en cours, en le laissant seul avec son père. Bien sûr, elle aurait pu déléguer l'un de ses adjoints, mais quelque chose au fond d'elle la poussait à s'éloigner.

Au bout de tant d'années, elle ne parvenait toujours pas à comprendre pourquoi il lui était à ce point impossible de parler sereinement avec son fils. Sa pudeur, constamment, la poussait vers la dérision. Elle sentait qu'Anthony se méfiait d'elle, et qu'il était souvent déçu de l'avoir eue pour mère.

Pourtant, il y avait de l'amour entre eux, ça, elle en était certaine.

Elle souhaitait qu'il aille mieux. Et qu'un jour il rencontre quelqu'un, dans une relation saine, qu'ils s'aiment et que ce lien nouveau apaise son fils.

En secret, elle se surprenait à espérer qu'un jour Anthony ait un enfant. À ce stade de son existence, Louisa souhaitait transmettre, et avoir une petite-fille l'aurait ravie. Une petite femme, comme elle l'avait été et à qui, avec une complicité teintée de délectation, elle apprendrait à réussir, et égaler les hommes sur leur terrain sans renoncer à être une femme à part entière.

Elle se sentait plus disponible, plus généreuse.

Elle ferait moins d'erreurs, elle le savait.

4

Sa plaie au ventre s'était avérée sans gravité et son bras ne le faisait plus vraiment souffrir, même si la rééducation du coude allait prendre du temps.

Assis à la table de l'immense salle à manger, il entendait Louisa s'activer en cuisine, dans une symphonie de bruits de casseroles et d'ouvertures de placards et de four, agrémentée de sifflements guillerets manifestant sa bonne humeur.

Une fois n'est pas coutume, Louisa cuisinait seule et avait tenu à le lui faire remarquer avant de rejoindre ses fourneaux, visiblement fière de lui offrir cette marque d'attention.

Les yeux vaguement dirigés vers un mur, Anthony sirotait une flûte du roederer que sa mère avait débouché. Il n'avait aucune envie d'être là, et s'en voulait d'être tombé dans son traquenard. En le réceptionnant à sa sortie de l'hôpital, Louisa ne lui avait pas laissé le choix – ou du moins n'avait-il pas trouvé l'énergie de refuser.

— Si je ne viens pas te chercher moi-même, tu ne viendras jamais. Ne me fais pas croire que tu as mieux à faire ! Laisse-moi donc m'occuper de toi, avec ton bras en bouillie…

Prenant un peu de recul, elle avait fait mine de l'étudier de bas en haut, avec un air soudainement fier.

— Que tu es beau, mon petit…, avait-elle commenté.

Puis elle s'était rapprochée pour poser ses deux mains sur son visage.

— Tu en as fini avec cet horrible traitement, j'espère ? Au fond, ce que tu as fait, c'est un genre de dépression, j'en suis certaine. Tu t'en es sorti ? l'avait-elle enfin interrogé en le regardant intensément dans les yeux. Réponds-moi, tu es tiré d'affaire ?

Les mains gantées de maniques, Louisa réapparut dans la salle à manger avec un plat brûlant : un rôti de bœuf accompagné de pommes de terre qui baignaient dans un jus frétillant. Le tout sentait admirablement bon, il fallait bien le reconnaître.

— Je te mets ces deux morceaux bien cuits, c'est toujours ce que tu aimes ? lui demanda Louisa avant de le servir, puis de sélectionner pour elle les tranches les plus saignantes.

Ensuite elle s'empressa de revenir aux côtés de son fils pour découper sa viande ; et rejoignit sa place pour s'asseoir, satisfaite de ses efforts.

— Eh bien, espérons que ça te plaira, mon chat ! Allez, mange tant que c'est chaud…, l'encouragea-t-elle sans s'offusquer de son silence.

Bien que dépourvu d'appétit, Anthony planta sa fourchette dans un premier morceau et commença à le mâcher, désireux avant tout que le tête-à-tête ne s'éternisât pas. Même si elle était aux petits soins pour lui, sa mère l'horripilait de plus en plus. Finalement, son traitement de castration chimique, en ayant fait chuter le nombre de ses colères et provoqué chez lui une certaine apathie, lui avait permis de revoir sa mère assez régulièrement. Redevenu normal, il se sentait plus impatient et plus enclin à perdre son calme.

— Comment va ton ami, Théo ? le questionna-t-elle tandis qu'elle dévorait sa viande rouge. Dans combien de temps sortira-t-il ?

— Dans une semaine ou deux, normalement. Il est plus touché que moi mais il ne devrait pas rester handicapé.

Louisa hocha la tête sans le regarder. Puis elle saisit une bouteille de chambolle-musigny déjà ouverte et proposa à son fils de le servir. Il déclina l'offre. Sans insister, Louisa remplit son propre verre. Un ange passa dans la pièce. Et Anthony ne fit rien pour alimenter la discussion.

— Et Fabien *Le Bot* ? tenta Louisa. As-tu des nouvelles de l'instruction ?

— Pourquoi ça t'intéresse, tu veux le défendre ? piqua son fils.

— Qu'est-ce que tu racontes ? s'indigna Louisa, avec un réel étonnement. Après ce qu'il t'a fait, bien sûr que non.

— Tu n'as pas toujours eu autant de scrupules.

— Comment ça ?

— Eh bien, il m'est déjà arrivé d'arrêter des gens peu recommandables après des mois d'enquête, et de te voir débarquer pour les défendre…

— Tu mélanges tout…, lui fit-elle remarquer avec le plus d'indulgence qu'elle pouvait. Jamais je n'ai défendu de gens qui s'en étaient pris à toi.

— Et tu crois vraiment qu'on n'éprouve aucune compassion pour toutes ces femmes qui viennent nous voir, qui nous font confiance et qui nous confient leur horreur, les violences qu'elles ont subies et leur traumatisme ? Tu crois qu'on ne s'identifie pas à elles et que leur ennemi ne devient pas le nôtre ?

Plus sombre, Louisa marqua un temps. Puis elle but une gorgée de vin, avant de reprendre sur un ton péremptoire :

— Je suis avocate. Et tu sais mieux que beaucoup de tes collègues quel est mon rôle. Tout homme mérite d'avoir une défense, y compris le pire d'entre nous ! Je ne juge pas, les juges le font. Je défends ce qu'il y a à défendre, et je me bats pour que tout accusé ait une peine juste. J'exerce ma fonction comme une professionnelle et tu devrais – ou tu aurais dû – faire la même chose…

— Il faut toujours que tu détournes tout, s'emporta son fils avec un sourire agacé. Et que tu te battes pour avoir le dernier mot avec ta dialectique tellement *professionnelle*, étudiée et imbattable, maître Louisa Rauch… Mais ta réelle émotion, où tu la caches ? Celle que tu devrais normalement ressentir, insista Anthony en détachant ses mots. Tu nies l'évidence.

— Quelle évidence ?

— Que personne à part toi ne ferait ce que tu fais ! Tu vas te battre pour faire libérer un violeur que ton fils a arrêté et qui a fait souffrir des femmes que j'ai essayé d'aider.

— Soit on accepte que tout homme ait droit à une défense, Anthony, soit on légalise le lynchage ! Il y a *toujours* des circonstances atténuantes pour la défense d'un homme, néanmoins il n'a jamais été question que je fasse libérer Steve Bouchard !

— Tu persistes pourtant dans ton choix de le défendre ?

— Bien sûr. Je me suis engagée il y a des années.

— Eh bien fais-le… Fais-le donc, conclut Anthony avec un rictus désabusé, en reposant ses couverts.

Louisa sembla touchée, pour une fois. Elle observa la posture de son fils et parut craindre qu'il ne se levât subitement, sous le coup de la colère.

— Tu ne t'es jamais dit, reprit-elle, que si j'avais choisi cette affaire, c'était aussi pour me rapprocher de toi ? Tu m'excluais de ta vie privée, alors c'était aussi un moyen pour te voir davantage.

— Évidemment que je l'ai compris, mais c'est tellement tordu… et vain… Ton cynisme me tue… Si encore tu avais choisi la partie civile d'une des victimes…

— Je ne suis jamais avocate de la partie civile, rétorqua Louisa sans hésiter et en retrouvant sa force de conviction. Je n'accuse pas et ne crie pas avec les loups, je *défends* ! Je ne suis pas un procureur et jamais je ne me comporterai comme tel. Apaiser la douleur des victimes n'est pas mon rôle…

— … « Défendre et seulement défendre ! », je sais ! l'interrompit son fils. Eh bien défends donc cet enfoiré, maman. Qu'est-ce que tu veux que j'y fasse ?

— Tu ne veux pas comprendre que je ne suis pas moraliste… Je suis une humaniste, c'est différent.

— Une humaniste d'hôtels particuliers…, ironisa Anthony, tout en désignant l'endroit luxueux où ils se trouvaient.

— Qu'est-ce que tu entends par là ? Je serais plus crédible à tes yeux si j'étais pauvre ? Sache que l'argent n'a jamais été mon moteur, jamais, et je n'ai jamais été entretenue par aucun homme ! Ni par ton père ni par Sully, et je n'ai rien accepté d'eux une fois mes histoires d'amour finies ; tout ce que tu vois ici autour de toi est le fruit de ma réussite, de ma seule réussite dans mon travail, et je ne l'ai volé à personne !

— Je ne t'ai jamais reproché d'avoir bien gagné ta vie, poursuivit Anthony d'une voix plus calme. Je déplore seulement toutes ces contradictions.

Louisa chercha à lire dans le regard de son fils mais, irritée et lasse, elle se trouva un instant à court de mots. Puis elle commenta :

— Dès qu'on passe un moment ensemble, il faut que tu cherches le conflit. Tu détestes tellement ta mère, je suis si mauvaise à tes yeux ? Tout ce que je souhaitais, c'était prendre de tes nouvelles, m'occuper un peu de toi… Avoir une discussion normale ! Et c'est tellement déprimant de voir que c'est impossible. On ne s'est pas vus depuis des mois tous les deux seuls, et je t'ai préparé un bon repas…

— Qu'est-ce que tu veux exactement ? s'emporta à nouveau Anthony. Rattraper le temps perdu ? Avant, t'étais tout le temps ailleurs, tu avais mieux à faire. Merci, je suis grand maintenant, j'ai plus besoin de toi !

— C'est ce que tu crois…

— Non, c'est la vérité… Tu étais jeune et belle, et maintenant que la frénésie de la vie se bouscule moins à ta porte, tu débordes soudain de temps pour moi ?

Un peu sonnée, Louisa s'abstint de répondre et écouta son fils aller au bout de sa diatribe.

— Arrêtons de nous mentir. Tu es égoïste mais tu es loin d'être bête, alors je ne vais rien t'apprendre : si la pimpante Louisa Rauch avec le vent en poupe a disparu, ton petit garçon a fait de même. Tu ne l'auras plus jamais en face de toi ; à ton âge on ne rattrape plus le temps perdu.

— Tu aurais fait un bon avocat général, tu peux être tellement cruel, commenta Louisa en masquant son émotion. Je sais que tu as souffert, mais cette manie que tu as de me faire payer… C'est insupportable, dit-elle avec une grimace.

— Je me fiche de te faire payer ! Je t'explique mes états d'âme car tu ne les comprends pas ! Sans arrêt, tu reviens vers moi, sous tous les prétextes !

— Parce que si je ne le fais pas, tu ne le feras pas non plus ! Et je trouve ça tellement triste… Mais bon, reprit-elle, plus offensive, s'il y a que ça pour que tu te sentes mieux, eh bien soit ! Je me ferai discrète ; un temps ! Parce que si, en échange, tu pouvais arrêter de répéter les mêmes choses et de geindre…

Elle criait presque, à présent, en montrant sa lassitude et son exaspération. Soudain elle l'exhorta :

— Arrête de te plaindre, et VIS ! Tu es blessé, d'accord, alors soigne-toi, et vis ! Cesse de déporter la faute. Sully était coupable, et il est mort ! Il y a longtemps, maintenant. Tu me tiens pour responsable de tous tes maux, et je le suis en partie, certainement, mais ne te défausse pas sur moi comme sur d'autres si tu veux avancer !

— Sur qui d'autre, à part toi ?

— Je n'ai pas envie de répondre, lui dit Louisa en détournant la tête, tout en gardant son air dur et fermé.

— Pourquoi ? Qu'est-ce que tu veux dire, va au bout…

— Amandine, par exemple…, lâcha sa mère en le fixant à nouveau. Elle avait une mauvaise influence sur toi, et je t'avais prévenu à ce sujet, mais ce n'est pas elle la responsable. Elle n'a rien fait à Maleesha. Dieu sait que je ne l'aimais pas, mais tu dois regarder la vérité en face. Tu n'étais plus toi-même et tu as des circonstances atténuantes et… attaqué par d'autres, je te défendrais ! Mais arrête de chercher des boucs émissaires si tu veux avancer !

À l'énoncé des prénoms des deux jeunes filles, Louisa avait vu son fils comme tressaillir, et un instant après elle s'en était voulu de le meurtrir en lui assénant ces vérités. Elle aurait préféré s'excuser, ou lui dire qu'elle l'aimait, mais elle en était incapable.

Anthony demeurait muet, en la fixant, un moment qui lui parut durer une éternité.

— Tu vois, tu as réussi. On n'arrive effectivement pas à passer un moment ensemble sans que ça se termine en engueulade ! Tu n'as qu'à quitter la table, je te ramènerai après. Mets-toi en colère, coupe-toi l'appétit si tu veux. Mais moi je ne me suis pas donné ce mal pour rien, alors je mange ! tonna Louisa, la voix tordue par l'émotion, avant de planter sa fourchette dans un morceau de viande et de le mâcher rageusement en réfrénant ses larmes.

Anthony détourna la tête. Il sentait un mal de crâne poindre. Sa mère ne supportait pas de ne pas avoir le dessus, il fallait qu'elle termine en criant. Maintenant elle se taisait.

Le silence.

Et puis des bruits anormaux, désagréables, qui lui firent tourner à nouveau la tête vers elle.

D'une main, Louisa tenait sa gorge ; sa bouche était ouverte, ses yeux étaient exorbités et apeurés, tandis que de l'autre main elle agrippait la table.

Leurs regards se croisèrent et, pour l'avoir déjà connue dans cet état, Anthony comprit qu'elle faisait une nouvelle fausse-route. Un faible chuintement s'évacuait de sa gorge, et sa peau changeait progressivement de couleur. Sa face ne présentait plus qu'une grimace horrifiée, proche du rictus, et sa mère lui évoqua à ce moment un vieux singe à l'agonie. Anthony se sentit pétrifié, mais calme. Vaseux, comme un simple spectateur. À sa surprise il se demanda s'il préférait que sa mère vive ou meure.

Il restait immobile sur sa chaise et il lui sembla que sa mère lut ses interrogations sur son visage.

Les quatre pieds de la chaise de Louisa partirent soudain en arrière dans un crissement atroce, elle bondit sur ses deux jambes et commença à s'agiter derrière la table, à la recherche d'une solution. Muette. À nouveau, elle dévisagea son fils et lui adressa des gestes paniqués pour implorer son aide, mais elle comprit qu'il ne ferait rien et se mit à marcher dans la pièce en cherchant quoi faire. Elle s'appuya contre une commode, tourna maintes fois sur elle-même, tête levée, en luttant désespérément pour inhaler les goulées d'air qui se refusaient à elle.

Louisa continuait de maintenir sa gorge, devenue son ennemie. Par à-coups, elle se frappait vainement la poitrine du poing. Spectacle hideux et cruel. Seul le bruit du choc sur sa cage thoracique résonnait.

L'action durait depuis vingt-cinq secondes peut-être. Anthony fut bientôt victime de tremblements. Le plaisir, furtif mais réel, était parti. Sa mère n'allait pas tarder à crever, et une envie de vomir le submergea.

Il ne pouvait pas laisser faire.

Alors, il bondit à son tour de sa chaise et s'élança maladroitement jusqu'à elle, en se mettant dans son dos. Louisa se laissa agripper, sans résistance ; Anthony plaça son bras blessé sur son thorax, puis il effectua une vive pression avec son deuxième bras. Une fois, deux fois, sans résultat. Il frappa plus fort, en étouffant un cri car sa blessure le lançait atrocement à chaque choc. Et lui donna un dernier coup, plus fort, jusqu'à la délivrance.

La boule partiellement mâchée s'éjecta hors de la trachée et atterrit sur le sol.

Épuisée, Louisa manqua de s'effondrer par terre, mais Anthony la retint juste à temps.

Le système respiratoire de la sexagénaire s'était remis en route, et elle aspirait l'air autant qu'elle le pouvait en émettant des sons douloureux et chuintants. Elle suffoquait encore, et son fils ne s'écartait pas et continuait de la soutenir, quand soudain elle se dégagea avec une exaspération proche de la fureur.

— Laisse-moi ! NE ME TOUCHE PAS ! tança-t-elle son fils d'une voix qui parut sortir de ses entrailles.

Alors que celui-ci s'exécutait, immobile et un peu courbé car il ne savait quelle posture adopter, Louisa se traîna sur le sol jusqu'à un mur, contre lequel elle s'adossa. Éloignée de son fils, elle tremblait de la tête aux pieds, soudainement en larmes. Elle pleurait comme une enfant, d'une façon dont Anthony n'avait jamais été le témoin. Elle le dévisageait, furieuse et en état de choc.

Anthony restait immobile et tremblant, dépassé par la situation.

— VA-T'EN ! VA-T'EN D'ICI ! hurla Louisa avec difficulté mais avec une conviction désormais absolue.

Elle ne quittait pas Anthony de ses yeux grands ouverts, comme si elle le découvrait avec horreur.

— TU ES UN MONSTRE ! TU N'AIMES PAS TA MÈRE… Tu voudrais me voir morte.

Anthony restait paralysé, glacé, la mine contrite. Il avait l'impression désagréable d'avoir rêvé tout ça ; il savait pourtant qu'il n'y aurait pas de retour en arrière.

— Tu veux que j'appelle une ambulance ?

— Pars ! Va-t'en, je ne veux plus te voir ici, ordonna-t-elle avec une rage désespérée. Tu as gagné cette fois, c'est terminé ! Je veux que tu partes, TU ES HORRIBLE ET TU ME FAIS PEUR ! Tu n'aimes pas ta mère ! J'en ai fini avec toi, je ne veux plus jamais te voir ! VA-T'EN ! hurla-t-elle de toutes ses forces et en pleurant toutes les larmes de son corps, encore assise par terre.

Et Anthony quitta la pièce tandis qu'elle terminait de hurler ; marchant très vite, les yeux embués, il franchit la lourde porte de la maison, puis celle du portail et se retrouva dans la rue, à avancer sans se retourner, sans savoir où aller ni ce qu'il allait faire…

Trois heures plus tard, Anthony s'aperçut qu'il se trouvait dans le quartier de l'Opéra, et n'avait pas la moindre idée de pourquoi il était venu ici.

Il commanda un taxi.

Une fois rentré chez lui, il sombra rapidement dans un sommeil peu réparateur, duquel il émergea, en nage, à trois ou quatre reprises pendant la nuit. Terrifié.

Certains de ses morts lui rendirent visite, cette nuit-là.

III

III

[illegible]

[illegible] sur une grande partie de la France. Les autres, [illegible]

[illegible]

[illegible] Boucharel [illegible]
informée que les jurés étaient plus enclins à prononcer
[illegible]

1

La cour d'assises était brûlante, malgré les fenêtres ouvertes, et Déborah se demanda si la climatisation était en panne ou si la salle était simplement trop ancienne pour en être équipée. Elle n'osa pas poser la question à son avocate, ni aux trois jeunes femmes assises à ses côtés, mais elle apprendrait un peu plus tard que la deuxième supposition était la bonne.

L'ouverture du procès, un 25 juin, coïncidait avec le début d'un épisode caniculaire qui sévissait sur Paris ainsi que sur une grande partie de la France. Les débats dureraient cinq jours, et s'achèveraient avec le commencement des vacations judiciaires. La chaleur n'avait pas découragé les journalistes et le public, entassés dans la salle et rendant l'atmosphère encore plus étouffante.

Aucune des parties civiles n'avait demandé le huis clos. Sans s'être concertées, toutes voulaient que les gens sachent quel homme était véritablement Steve Bouchard ; en outre, l'avocate de Déborah l'avait informée que les jurés étaient plus enclins à prononcer un verdict sévère lorsque la foule était présente.

Steve Bouchard risquait vingt ans de prison, pour viol aggravé. Déborah voulait qu'il prenne le maximum.

Elle était la *victime numéro trois*. Les trois autres jeunes femmes étaient assises sur le même banc et s'étaient toutes rencontrées le matin même, l'instruction n'ayant pas souhaité qu'elles puissent se côtoyer plus tôt. L'ambiance était extrêmement lourde, au moment où elles s'étaient assises côte à côte à 9 h 30. Toutes se ressemblaient physiquement, c'était indéniable. Puis la gêne s'était peu à peu dissipée, et Déborah avait commencé à sentir le lien qui les unissait et qui ne ferait que se renforcer au fil des jours. En messe basse, certaines d'entre elles commencèrent à échanger des commentaires et, les diverses pauses aidant, une complicité dans la souffrance s'instaura vite.

Affronter le regard de Bouchard représentait la pire épreuve. Il était assis dans son box, face à elles. Le plus souvent, il baissait les yeux ; mais à de brefs moments ceux de Déborah et les siens s'étaient croisés. Un regard vide, dépourvu de regrets. Fouineur.

Elle voudrait les lui arracher, souhaiterait avoir cette force. Pourtant, au fond d'elle-même, elle était terrifiée. Se trouver face à cette ordure était un supplice qu'elle redoutait depuis des mois. De toutes les personnes dans la salle, il était celui qui bénéficiait du plus d'espace et qui respirait le mieux, tranquillement assis dans son box. Il arborait une chemise blanche, bien repassée, qui donnait à sa peau grasse et à son teint pâle un aspect plus blafard encore. Ses cheveux blonds étaient coupés ras. En l'examinant ainsi, avec plus de temps que nécessaire, elle fut frappée par la juvénilité de ses traits.

Juste devant lui, son avocat – un senior de belle allure, chaussé de lunettes, aux cheveux très blancs – était le plus souvent plongé dans ses notes. Parfois, maître Marciano se levait et murmurait des indications à son client avant de prendre la parole.

Depuis près de deux heures, le président procédait à un rappel des faits, essentiellement à l'intention des membres du jury, tirés au sort un peu plus tôt et non récusés par le parquet ou la défense. Steve Bouchard serait entendu en fin de journée. Quant aux quatre victimes, elles ne seraient appelées à témoigner que le lendemain, pour raconter leurs viols puis leurs parcours durant les années qui suivirent.

Malgré elle, Déborah entendit l'une de ses voisines, Stéphanie, victime numéro un, qui murmurait des commentaires à Mélina, victime numéro deux. Leur attention paraissait attirée par quelque chose ou par quelqu'un, dans le public. Et sans vouloir les espionner, Déborah ne put se retenir d'examiner la salle à son tour. S'apercevant que Déborah tournait la tête dans la même direction, Mélina se rapprocha pour l'avertir :

— On vient de se rendre compte que le capitaine Rauch est ici, tu l'as vu ?

— Non, où ça ?

— Au fond, sur l'avant-dernier banc, répondit Mélina avant de détourner le regard pour ne pas paraître insistante. Il est presque méconnaissable, mais on est certaines que c'est lui.

Déborah examina l'avant-dernière rangée, et là, elle l'aperçut. L'ancien policier la fixait également, et leurs regards se soutinrent de longues secondes. Anthony fut le premier à détourner la tête.

Il était bien là, perdu dans la salle. Le même visage, et pourtant complètement différent. Il portait une barbe, bien taillée, et paraissait en forme. Une silhouette qui restait large, mais beaucoup plus musclée. Rauch parut un peu embarrassé qu'elle le toisât avec tant d'insistance ; à présent il observait la cour, mais il sentait visiblement le poids de son regard.

Quel culot il a, songea Déborah, avec colère.

Venir ici, face à elles… Elle ne s'attendait pas à le revoir. Ses collègues lui avaient dit qu'il vivait désormais reclus, en proie à l'anathème de son ancienne hiérarchie.

Mieux valait pour lui qu'il ne vînt pas près d'elle.

★

En prenant place au fond de la salle, Anthony avait très vite aperçu cet homme qu'il connaissait si bien, devant le box de la défense ; un ami cher de Louisa. L'un de ses confrères qu'elle estimait le plus, et très présent dans sa sphère intime. Toute son enfance, Anthony l'avait régulièrement croisé, puis de nombreuses fois encore un peu plus tard, durant sa vie de flic.

Sa mère ne viendrait pas, elle avait donc passé le relais.

Depuis trois ans, il attendait cette décision, impossible en temps normal lorsque Louisa s'était engagée auprès d'un client. Sans doute ne lui aurait-il jamais pardonné de défendre Bouchard, pourtant Anthony ressentit avant tout une déception en comprenant, en ce premier jour de procès, qu'il ne verrait pas sa mère se bagarrer verbalement lors des audiences à venir.

Elle ne viendrait pas. Il en était la cause. Onze mois s'étaient écoulés, et Louisa ne lui donnait plus signe de vie. Aucune visite, aucun message ; aucun coup de fil. Pour la première fois de son existence, sa mère l'avait entendu et respectait sa volonté. Enfin. Et pourtant, il ne se sentait pas rasséréné.

« *Tu n'aimes pas ta mère ! J'en ai fini avec toi, je ne veux plus jamais te voir ! VA-T'EN !* » Il revoyait son air furieux et tellement triste. Qui ne l'aurait pas été, à sa place ? Il avait d'abord pris tout ça pour des paroles en l'air, mais peut-être avait-elle vraiment renoncé à lui, pour de bon cette fois.

Il ne supportait plus de la voir, or maintenant qu'elle avait disparu, il ressentait un vide.

Jamais il ne s'en sortirait.

Privé de Louisa Rauch, Bouchard n'en avait pas moins retrouvé l'un des plus grands ténors du barreau en activité. En se désistant au profit de son ami, Louisa n'avait pas simplifié la tâche de l'avocat général.

La matinée étant dévolue à la sélection des jurés, étape longue et fastidieuse, Anthony avait préféré ne venir qu'à 13 h 30, au commencement des débats.

Toutes étaient présentes, assises en rang. Les quatre femmes du dossier, dont ses collègues et lui s'étaient occupés sitôt après leur calvaire. Essayant l'impossible : les rassurer. Les calmer, après le choc d'une vie. Tout en s'efforçant aussi de puiser l'exhaustivité de leurs souvenirs. L'information clé, qui ferait la différence.

Stéphanie, Mélina, Déborah, Leïla. Si vulnérables. Si proches à cet instant, comme des sœurs. S'il avait marqué leurs vies, elles avaient aussi marqué la sienne. Il avait souhaité les aider à aller mieux, profondément, et à limiter leur nombre autant que possible sur leur banc ce jour. Au final, il avait fait ce qu'il avait pu, et ferait plus encore s'il en avait la possibilité. Malgré leurs différences de caractère, toutes étaient semblables à ses yeux lorsqu'il travaillait sur leurs dossiers. La complicité trop poussée était à proscrire, comme tout favoritisme.

Pourtant… en ce premier jour d'audience, l'une d'entre elles attirait constamment son regard et éclipsait les autres. Il connaissait bien son visage, et connaissait cette femme ; mais c'était la première fois qu'il la *voyait.*

Déborah avait changé. Vieilli, d'une dizaine d'années en à peine trois ans. Des cheveux blancs étaient apparus, épars, sans altérer sa beauté saisissante.

Bien au contraire.

Elle était entièrement vêtue de noir, comme ses *sœurs.* Aucun sourire, un air dur. Tellement dur, et tellement douloureux. L'ensemble de ses gestes était étonnamment gracieux, tout en étant porteur d'une incommensurable tension.

Anthony n'était plus aveugle. Toutefois ce n'était pas juste son physique qui l'attirait soudain, car toutes étaient belles. Aucune femme, en fait, ne lui avait fait cet effet-là depuis l'arrêt de son traitement, et ce qu'il éprouvait allait au-delà. Il n'était plus le même que trois ans plus tôt et ne l'avait jamais autant ressenti qu'à ce moment.

Désormais, il regrettait la cruauté de leur dernier échange. Du moins la manière car, sur le fond, quel autre choix avait-il eu ? La fréquenter en dehors du travail n'était pas sain, même pour boire un verre, Marion avait raison.

Tout ce qu'il désirait, à l'époque, c'était l'aider. Et il le désirait encore ardemment.

Stéphanie fut la première à l'apercevoir et à le dévisager. Puis il vit qu'elle faisait passer le message aux autres.

Toutes paraissaient surprises en l'observant, et certaines mal à l'aise. Déborah plus encore que les autres. Elle fut la seule à ne pas répondre au hochement de tête qu'il leur adressa, tour à tour.

Il ne voulait en aucun cas leur infliger une épreuve supplémentaire, mais il devait les voir. Aller au bout. Il était lié à cette affaire et à elles, comme elles l'étaient à lui.

Toutes les deux heures en général, les présidents suspendent les audiences et le leur ne fit pas exception. Quand il interrompit les débats vers 16 heures, Anthony saisit l'occasion pour les rejoindre. Il fendit rapidement la foule, en effectuant la quinzaine de pas qui le séparaient d'elles.

Aucune d'elles n'avait encore eu le temps de s'éloigner du banc, même si certaines étaient debout pour étirer leurs corps endoloris. Déborah était toujours assise, son buste longiligne et puissant penché en avant. Seule sa tête bougea pour s'incliner vers le haut, au moment où il se posta juste en face d'elle.

En premier lieu il leur adressa un bonjour à toutes, auquel elles répondirent timidement – sauf Déborah, encore une fois –, avant de reprendre :

— Je suis heureux de vous revoir, même en ces circonstances. Et je suis venu vous apporter mon soutien. Je ne vais pas rester durant tout le procès mais je reviendrai pour le verdict. Le président n'a pas souhaité me désigner comme témoin, et c'est probablement mieux au vu de ce qui m'est arrivé. Le capitaine Théo Larcelli sera présent. Il connaît parfaitement le dossier et synthétisera ce que le capitaine Mesny et moi-même aurions pu déclarer.

» Marion… Marion Mesny, reprit Anthony, était une policière exceptionnelle, qui s'est énormément impliquée dans votre affaire, jusqu'à courir après Steve Bouchard en pleine rue pour l'arrêter. Marion éprouvait une très grande empathie à votre égard. Elle aurait aimé être là, et je suis persuadé qu'elle vous accompagne par la pensée, où qu'elle soit, dans cette étape si importante. Je ferai de même, et je vous souhaite bon courage.

Avant qu'il ne parte se rasseoir, trois des quatre jeunes femmes lui adressèrent des remerciements laconiques mais sincères. Déborah resta muette.

2

34, quai des Orfèvres. Après s'être échappée du tribunal, elle avançait d'un pas rapide, sans se retourner. Le président avait mis un terme à cette première journée, le procès reprendrait le lendemain. Aussitôt, Déborah s'était éclipsée, sans attendre les trois autres. Ni l'envie ni la force de débriefer, et encore moins de répondre à d'éventuelles questions de journalistes.

En arpentant le quai, le célèbre « 36 » apparut sur sa droite. Une indéniable aura se dégageait de la bâtisse, et les innombrables véhicules de police n'y étaient pas pour rien. Tout ça avait *de la gueule*, tout de même, songea Déborah. Bientôt, commissariats et tribunaux déménageraient dans la Cité judiciaire de Paris, porte de Clichy. Sans s'arrêter, Déborah observa deux policières devant les grilles, assez jeunes et armées jusqu'aux dents, une imposante mitraillette en bandoulière. Et elle songea qu'elles avaient bien de la chance, ces filles, d'avoir le droit de porter sur elles un pareil attirail.

L'île de la Cité était un bel endroit, très agréable en temps normal. Le soleil du soir d'été illuminait la Seine, et les Parisiens buvaient des verres aux terrasses des nombreux cafés. Déborah voulait rentrer chez elle au plus vite. Direction le Pont-Neuf, puis la ligne 7.

La journée du lendemain serait la plus éprouvante. Et celle qu'elle attendait le plus, paradoxalement.

Raconter, non seulement le viol mais les trois ans qui avaient suivi. Les répercussions, professionnelles et sentimentales. Trois ans d'épreuves et de peur, d'efforts pour se reconstruire ; elle déballerait tout, face à la cour et à Bouchard, qui serait bien forcé de toutes les écouter, cette fois. Peut-être qu'il s'en ficherait, insensible à la douleur d'un autre que lui – la sienne, de douleur, l'intéressait énormément, en revanche. Il fallait le voir, se lamentant régulièrement à propos de ses migraines, ou dénonçant de prétendues brimades qu'il subissait en prison. Peut-être jubilerait-il devant leur malheur, mais les jurés sauraient, et les gens, les journalistes…

Bien sûr, il faudrait aussi raconter ce qu'il avait fait. Détailler les dix minutes. Énumérer les gestes odieux, une fois de plus, les énoncer à voix haute.

Elle viendrait seule, comme aujourd'hui. Sa mère avait voulu l'accompagner et insisté pour la soutenir dans cette épreuve. Mais Déborah ne s'en sentait pas la force, avoir sa mère dans l'auditoire était trop dur. Même si elle savait dans les grandes lignes ce qui s'était passé, exposer devant elle chaque détail sordide les détruirait toutes les deux. Elle refusait de leur infliger cette peine supplémentaire. Sa mère était son plus grand soutien, l'unique personne au monde sur laquelle elle pouvait réellement compter. Mais peu à peu, impuissante, elle avait vu sa fille s'enliser dans une lente dépression.

Déborah avait décidé de s'en sortir sans aide, en se plongeant dans son travail. Et en relativisant. Refusant que ces dix petites minutes entravent sa vie. Mais peu à peu, la situation était devenue intenable. Elle s'était progressivement déconnectée de son travail, et pire, il lui faisait peur. Peur de rentrer dans les immeubles, peur du contact avec les autres, avec les hommes. Une aboulie permanente et un désintérêt croissant. Perte de confiance en elle, en ses capacités. Perte de mémoire et accumulation de retards qu'elle ne se sentait pas en mesure de rattraper. Poursuivre comme infirmière devenait au-dessus de ses forces, pourtant elle appréciait sa profession auparavant. Que pouvait-elle faire d'autre ?

Elle, qui toute sa vie s'était considérée comme une gagnante et dont l'énergie ne l'avait jamais trahie, se sentait désormais dépourvue d'ambition. Assumer des responsabilités la faisait fuir, et sa faculté de concentration n'excédait plus un temps réduit. Jérôme n'y comprenait rien. L'apathie croissante de Déborah l'horripilait. Lorsqu'il rentrait de ses déplacements, il l'exhortait à *se bouger*, à ne pas lâcher son travail. Sans jamais discuter vraiment, sans mettre les mots… Sans rentrer dans le dur.

En vérité, et elle ne le comprit qu'au bout de plusieurs mois, le fond de l'affaire le dégoûtait. Bien qu'il refusât de l'admettre… Et même, il lui en voulait ; ça aussi elle ne le comprit que plus tard ; de s'être laissé faire, de ramener ça chez eux…

Elle agissait, à la suite de son agression, comme si ses sentiments avaient moins d'importance que ceux des gens qu'elle côtoyait. Même si Jérôme était un connard, elle s'en voulait de lui infliger tout ça.

Elle ressentait sa gêne, les rares fois où il l'embrassait. Leurs rapports sexuels n'avaient plus rien d'épanouissant. Il n'était pas l'unique responsable, bien sûr, mais à aucun moment il n'avait verbalisé leurs difficultés. Elle percevait son agacement. Sans doute la trompait-il et, le cas échéant, elle aurait pu l'admettre lorsqu'elle se trouvait au plus bas, tant elle se sentait coupable.

Et puis un jour, alors qu'il s'emportait contre elle une nouvelle fois pour une broutille du quotidien, elle eut un déclic. L'entendre aboyer contre elle fut l'injustice de trop et elle se demanda au fond ce que cette relation lui apportait. La réponse fut… pas grand-chose.

Alors elle lui annonça que c'était fini. Jérôme parut surpris, mais ne dit rien pour la retenir. Et pas une fois, depuis, elle n'avait regretté cette décision.

Des mois après, elle se laissa convaincre par une amie de s'inscrire sur une application de rencontres. Mais il était trop tôt, et ses bagages étaient trop lourds.

Même si elle plaisait encore beaucoup, elle n'avait plus goût au jeu de la séduction. Plus assez confiance en elle. Pas prête pour de la légèreté. Au fond, un véritable ami eût été bien pour elle, un ami qui fût aussi son amant, mais ses rares amis hommes étaient mariés. Alors elle fit deux rencontres, et coucha avec l'un d'eux. Et comme cette nuit ne se passa pas trop mal mais pas vraiment si bien, elle décida d'arrêter ; de rester comme ça et d'attendre, de voir, plus tard, au gré de rencontres. Deux ans s'étaient écoulés depuis et, finalement, tout ça ne lui manquait pas autant qu'elle l'aurait cru.

Elle donnait des cours de tennis, de façon ponctuelle. Pas envie de s'engager. Ses qualifications étaient largement suffisantes pour des leçons particulières, dès lors qu'elle le souhaitait. Un minimum d'heures lui procurait le nécessaire pour vivre, et ça suffisait. Pour construire, elle verrait plus tard. Après le procès pénal, le montant de l'indemnisation aux victimes du viol serait calculé. Les policiers lui avaient parlé de la CIVI, peu de temps après son agression, et au début elle ne s'était pas vraiment sentie concernée. Mais au final, après tout ce qu'elle avait traversé et malgré son optimisme initial, elle savait que cette somme l'aiderait à retrouver du souffle pour s'orienter vers quelque chose qu'elle serait apte à faire, et qui ne la ferait pas souffrir.

Sur l'insistance de sa mère, elle avait fini par consulter un nouveau psychiatre. Bien mieux que les précédents.

État de stress post-traumatique. Une évidence pour lui alors que pendant des années elle avait refusé de se voir dépressive. Une autre évidence, pour lui, était qu'elle ne parviendrait pas à s'en sortir sans aide. Et que le temps, sur lequel elle avait fondé ses espérances, ne résoudrait pas tout. Alors elle avait ravalé sa fierté et s'était laissé prendre en main. Force était de constater qu'elle allait un peu mieux. Et la peur, cette subreptice compagne, se faisait moins présente.

Sauf à ce moment précis. Tandis qu'elle arpentait les premiers mètres du Pont-Neuf, pourtant extrêmement fréquenté à cette heure-ci, elle ressentit encore cette trouille irrationnelle, qui la tenaillait sans qu'elle y pût rien faire. Elle se sentait suivie, depuis un moment déjà. Déborah jeta un coup d'œil furtif derrière elle sans rien apercevoir, avant de reprendre sa marche. Face à elle, le bâtiment de la Samaritaine se dessinait. Puis elle s'arrêta net et se retourna, afin de scruter les différents piétons. Et là, elle l'aperçut très vite.

Anthony Rauch, qui avançait d'un pas rapide, ralentit soudain en la voyant tournée vers lui. Puis il la rejoignit et s'adressa à elle, d'une voix grave, si grave qu'elle la fit frissonner comme quelques heures plus tôt. Impossible de s'y habituer, décidément, songea-t-elle.

— Excusez-moi, lui dit-il avec un geste de la main, je ne voulais pas avoir l'air de vous suivre et vous faire peur. Vous avez quitté le Palais de justice très rapidement, et…

Il hésita, avant de reprendre avec une pointe d'amusement :

— Vous marchez vraiment très vite ; je ne voulais pas courir et j'ai bien failli vous perdre de vue.

Déborah, muette, le laissait ramer devant elle. Anthony songea que sa présence était bien plus intimidante qu'auparavant. Il l'observait, immobile face à lui, le visage fermé. Grande, si grande et tellement belle. Elle ne cherchait plus à lui paraître sympathique.

— Bref, je me demandais si vous accepteriez de boire un verre avec moi, ou même d'aller manger quelque part ? Sauf si quelqu'un vous attend, bien sûr ? Je sais que c'est peut-être pas le soir idéal, ou peut-être que ça l'est justement ? Vous pouvez tout à fait dire non ; on peut aussi attendre la fin du procès…

— Pourquoi vous venez me voir, moi ?

— Comment ça ?

— On est quatre. Pourquoi est-ce que je suis la seule à qui vous proposez ça ? s'étonna la jeune femme.

— Oui, je comprends votre remarque, répondit Anthony avec un léger embarras. Et je n'ai pas vraiment d'explication, en fait… J'avais un lien avec vous toutes, mais dans votre cas c'était un peu particulier, avec mon père et tout ça… Je sais que vous devez me trouver sacrément gonflé car vous me le proposiez il y a trois ans, et j'avais préféré instaurer une distance, d'une façon assez sèche. En fait… ma vie a totalement changé aujourd'hui.

— La mienne aussi. J'étais complètement paumée à l'époque, et je le suis encore un peu. Je voulais passer du temps avec vous parce que j'aimais votre capacité d'écoute, et vous me rassuriez. Vous aviez quelque chose de singulier parmi vos collègues, différent des autres hommes. Mais depuis j'ai compris pourquoi et… c'est tellement malsain…, lui asséna-t-elle sans aucune retenue et avec une grimace. Vous pensez qu'on se sent comment, toutes les quatre, en fait ? On vous faisait toutes confiance. Et on a lu ce que la presse a écrit ensuite sur vous… les pires théories, ignobles…

— Ils peuvent écrire ce qu'ils veulent, je n'ai jamais rien raconté sur mon passé. Et je vous conjure de me croire, Déborah, dit-il en s'approchant d'elle : je n'ai jamais agi avec cynisme, ni vis-à-vis de vous ni d'aucune autre victime. Je comprenais votre douleur, et toute ma vie était focalisée sur mon travail.

— Peut-être que vous dites vrai, comment savoir ? Honnêtement, en vous voyant là devant moi… tout ça est surréaliste et je sais plus du tout qui vous êtes…

— Je comprends, acquiesça Anthony en regardant vaguement les passants autour d'eux. Quelqu'un d'autre m'avait dit la même chose, vous savez ? Les mêmes mots, exactement.

Il plongea à nouveau ses yeux dans ceux de Déborah. Un regard plus profond, très bleu, qui la troubla.

— Marion m'avait dit ça, le capitaine Mesny. Elle était très importante pour moi, comme ma sœur. La personne qui comptait le plus dans ma vie. Peu avant qu'elle ne meure, elle avait une telle colère, une déception si grande..., confia Anthony en grimaçant un peu. J'aurais aimé la convaincre que je n'avais pas menti sur qui j'étais ; seulement divulgué certaines choses sur celui que j'avais été avant. Je vous assure que j'étais sincère dans mon travail et que je ne trichais pas. Il y a longtemps, j'ai eu des problèmes et ensuite j'en ai causé moi aussi. J'ai voulu chasser le mal en moi, et me rendre utile, aider... Et je n'ai fait souffrir personne d'autre depuis.

— Pourquoi vous preniez ce traitement ? lui demanda Déborah sans détour.

Anthony entrouvrit la bouche... puis il hocha la tête négativement, pour lui montrer que s'il s'attendait à cette question, il ne pouvait y répondre.

— Vous ne voulez pas le dire ? fit-elle avec un rictus désabusé. Comment voulez-vous qu'on vous croie, si vous refusez de raconter l'essentiel ? Tout ça n'a aucun sens, conclut-elle en s'apprêtant à faire demi-tour.

— Attendez ! s'écria-t-il pour la retenir. – Puis plus doucement, en regardant autour de lui : – Écoutez ici il y a trop de monde, est-ce qu'on ne peut pas aller ailleurs ? Dans un café plus tranquille, par exemple…

— Honnêtement, je ne préfère pas.

— Très bien, dit-il en se rapprochant d'elle. Vous voulez la vérité, Déborah ? J'ai été violé quand j'étais enfant, par quelqu'un de très connu. Pas qu'une seule fois. Des tas de fois, par mon beau-père. Et en vous disant ça, croyez-moi, je vous fais beaucoup plus confiance qu'à la plupart des gens.

Sitôt après avoir entendu ces confidences, Déborah regretta d'avoir poussé l'ancien policier dans ses retranchements. Tout en masquant son trouble, elle sentit ses épaules s'alourdir ; alors qu'Anthony, au contraire, parut soudain soulagé de crever l'abcès et déterminé à poursuivre jusqu'au bout.

— Je ne sais pas pourquoi je vous confie ça, mais je sens que je dois le faire. Je suis prêt ; j'ai ressassé tout ça pendant des années en n'en parlant à personne et ça m'a rendu fou. J'ai pris ce traitement pour me soigner. Éliminer la partie noire que cet homme avait révélée en moi. Car j'ai mal agi. J'ai détruit quelqu'un. Une femme… Pas un seul jour ne passe sans que j'y repense. Je me repens. Je me déteste, lui dit-il avec conviction, son visage tout près du sien tandis que les badauds du Pont-Neuf continuaient d'aller et venir sans se soucier d'eux. Je ne pouvais pas aller en prison – pour des raisons qui seraient trop compliquées à résumer ici, mais si vous y tenez, un jour je vous raconterai, je le ferai… Ma seule alternative à l'époque était de mourir, et j'ai opté pour la vie, peut-être égoïstement. J'ai choisi de continuer mais avec ce traitement pour ne jamais – jamais – commettre un nouveau crime.

— Mais vous ne le prenez plus, votre traitement…

— J'ai changé, lui certifia Anthony. Arrêter ce médicament me terrifiait, moi plus que n'importe qui, car j'avais peur de redevenir comme ceux que je traquais chaque jour. Et je comprends que vous, ou n'importe qui puisse en douter. Mais vous m'avez toutes fait changer. Vous comprenez ? Vous m'avez fait changer, insista-t-il encore, et plus rien n'est comme avant.

— Je n'ai pas à vous juger, commenta Déborah en frissonnant un peu, malgré la chaleur encore très forte à cette heure-ci.

— Personne n'a à me juger, vous avez raison. Mais maintenant vous savez. Alors, bon… la balle est dans votre camp.

Un ange passa soudain et ils se regardèrent, sans savoir s'ils devaient avancer ensemble ou se séparer ici.

— Je sais que c'est n'importe quoi après tout ce que je viens de vous dire, mais… je ne veux pas que vous vous tracassiez pour ça, reprit-il un instant après. Vous avez déjà bien suffisamment à faire avec votre procès. Je ne vais plus venir pendant les débats, juste pour le délibéré. Sachez seulement que si vous changez d'avis, je serai disponible pour vous, et je serai ravi de prendre davantage de vos nouvelles.

Déborah fit un hochement de tête ; Anthony lui adressa un petit signe et rebroussa chemin. La jeune femme demeura immobile et le regarda s'éloigner dans le sens inverse sur le Pont-Neuf, puis elle reprit elle aussi son itinéraire jusqu'à la bouche de métro, dans laquelle elle s'engouffra.

3

« *En conséquence*, déclama le président, *la cour condamne Steve Bouchard à la peine de dix-sept années de réclusion criminelle.* »

Le soulagement, immédiat.

Enfin, ressentit Déborah au plus profond d'elle-même, *enfin c'en était fini*. Bouchard resterait en prison, et pour longtemps…

Bien sûr, il pourrait faire appel, mais le risque était grand de voir sa peine allongée à vingt ans au lieu des dix-sept, et peut-être y renoncerait-il.

Et surtout, cette sentence témoignait enfin, aux yeux de tous, du degré de souffrance qu'il leur avait infligé. Et Déborah sentit un poids énorme en moins sur ses épaules.

Dès l'énoncé du verdict, leurs regards à tous dérivèrent du président à l'accusé. Debout dans son box, Bouchard ne montra guère de réaction, baissant seulement la tête. Personne n'aurait été capable de dire ce qu'il pensait vraiment. Puis, sans un regard pour les parties civiles, il se laissa conduire par les gendarmes jusqu'à la sortie.

Dans la salle, le brouhaha avait repris et les gens commençaient à se lever. Les filles parlaient avec leurs avocats et entre elles. Émues et globalement satisfaites. Toutes étaient épuisées. Il était 23 h 30, le délibéré des jurés ayant duré quatre heures.

Pendant la très longue plaidoirie de maître Marciano et celles, plus courtes mais nombreuses, des défenseurs des autres victimes et d'elle-même, malgré son intérêt, Déborah n'avait pu s'empêcher de régulièrement tourner la tête vers Anthony, présent dans la salle. Lui la regardait très peu, attentif au déroulement du procès.

Bien sûr, elle avait plusieurs fois songé à leur échange sur le Pont-Neuf, tout au long de cette semaine. Ses sentiments étaient contradictoires et inconstants.

Le président avait ramassé ses affaires sur son pupitre et s'apprêtait à partir, en compagnie des assesseurs et des membres du jury. Une partie du public quittait progressivement la salle, et Déborah vit Anthony parmi la foule, debout, qui d'assez loin lui adressait un sourire bienveillant. Elle lui sourit en retour, et alors Déborah eut subitement conscience qu'il s'agissait peut-être de la dernière fois où elle le voyait. Et elle exécra cette idée.

Des gens attendaient derrière Anthony pour pouvoir circuler dans sa rangée. Avant qu'il n'avançât à son tour en se détournant, Déborah lui adressa vite un signe de la main, en désignant la sortie. « *On se retrouve dans le couloir ?* » articula-t-elle sans que sa voix porte mais d'une façon délibérément exagérée, afin qu'il comprenne. Anthony, la fixant attentivement, parvint à lire sur ses lèvres et il hocha la tête, visiblement enthousiaste à cette idée. Puis il sortit.

Après avoir une dernière fois remercié son avocate, Déborah se tourna vers Stéphanie pour l'embrasser. Puis vers Mélina pour l'étreindre, avant d'enlacer Leïla. Elles avaient déjà partagé un long moment, ensemble, à la cafétéria lors de l'attente du verdict. À présent, elles s'apprêtaient à rentrer séparément chez elles, avec leurs proches.

Elles s'étaient promis de se revoir.

Déborah sortit de la cour d'assises et déboucha dans la salle des pas perdus. Elle aperçut Anthony qui attendait plus loin dans le vaste et magnifique couloir en pierre, à l'écart de la foule. Rassurée, elle lui sourit et fit un nouveau geste à son intention pour lui demander de patienter ; puis elle saisit son téléphone et composa le numéro de sa mère. Encore une fois, elle avait préféré venir sans elle mais avait pour consigne de l'avertir dès le verdict rendu, quelle que soit l'heure.

Sa mère décrocha aussitôt et Déborah lui annonça :

— Dix-sept ans. Il a pris dix-sept ans.

Et elles ne purent s'empêcher de pleurer, car beaucoup de pression retombait. Déborah dit à sa mère qu'elle l'aimait, avant de raccrocher.

Elle rejoignit alors Anthony et ils firent quelques pas pour s'isoler un peu. Face à lui, elle gardait les bras croisés mais paraissait plus détendue. Éreintée mais rassérénée, comme après un marathon dont elle serait sortie vainqueur.

Il évoqua le verdict en premier, et elle fit une réponse laconique ; tous deux le jugeaient acceptable.

Puis elle lui dit qu'elle mourait de faim.

— On peut trouver un restaurant encore ouvert si vous voulez…, proposa Anthony.

— Oui, allons-y, répondit Déborah en restant immobile.

Elle continuait de le regarder sans détourner les yeux, très proche de lui. Et il comprit – ou du moins il crut comprendre – qu'elle avait envie qu'il l'embrasse.

Alors il s'approcha encore un peu plus d'elle et comme elle ne s'écartait pas, il dirigea son visage vers le sien, très lentement. Il l'embrassa. Un baiser chaste et infiniment tendre, qu'elle lui rendit.

★

Ils recommencèrent à s'embrasser, à l'arrière d'un taxi. Anthony avait demandé au chauffeur de rouler jusqu'au 8e, sans lui indiquer d'adresse.

— Si on allait chez moi, plutôt qu'au restaurant ? lui murmura Déborah à l'oreille.

— Tu es sûre ?

Elle hocha la tête sans hésiter.

Une fois arrivés chez elle, ils s'enlacèrent à nouveau contre un mur, dans l'appartement non éclairé. Leurs gestes se faisaient plus précis et appuyés.

— Tu es vraiment sûre que ça ne va pas trop vite ? insista Anthony, sincère, et plus qu'elle sur la réserve.

— Je n'ai pas fait l'amour depuis deux ans, lui révéla Déborah. Ne me juge pas… Peut-être que c'est complètement fou, mais j'ai envie.

Il fit preuve d'une grande délicatesse. Lui-même n'avait plus l'habitude de coucher avec une femme… du moins sans la payer. Tout ce qu'il désirait était qu'elle appréciât ce moment, et ne pas lui faire mal ou peur. À tel point que pendant l'acte, en souriant, Déborah le rassura en lui disant qu'il pouvait y aller plus fort, s'il le voulait. Elle n'était pas contre.

Elle n'avait pas peur. Si on le lui avait demandé, elle eût été incapable d'expliquer pourquoi. Il ne l'effrayait pas, elle se sentait à l'aise et en confiance.

La première fois fut douce et intense. Amoureuse.

Lui qui avait craint, pendant des années, de voir le Mal revenir et de rester nuisible, pensait désormais à elle avant de penser à lui. Il se mettait à sa place, et ne cesserait de le faire durant la suite de leur histoire.

★

Déborah dormait peu, en proie à des insomnies. Le matin suivant, aux premières lueurs du jour, elle observa Anthony assoupi dans son lit, durant de longues minutes.

Puis elle se leva pour aller enfiler sa tenue de sport, avant de quitter l'appartement sans faire de bruit.

Les rues étaient calmes à cette heure, en ce début d'été.

Déborah courait à un rythme soutenu. Elle partait pour une heure, au moins. Tant de choses se bousculaient dans sa tête. À mi-parcours, elle ne sut toujours pas si elle souhaitait rentrer chez elle, ou continuer dans cette direction qui l'éloignait.

Disparaître, pour la journée ou davantage.

Lui laisser le temps de se réveiller et de comprendre. Partir de chez elle, en claquant la porte.

Ses agissements de la veille avaient été le fruit d'une impulsion. D'une folie. Ils étaient deux blessés, rien de tout cela n'était raisonnable.

Puis elle fit demi-tour.

À son retour chez elle, elle se dirigea vers sa chambre. Le lit était ouvert, vide. Elle sentit sa poitrine se comprimer ; alors elle continua d'avancer dans le couloir, jusqu'à sa cuisine exigüe ; Anthony y était assis, en train de boire un jus d'orange.

Anthony la découvrit debout devant lui, le visage rougi et légèrement perlé de sueur. Tellement grande, dans son ensemble de sport aux couleurs flashy. Ses cheveux étaient noués en queue-de-cheval et il la trouva magnifique.

— J'ai eu peur, lui dit-il avec un léger étonnement.

Elle se retint de lui répondre qu'elle aussi. Et se contenta de lui adresser, soudain, le plus resplendissant des sourires.

4

Les sept mois qui suivirent furent une période de douce félicité. Une alternance de moments de quiétude et de ravissement, que ni Anthony ni Déborah ne se souvenait d'avoir vécus au cours de leur vie.

S'aider mutuellement leur apportait beaucoup, et ils eurent fréquemment l'impression que leurs remèdes respectifs résidaient chez l'autre.

Les premiers temps, ils entamèrent cette relation avec prudence et beaucoup de pudeur. En se laissant suffisamment d'air pour ne pas s'étouffer. Puis ils s'aperçurent qu'être séparé l'un de l'autre leur devenait de plus en plus désagréable, même sur un temps court. Alors ils habitèrent ensemble. Tour à tour chez elle et chez lui. À l'hôtel, en France ou à l'étranger. Ils étaient libres, sans véritable astreinte. La CIVI s'était prononcée sur le montant de l'indemnité versée à Déborah. 30 000 euros, au vu du préjudice subi, principalement en ce qui concernait sa carrière professionnelle. Une somme qui lui donnerait un peu d'air et dont elle n'userait que pour s'aider dans sa reconversion. Elle envisageait d'ouvrir un restaurant, sans savoir encore où, et Anthony l'y encourageait.

En attendant, il insistait pour s'occuper de tout et subvenir à l'essentiel de ses besoins, bien qu'elle y fût au début sincèrement réticente. Déborah n'aimait pas vivre aux dépens d'un homme mais Anthony lui répétait que l'argent n'était pas un problème, et qu'il préférait l'en faire profiter afin qu'elle pût l'accompagner dans une vie sans entraves.

Ils voyagèrent un peu, sans faste, uniquement pour changer d'environnement.

Bien qu'elle souffrît encore d'insomnies, Déborah ne vivait plus dans la crainte. Elle fut à deux doigts d'arrêter de consulter son psychiatre mais ce dernier, tout en étant heureux pour elle, l'exhorta à continuer afin de ne pas perturber le processus de rémission.

En compagnie d'Anthony, elle se sentait en sécurité. Il était fort et prévenant. Et drôle, bien plus qu'il ne le laissait paraître. Ils vécurent un peu coupés du monde, seuls dans la foule à l'étranger, ou isolés chez eux à Paris ; à discuter énormément, faire l'amour, regarder des séries et des films.

Anthony était passionné de cinéma. Il entretenait avec ce sujet un rapport contradictoire, mélange d'amour et de répulsion, dû à son passé.

Lui refusait de consulter quelqu'un, et Déborah n'insistait pas.

Bien sûr, au bout de quelque temps, ils parlèrent du viol de Maleesha. Et de son suicide. Le récit d'Anthony fut difficile à entendre pour Déborah, même si elle s'y était préparée. Elle eut beaucoup de mal à l'accepter, mais l'adolescent qu'il décrivait n'avait plus rien à voir avec l'homme qu'elle avait face à elle. Jamais il n'avait agi avec la moindre violence à son encontre. Elle croyait en son salut, et surtout elle l'aimait et se trouvait incapable désormais d'imaginer sa vie sans lui.

Anthony, quant à lui, remerciait chaque jour la chance, ou le ciel, de lui avoir fait connaître Déborah. Il se pinçait pour y croire. Lui qui avait renoncé à tout, aux femmes comme à devenir père, à l'amour et presque à la vie, cette dernière lui offrait plus qu'il n'aurait imaginé. Jamais, dans ses anciennes relations, il n'avait connu pareille sérénité ni telle symbiose. Il aimait tout chez Déborah, et elle avait besoin de lui. Tant d'années il avait craint de rester dangereux… Bien sûr, l'arrêt du traitement l'avait un peu rassuré : ses pulsions sexuelles étaient revenues, mais dépourvues de ses fantasmes d'antan, teintés de violence. Il parvenait à se contrôler, seul ou en employant des escorts. Rien de glorieux dans cette démarche… néanmoins il était redevenu un homme avec une libido, et l'abstinence eut été plus risquée. Il avait préféré faire des essais avec des professionnelles du sexe, redoutant ses réactions avec une femme de passage. Déborah apaisait sa colère, et jamais il n'en ressentit en lui faisant l'amour. Travailler pour et avec toutes ces femmes avait consolidé son empathie. Marion et elles toutes l'accompagnaient désormais. Il les avait prises en charge, s'était mis à leur place et efforcé de comprendre leur douleur. Tout cela suffirait-il à long terme ? Déborah restait fragile, et au moindre dérapage il prendrait de lui-même ses distances. De toute façon, elle ne le lui pardonnerait pas, il le savait.

Elle acceptait son passé. Elle l'aimait, autant que lui tenait à elle. Il voulait profiter de cette trêve.

Pour la première fois de sa vie – du moins depuis la petite enfance –, il connaissait un bonheur simple mais bien réel. Il sentait en lui un désir d'avancer et de bâtir quelque chose.

Un soir d'automne, alors qu'ils se promenaient sur le Champ-de-Mars face à la tour Eiffel, il demanda à Déborah ce qu'elle penserait d'arrêter la pilule.

« Je ne sais pas », répondit-elle, un peu surprise, la tête tournée vers lui. Ravissante sous son bonnet, avec un sourire qui découvrait ses jolies dents blanches.

5

Une infinité de flocons voltigeaient dans les airs, derrière les barreaux de sa fenêtre. Le sol de la cour, de la taille d'un terrain de sport, était couvert de deux bons centimètres de neige. Et bientôt, les innombrables pas des taulards souilleraient cette splendeur, trop brièvement immaculée.

Soudain son interphone se mit à crachoter le son d'une voix, presque incompréhensible : « Le Bot, au parloir ! » semblait crier le maton.

Maître Paindavoine l'attendait déjà dans une cabine exiguë, assis derrière une table. À l'arrivée d'Alpha, il se leva, pour lui tendre une main molle.

— Bonjour, comment allez-vous ? lui demanda le pénaliste.

En guise de réponse, Alpha hocha la tête et s'assit à son tour.

Le type se forçait à sourire, même s'il chlinguait la trouille. Un jeune branleur, qui vivotait de ses commissions d'office. Lunettes vissées sur le nez pour paraître sérieux, ongles rongés jusqu'au sang, alliance à l'annulaire. Stylo Montblanc pour faire croire que les affaires marchaient, sans doute offert par maman ou bobonne lors du dernier Noël.

Néanmoins, Alpha appréciait ses visites car elles le distrayaient. Avant Paindavoine, on lui avait attribué une *avocate*, elle aussi fraîchement diplômée.

Une femme, putain !

Le dossier ne lui faisait pas peur, et Alpha n'avait eu d'autre choix que de se la coltiner pendant sa garde à vue. Mais dès sa mise en préventive, au parloir, il l'avait affranchie :

— Écoute-moi bien, salope. Jamais une pute comme toi ne me défendra. Tu m'entends ? Alors, tu vas te désister de l'affaire, et débrouille-toi comme tu veux pour qu'ils me mettent un homme.

Elle avait mal réagi. Refusant de se débiner, fière, elle était restée à sa place et avait maugréé quelques paroles ineptes.

— T'as bien lu mon dossier, non ? avait poursuivi Alpha, calme mais intense. Tu as vu ce que j'aime faire, spécialement aux poules arrogantes dans ton genre ? Tu crois que les matons vont te protéger ? J'ai pas besoin de beaucoup de temps pour te faire mal, seulement quelques secondes. Je suis déjà dur, rien que d'y penser…

La « maîtresse » était devenue livide, en sueur.

— Va voir ton bâtonnier, ou qui tu voudras, mais si tu veux pas que je te rende *inutilisable*, ne reviens plus jamais me voir. DÉGAGE !

Elle avait ramassé ses affaires avant de sortir en vitesse, pour ne jamais revenir.

Et dorénavant, il était défendu par ce guignol. Délicieusement payé par l'État. Bien sûr, on était loin de l'élite du barreau, mais de toute façon ils ne le laisseraient jamais sortir, Alpha le savait, donc le véritable enjeu était ailleurs.

Le gosse n'avait eu qu'une mission et avait finalement réussi, même s'il avait mis le temps et qu'Alpha avait été contraint de l'aider : le faire sortir de l'*isolement*, voilà l'unique chose qu'il avait exigée de Paindavoine. Pendant quinze mois, le chef d'établissement s'y était opposé, craignant pour la sécurité d'Alpha. Malgré les demandes répétées qui lui étaient adressées, ainsi qu'au juge. Tous les chétifs de la terre semblaient s'alarmer pour sa sûreté – à lui ! –, et chiaient dans leur froc à l'idée qu'il subisse une agression mortelle. Puis d'être à leur tour vilipendés pour négligence.

Alpha se tenait tranquille. Il avait tout du détenu exemplaire : poli, discret et doux comme un agneau. Il se donnait un mal fou pour qu'on accède à ses modestes demandes, mais rien n'y faisait : il restait plus protégé qu'une pucelle de sang royal. Alpha arguait l'ennui profond, la dépression. Et usait d'une incommensurable diplomatie pour expliquer au directeur que, s'il savait qu'il passerait le reste de sa vie en détention et acceptait son sort, vivre coupé des autres hommes lui était en revanche insupportable. Il requérait le droit de se promener parmi ses codétenus, de côtoyer d'autres prisonniers et de se joindre aux activités communes.

Il se foulait jusqu'à écrire des lettres – interminables ! – au juge. Dans les parloirs, il chahutait son avocat pour le pousser à relayer sa demande et *se bouger*. Petit à petit, ses missives insinuèrent que si l'on refusait de l'écouter, le suicide constituerait pour lui la seule issue humainement acceptable pour échapper à ces conditions de vie indignes. Et comme le message ne passait toujours pas, il fit une première tentative – factice ! – en se cisaillant savamment quelques veines. Le sang avait bien dégouliné de partout, et leur avait donné un peu de boulot…

Une fois remis sur pied, ils le mirent tellement sous bonne garde qu'aucune évasion ne devint possible. Retour en *isolement*.

Faire une grève de la faim était envisageable, mais perdre du poids et du muscle était une stratégie peu adéquate avec la suite de ses projets. Alors la fois suivante, il tenta de se pendre à l'aide d'un drap. En s'élançant juste avant que les matons n'arrivent.

Le juge était un peu agacé et circonspect, et placer Alpha en HP fut un temps envisagé, mais la crainte d'une évasion était trop forte. Aussi, au bout de dix-huit mois et tandis que l'avocat d'Alpha les assurait avec aplomb que son client cesserait d'attenter à sa vie dès lors que l'on accéderait à sa demande, les autorités pénitentiaires y consentirent enfin. Et, bien que placé en cellule individuelle, Alpha put aussitôt communiquer avec les autres.

— Est-ce que tout se passe bien ? l'interrogea maître Paindavoine, avec un léger sourire non dénué de la fierté d'avoir accompli sa mission, et à mille lieues d'en percevoir le véritable objet.

— Parfaitement, lui assura Alpha. Faites-leur passer le mot et débrouillez-vous pour qu'ils ne changent rien.

★

Il se promenait dans la cour, parmi tous ces connards. Des jeunes, des vieux. Des barbus, des types aux crânes rasés. Des gringalets et des gros lards. Pour l'instant, tous se tenaient à l'écart, et lui marchait très tranquillement en regardant le ciel d'un gris uni, qui lui évoquait certaines mers de l'hémisphère Nord qu'il avait sillonnées. La neige ne tombait plus. Aux quatre coins de leur zone de promenade, Alpha apercevait les miradors et il lui sembla que tous les gardes avaient les yeux rivés sur lui. D'immenses grillages coiffés de barbelés séparaient les prisonniers d'un *ailleurs*. Le chef de détention avait donné des instructions à toutes ses troupes : le *lézard* était parmi eux, pas question qu'il trouvât un seul endroit où grimper ou se faufiler.

Dès sa découverte des lieux, une évasion par ce biais lui avait semblé compromise, voire inconcevable. Peu de temps après, un autre plan lui était venu en tête.

Ici, tout le monde savait qui il était et ce qu'il avait fait. Et pour ceux qui l'auraient ignoré, certains matons jouaient les gazettes. L'un d'eux, Parmentier, un grand rouquin assez gras, l'avait apostrophé dès qu'il l'avait conduit à sa première promenade parmi les autres :

— Tu sais ce qu'ils leur font, ici, aux pointeurs ? T'as des couilles, Le Bot. Ou alors t'es juste très con… Ou encore… t'aimes ça ? avait demandé le garde en ricanant.

Les *pointeurs*.

Le terme utilisé chez les détenus pour désigner les violeurs. Et la coutume carcérale, connue du grand public, était de les punir en les *pointant* à leur tour.

En naviguant, Alpha avait été amené à côtoyer nombre de types au passé trouble, dont certains étaient temporairement passés par la case prison. Et certaines histoires de ce genre étaient parvenues à ses oreilles. S'il les avait écoutées sans rien dire, Alpha avait toujours trouvé ironique cette façon qu'avaient les détenus de punir un violeur en en devenant un eux-mêmes. Et surtout, le plaisir qu'ils avaient pris à les violer sautait aux yeux.

Ils avaient bandé.

Alpha déambulait à l'extérieur, nonchalant, quand il aperçut M16, un tatoué bodybuildé aux yeux de fou. On le surnommait ainsi car le M16 était son arme de prédilection pour les *braquos*.

Dès la première promenade d'Alpha quelques jours plus tôt, ce type qui avait pris perpèt' pour le meurtre d'un flic était venu se coller à lui en chuchotant « *Pointeur... Pointeur...* ». Alpha avait immédiatement senti chez lui le potentiel qu'il recherchait. Depuis, à chaque sortie, ils se défiaient du regard, et Alpha ne baissait jamais le sien.

Ne pas provoquer de bagarre dans la cour. Ne pas risquer l'isolement. Le chauffer, juste ce qu'il fallait pour qu'il veuille en découdre.

M16 était entouré de sa bande, composée d'anciens braqueurs comme lui et de quelques petits branleurs, désireux de profiter de l'expérience du groupe et de sa protection. Alpha, esseulé, avançait l'air de rien non loin de la bande. Emmitouflés dans leurs blousons, les gars cessèrent immédiatement de parler en le voyant approcher et M16 fit quelques pas vers lui pour l'interpeller :

— Alors *pointeur*, t'aimes ça, t'en prendre aux femmes ?

M16 avait un léger cheveu sur la langue qui amusait beaucoup Alpha.

— Je m'en suis pris à des hommes, aussi, répondit-il en souriant et en les regardant tous, l'un après l'autre.

Soudain, tous s'approchèrent de lui pour l'encercler ; ils n'avaient pas prévu de l'agresser à ce moment-là, rien n'était préparé mais Alpha sentit que le lancement des hostilités n'était pas loin, aussi préféra-t-il calmer le jeu.

— Tu veux vraiment faire ça ici ? lui demanda-t-il. Avec tous les matons autour…

En disant cela, il en désigna deux, perchés à des endroits stratégiques et qui les observaient.

— Tu préfères pas un endroit tranquille pour qu'on se mette bien ? T'as peut-être peur d'aller au bout…

— On va tous te prendre un par un, fit la brute en collant son visage contre celui d'Alpha. Tu vas couiner comme toutes les filles que t'as violées…

— Ah oui ? s'enquit Alpha, avec un amusement ostentatoire. Plus on est de fous plus on rit, alors venez tous, les encouragea-t-il collectivement. Vous croyez me baiser ? Je suis sûr que c'est moi qui vous baise… Mais dans un endroit peinard, d'accord ? Tu vas bien trouver ça, M16. Les douches seront ouvertes dans la journée de demain, je crois ?

M16 hochait continuellement la tête, avec une grimace enragée et en serrant les poings. Apparemment, il s'y voyait déjà et se régalait d'avance ; Alpha se détourna le premier et reprit tranquillement son petit tour.

S'isoler avec un autre détenu n'avait rien d'impossible en prison, pour peu qu'on eût l'approbation d'un surveillant. Et certains d'entre eux ne rechignaient pas à l'accorder, dès lors qu'il s'agissait de compenser les lenteurs ou la clémence de la justice par une autre, largement plus expéditive.

★

L'espace des douches était constitué d'un long couloir relativement étroit avec, sur le côté, une rangée de cabines individuelles.

Il avait la possibilité de mettre à profit la configuration du lieu, même si ça s'annonçait difficile et incertain.

Au fond, peu lui importait d'échouer. Il pensait réussir, mais l'issue n'était pas si importante. Alpha refusait de passer le reste de sa vie enfermé, lui qui ne rêvait que d'océan – et de vengeance au préalable. Pas question de moisir ici.

Partir, sur ses deux pieds ou les pieds devant.

Une seule chose était sûre : il ne partirait pas seul. Si ce devait être son dernier combat, alors il donnerait tout.

Il comprit que le moment arrivait lorsque les deux derniers détenus à sortir des cabines ne furent pas remplacés par des nouveaux. Le maton Parmentier, assigné aux douches, lui avait adressé un regard narquois et éloquent avant de le laisser entrer dans le local avec sa serviette et son savon. Toutes les conditions étaient réunies.

Alpha attendait hors de sa cabine, au fond du couloir, uniquement vêtu d'un caleçon. Et comme prévu, M16 apparut à l'entrée des douches, suivi de ses sbires. En tout ils étaient cinq, les plus forts devant.

Alpha comptait utiliser l'étroitesse du couloir pour ajouter de l'équité à l'affrontement. Les prendre un à un, en les poussant à attaquer tour à tour ; les contraindre à se succéder dans le combat, selon la stratégie des spartiates.

Déceler l'Alpha et l'éliminer en premier.

Dans cette meute de huskies se prenant pour des loups, M16 était évidemment l'Alpha. Le braqueur s'approchait avec un rictus, et venait désarmé pour montrer qu'il était sûr de lui et désinvolte. Derrière, légèrement sur sa droite, le premier des deux *Bêta* avait le même genre de carrure bodybuildée que M16. Il exhibait une arme artisanale, typique des prisons : un peigne avec des lames de rasoir ficelées aux pointes. À sa gauche, un Bêta moins épais tenait un poinçon. Encore derrière eux, un Gamma était venu les mains libres mais tapotait son poing dans sa paume pour montrer qu'il voulait en découdre. Au dernier rang se tenait un Oméga *fragile*, un gringalet d'environ 20 ans.

M16 se plaça à nouveau tout près d'Alpha, comme précédemment dans la cour, un sourire laid et enthousiaste déformant son visage glabre. Il n'allait pas tarder à frapper, ou à lancer l'un de ses Bêta.

Aucun d'entre eux ne s'aperçut qu'Alpha tenait lui aussi quelque chose : une lame de rasoir, calée entre son index et son majeur, légèrement repliés. La lame était dissimulée par le dos de sa main, tourné vers ses assaillants.

D'une façon nonchalante, Alpha leva la main vers son visage, paume tournée vers lui, et commença à se gratter la base du cuir chevelu avec son pouce comme s'il réfléchissait.

— J'ai quelque chose à te dire, avant de commencer, informa-t-il M16 avec une légère hésitation.

Soudain, sans rien laisser paraître, il déploya son bras d'un revers, comme un coup de fouet, jusqu'à la gorge de M16. En un geste, la lame de rasoir trancha la pomme d'Adam et resta plantée profondément à l'intérieur. Saisi d'effroi mais sans vraiment comprendre, M16 commença à hoqueter tout en palpant sa gorge sanguinolente ; il parvint à saisir un bout de la lame et à la retirer, ce qui accéléra l'hémorragie. M16 était HS et tournait sur lui-même à la recherche d'une issue qu'il ne trouverait nulle part, et Alpha se jeta sur le premier Bêta. La brute numéro deux, prise également de stupeur devant l'attaque foudroyante contre leur chef, tenta de l'atteindre de son bras armé du peigne bardé des lames de rasoir. Alpha le bloqua dans son élan et frappa de toutes ses forces son foie d'un coup de poing. À peine le Bêta commença-t-il à se plier en deux qu'Alpha lança un coup parti d'en bas, paume dirigée vers le ciel, et celle-ci écrasa le nez du Bêta avec une telle puissance que l'os se brisa dans un claquement net et pénétra sa boîte crânienne, le tuant instantanément.

Trois secondes à peine s'étaient écoulées et les deux adversaires les plus forts étaient déjà hors d'état de nuire. Le Bêta s'écrasa lourdement sur le sol tandis que, derrière Alpha, M16 continuait à s'agiter, sa pomme d'Adam ouverte formant comme une petite bouche édentée qui crachotait du sang. Le sachant condamné à très brève échéance, Alpha ne s'occupait plus de lui.

Le deuxième Bêta se précipita sur Alpha, son poinçon en avant, le visage déformé par la hargne et la trouille. Alpha pivota sur lui-même mais ne réussit pas à éviter totalement la pointe, qui pénétra sa chair au niveau de l'aine. Alors dans un rugissement et avec une force considérable, il balança un coup de coude en pleine mâchoire de l'assaillant.

Ne pas s'installer au corps-à-corps. Frapper d'un coup, fulgurant, à chaque fois.

D'un seul élan, Alpha se courba pour saisir par terre le peigne armé de lames, et s'élança d'un bond sur le poinçonneur groggy pour fouetter son cou et sectionner sa carotide en une plaie béante, d'où jaillirent aussitôt des flots d'hémoglobine.

Le peigne encore à la main et sans attendre, Alpha fondit sur le Gamma, agrippa l'un de ses bras de sa main libre et usa du peigne comme d'une machette qu'il abattit sur l'abdomen du gosse, de haut en bas sur une trentaine de centimètres, pour l'éventrer et pratiquement l'éviscérer. Le Gamma s'effondra à son tour par terre, assis, en hurlant de façon continue.

Alpha se sentait comme un Apache. Tout ce déchaînement de violence lui procurait un bien indescriptible, lui qui s'était bridé durant tellement de mois en détention !

Enfin il se tourna vers l'Oméga, paralysé par la terreur au centre de la pièce. D'un geste il lui saisit le col et l'attira contre un mur. Le gosse se débattait et tentait de lui faire lâcher prise, mais Alpha le tenait fermement en le fixant de ses yeux exorbités. Soudain, Alpha leva sa main qui tenait le peigne, lentement, jusqu'à son propre crâne ; et d'un coup sec il se lacéra le haut du cuir chevelu… Extrêmement vive, la douleur l'électrifia alors que le sang dégoulinait de sa plaie sur toute la longueur de ses cheveux. Et Alpha souriait en fixant l'Oméga épouvanté, avec une grimace enjouée et des yeux grands ouverts qui n'exprimaient qu'une folie vive dénuée de peur.

Puis il lâcha le peigne et serra fermement le crâne du gosse entre ses deux mains. L'Oméga tentait de s'échapper en griffant les bras d'Alpha jusqu'au sang et en le cognant, mais ce dernier tenait bon en accentuant sa prise.

— Tu voulais assister au spectacle, fils de pute ? s'exclama Alpha.

Et en disant cela, il appuya ses deux pouces dans les orbites de l'Oméga, ongles en avant, jusqu'à percer les globes oculaires et faire rentrer ses phalanges dans les deux cavités. Puis il relâcha sa prise.

Le gosse, qui n'était plus qu'affolement et douleur, désorienté, hurlait en arpentant le sol à quatre pattes, percutant les cloisons des douches. Pour le faire taire, Alpha saisit sa tête et la frappa très fort contre le mur, l'assommant d'un coup, puis il se laissa lui-même tomber parmi les autres corps et ferma les yeux, feignant d'être lui aussi inconscient ou mort.

Instigateur de ce moment d'intimité entre eux, Parmentier fut le premier maton sur place. Alpha reconnut sa voix, désemparée devant la scène qu'il découvrait. Puis à son tour, il se mit à crier dans le couloir pour alerter ses collègues, avant de lancer des appels en bégayant dans son talkie.

D'autres matons arrivèrent en renfort, et poussèrent des jurons à la vue de cette boucherie. Leurs semelles piétinaient le sang étalé sur le sol et ils prirent le pouls des différents protagonistes du carnage. Trois d'entre eux étaient morts et trois vivants. Le Gamma éviscéré était sur le point de caner.

Les ambulanciers mirent une bonne vingtaine de minutes à pénétrer dans l'enceinte de la prison puis à parvenir jusqu'aux douches, juste après que le cœur du Gamma eut cessé de battre. Alpha tenait bon, allongé et calme, afin d'avoir le pouls le plus faible possible.

— Là, on a quelqu'un en vie ! clama l'un des ambulanciers. Il est inconscient, diverses plaies au corps et une ouverture au crâne ; trauma crânien ! On l'emmène, vite !

Un masque à oxygène fut placé sur son visage, et on l'allongea sur un brancard, une paire de menottes reliant son poignet à la barre en métal. Il se sentait si bien, tandis qu'on l'emmenait dehors. Il entendait la multitude de portes qui s'ouvraient puis qui se refermaient derrière eux.

Promptement, il fut placé dans l'ambulance, sans l'Oméga mais avec un maton armé, et le véhicule prit la route des urgences, toutes sirènes hurlantes. Les yeux fermés, il sentait le froid du métal sur son poignet et entendait le cliquetis régulier des chocs contre la barre, lors des freinages et des virages. Il n'était pas inquiet, pas une seconde. Des secondes, il en aurait quelques-unes pour lui dès son arrivée à l'hôpital, lorsqu'ils le transféreraient de son brancard à un lit d'examen.

Des membres du personnel médical persistaient à lui parler dans l'ambulance et à l'enjoindre de tenir bon, et de revenir à lui.

Bientôt, songeait Alpha. *Bientôt.*

6

La nouvelle ne l'avait pas vraiment surpris. Tous les médias avaient repris l'info ; presse écrite, radiophonique, télévisuelle ; les chaînes d'info en continu alternaient la prise de parole de divers intervenants sur leur plateau avec celle de leur envoyé spécial posté devant le centre hospitalier duquel Alpha s'était enfui.

Les photos des détenus estropiés ou massacrés étaient montrées régulièrement. Ainsi que celles d'un surveillant de prison et d'un policier, légèrement blessés lors de l'évasion.

Alpha concurrençait les djihadistes de retour en France dans la désignation d'« ennemi public numéro un ». La paranoïa était à son comble, et la France entière vérifiait la solidité de ses fenêtres. Anthony ne faisait pas exception. Heureusement, l'hiver était assez rude, et l'idée ne serait venue à personne de laisser longtemps des courants d'air.

Le personnage d'Alpha entrait dans la légende, et les présentateurs des chaînes info multipliaient les reportages sur des magasins où des survêtements et T-shirts avec des logos α étaient commercialisés et faisaient fureur. Sur certains modèles, Alpha était dessiné en train de grimper sur la paroi d'un immeuble ; sur d'autres, il était représenté par un lézard !

Oui, il s'y était attendu…

Dès l'arrestation d'Alpha, Anthony avait songé qu'une évasion était possible, voire probable. Il n'avait pas craint cette éventualité, au début. Au contraire, elle le séduisait presque, car leur dernier affrontement lui laissait un goût d'inachevé.

Il n'avait pas gagné. Pas seul.

Il aurait pu tuer Alpha lorsqu'il était au sol, à côté de lui et inconscient, mais quel mérite à achever un homme de cette façon ? Et surtout, le fait que son ennemi restât en vie, même enfermé, donnait à Anthony une raison de le rester également. De ne pas renoncer, pour le cas où.

Parfois, il était allé jusqu'à souhaiter qu'il s'évade. Pas pour générer d'autres souffrances, mais pour l'affronter encore. Une dernière fois, pour en finir.

Ces derniers mois, cependant, son état d'esprit avait changé. Parce que sa vie avait changé. Désormais, il était tenaillé par une peur, nouvelle, car il avait tout à perdre… D'autant que la victoire était plus qu'incertaine, au vu de la sauvagerie dont Alpha avait fait preuve pour écarter tous les obstacles sur son chemin.

Anthony fit quelques pas dans la luxueuse suite que Déborah et lui louaient, et s'approcha d'une large fenêtre pour contempler la vue. Sur sa gauche, l'Arc de triomphe apparaissait au cœur de la place de l'Étoile, en haut de l'avenue de la Grande-Armée qui plongeait jusqu'à la porte Maillot située en bas de chez lui. En se penchant sur sa droite, il apercevait les tours du quartier de La Défense, qui concurrençaient la sienne. Dans Paris, 196 tours dépassaient les 50 mètres. Parmi elles, il avait opté pour cet hôtel sans hésiter.

16 heures. Anthony guetta la rue, environ cent vingt mètres plus bas, et se demanda de quelle voiture allait pouvoir sortir son invité. Peut-être était-il déjà sur place.

Contrairement à l'évasion d'Alpha, l'appel téléphonique qu'il avait reçu plus tôt dans la matinée l'avait interloqué au plus haut point.

— Bonjour, Anthony ? avait demandé un interlocuteur dont il n'avait pas reconnu la voix.

— Oui ?

— Albert Merlin à l'appareil.

Albert Merlin. Deuxième fortune de France, ami cher de sa mère. Effectivement, une fois son identité révélée, les intonations de sa voix étaient devenues familières à l'oreille d'Anthony. Davantage à cause de ses interviews entendues à la télévision que par des souvenirs personnels. Si sa mère était une intime du sulfureux entrepreneur milliardaire, Anthony, quant à lui, ne l'avait croisé qu'à une ou deux reprises, des décennies plus tôt.

— Je ne vous dérange pas ?

— Non, absolument pas. Je suis étonné de vous entendre, qu'est-ce qui vous amène ?

— Pourrait-on se voir, Anthony ? Par exemple aujourd'hui, êtes-vous occupé ?

S'était ensuivi un court silence et, sentant le trouble du jeune homme, Merlin avait tenu à le rassurer :

— Rien de dramatique ne motive mon appel. Votre mère est en bonne santé, je crois. Je sais que vous ne vous parlez plus, depuis un moment. Mais je souhaite m'entretenir avec vous à son sujet. J'y tiens beaucoup.

— J'ai du temps aujourd'hui si vous voulez. 14 heures, 16 heures…

— 16 heures, ce sera parfait. Je ne vais pas vous faire venir jusqu'ici, et je préfère que nous parlions ailleurs que dans un lieu public. Le mieux serait que je passe vous voir directement chez vous ; où habitez-vous, en ce moment ?

— Au Hyatt Regency Paris Étoile, je loue une suite au trente-quatrième étage.

— La vue sera superbe. À tout à l'heure, Anthony.

En lui ouvrant la porte, la première chose qu'Anthony remarqua fut qu'il n'était pas très grand. Dans ses souvenirs, il l'était beaucoup plus. Toutefois le charisme du bonhomme n'était pas proportionnel à sa taille. Une présence, immédiate, équivalente à celle de sa mère. Les deux ne s'étaient pas *trouvés* par hasard. Louisa était plus solaire, pressée, mais ils dégageaient une intensité semblable. D'aucuns décrivaient Merlin comme un misanthrope. D'autres, au contraire, voyaient en lui un philanthrope, oxygénant moult associations humanitaires. Ses cheveux étaient plus sel que poivre et il portait un costume parfaitement coupé. Pour son âge, il avait l'air en forme.

Dans le couloir de l'étage, derrière lui, un garde du corps de 1,90 mètre pour environ 110 kilos l'accompagnait. Lorsque Merlin lui donna l'ordre de rester là et de l'attendre, Anthony lui assura qu'il pouvait le faire entrer mais le milliardaire lui répondit qu'il était bien à cet endroit et que les choses qu'il avait à lui dire ne concernaient qu'eux.

— Je n'ai jamais dormi ici, c'est très beau, commenta Merlin en faisant quelques pas dans la suite. Tu t'y plais ?

— Parfaitement, oui. Je viens d'emménager. Qu'est-ce que je vous sers à boire ? Un café, jus de fruits, alcool ?

— Un verre d'eau, tu seras très aimable. Gazeuse, si tu as.

Moins d'une minute plus tard, tandis qu'Anthony revenait avec les verres et la bouteille d'eau minérale, il aperçut Merlin posté devant une fenêtre, qui contemplait l'horizon.

— Pourquoi habites-tu à l'hôtel, désormais ? lui demanda le milliardaire, de dos.

— Je ne veux plus habiter chez mon père.

— Loger à l'hôtel est très confortable, admit Merlin, même si au bout d'un moment, on s'en lasse. On a tous, je crois, besoin d'attaches et d'un peu d'intimité.

— Je suis entièrement d'accord avec vous. Pour l'instant, en tout cas, ça nous convient. L'envie de nous isoler n'est pas encore revenue.

— Et le fait d'habiter au trente-quatrième étage n'a rien à voir avec ce choix, bien sûr ? prononça le septuagénaire en se tournant vers lui.

— Je ne me lasse pas de Paris, répondit Anthony en désignant la vue. Et on se sent un peu comme dans un cocon.

— Oui, à cette hauteur, on se fait moins facilement cambrioler. Du moins par les fenêtres, dit Albert Merlin en revenant au centre de la pièce, les mains dans les poches, jusqu'à un confortable fauteuil dans lequel il s'assit.

Anthony l'imita et lui tendit un verre. L'homme en but une gorgée, puis attaqua sans préambule :

— Anthony, comme je te l'ai dit ce matin, je viens pour te parler de ta mère. Je tiens tout d'abord à t'assurer qu'elle ignore ma présence ici ; si je lui avais demandé la permission, elle aurait refusé. Car ta mère est une femme pudique, qui sous une immense force apparente dissimule quantité de blessures.

Installé face à lui, Anthony écoutait respectueusement cet homme que tant de gens admiraient, ou craignaient, et bien souvent les deux. Sa voix était posée, mais exercée à savamment jouer des différentes intonations pour convaincre. Seule une de ses mains bougeait, très légèrement et habilement, à la façon d'un chef d'orchestre, pour appuyer ses dires.

— Ta mère est l'une de mes plus anciennes amies. Près de quarante ans se sont écoulés depuis notre rencontre. Parfois, les aléas font qu'on se voit un peu moins, pendant des mois ou des années, mais nous n'avons pas besoin de nous retrouver très souvent car nous savons, au fond, que notre lien est fort. À chaque fois que j'ai eu besoin de son aide, j'ai pu compter sur Louisa ; comme elle a pu compter sur moi.

Après avoir bu une gorgée d'eau, il poursuivit :

— Ta mère ne va pas bien. Récemment je suis passé chez elle, et je l'ai trouvée dans un état déplorable. Elle n'était que l'ombre d'elle-même, alors j'ai voulu savoir ce qui se passait. Au début, elle a refusé de me répondre, mais devant mon insistance Louisa a fini par m'avouer qu'une dispute très violente avait éclaté entre vous deux. Et que depuis, elle était sans nouvelles de toi, car tu avais choisi de ne plus la voir. Elle qui ne perdait jamais courage était cette fois anéantie et, malgré toute la douleur que cette situation engendrait chez elle, dépourvue de solutions, elle consentait à renoncer à toi.

» Ta mère, reprit-il après avoir marqué un temps d'arrêt, a refusé de me confier tous les détails, et donc j'ignore ce que vous vous êtes dit. Je sais qu'il ne s'agit pas de votre première dispute, loin de là, mais elle a visiblement dépassé toutes les autres. On ne se connaît pas bien, Anthony, et tu perçois sans doute cette discussion comme une intrusion dans ta vie privée. Ta mère et moi avons beaucoup échangé et je sais que ta vie n'a pas toujours été rose, malgré ton milieu social. Tu as souffert de son absence. Et tu as vécu des coups durs ; néanmoins, je vais me permettre de te donner mon point de vue : je pense qu'il est indigne pour un fils de se comporter avec sa mère comme tu le fais.

— J'entends ce que vous dites, lui rétorqua Anthony, immobile et sans se démonter, mais je vous arrête : vous n'avez qu'une vision unilatérale des choses. Seulement sa version des faits.

— Peut-être. Mais à toi aussi, il manque une part des éléments. Je suis là pour te la donner, et peut-être réviseras-tu certains de tes jugements ensuite.

Anthony tiqua un peu et ne put masquer un léger étonnement.

— De quoi parlez-vous ?

— Il y a des choses dont je suis au courant ; encore une fois, ta mère n'accepterait pas que je t'en parle frontalement, mais j'assume de passer outre à son accord. Dans son intérêt à elle, et dans le tien aussi, je le crois.

Avant de poursuivre, le milliardaire prit le temps de finir son verre et de le reposer sur la table basse, durant quelques secondes qui parurent interminables à Anthony.

— Pierre-Yves Sully, lâcha-t-il enfin. Je sais tout ce qu'il t'a fait, Louisa m'avait aussitôt téléphoné dès qu'elle l'avait appris. Pour que je l'aide… à régler ce problème.

— Vous étiez donc derrière tout ça, réagit Anthony en s'efforçant de garder son calme. Dites-m'en plus là-dessus.

— Non. Entends-moi bien, Anthony, temporisa Merlin en avançant sa main, je ne dis pas que tu ne dois pas savoir. Je pense que c'est ton droit. Mais si tu as des questions, ce n'est pas à moi que tu dois les poser, mais à ta mère.

— Vous croyez que je n'ai pas essayé ? s'irrita Anthony. Elle refuse de me répondre clairement sur les détails, elle tourne autour du pot. C'est sa façon d'agir.

— Je sais, et c'est resté un point de désaccord entre elle et moi toutes ces années. Je ne m'oppose pas à ce que tu saches, même si je risque encore plus qu'elle. Il n'y a rien de pire que les non-dits pour un enfant ; tu n'en es plus un, mais il n'est pas trop tard : il vous reste du temps, essaie de crever l'abcès.

Anthony se mit soudain à ricaner, avec une pointe de moquerie :

— Vous pensez connaître parfaitement ma mère, mais au risque de vous décevoir, je l'ai pratiquée bien plus longuement que vous. Tout ça, c'est juste insupportable et j'en ai ma claque. Vous l'ignorez sûrement, mais dans sa vie privée et surtout avec moi, Louisa a une faculté de parole inversement proportionnelle aux logorrhées auxquelles elle se livre dans les cours d'assises. Peut-être qu'avec vous, elle faisait des efforts. Vous savez, on peut être brillant dans un domaine et inadapté dans d'autres. La maternité, pour Louisa, faisait clairement partie de la catégorie numéro deux, je suis son fils et je peux vous le dire !

— Tu penses pouvoir vivre sereinement en étant coupé d'elle ? demanda Merlin sans se départir de son calme.

— Écoutez… Depuis qu'on ne se voit plus, je ne me porte pas plus mal.

— Pour l'instant.

Anthony allait répondre quelque chose, mais se retint finalement. Un ange passa.

Ses sentiments à l'égard de sa mère étaient contradictoires, il le savait. S'il avait eu la solution, depuis longtemps il l'aurait appliquée.

— Tout comme ton père, ta mère n'est pas éternelle, reprit plus doucement Merlin. Elle a des choses à te dire. Ne prends pas pour de l'insensibilité ce qui n'est que de la pudeur.

Anthony regardait un peu ailleurs, les yeux dans le vague et sans répondre, aussi Merlin se sentit-il autorisé à poursuivre :

— Ta mère est comme tout le monde, elle a les défauts de ses qualités. Et ses qualités étant immenses, ses défauts peuvent aussi devenir excessifs. La plus grande avocate d'assises en France..., déclama le milliardaire, admiratif. Et peut-être dans le monde ; pas mal, non, pour une petite Hongroise immigr...

— *BLA BLA BLA bla bla, bla bla bla bla !* l'interrompit Anthony avec virulence. Écoutez, je vous reçois chez moi, je vous ai écouté... J'essaie d'être courtois, sauf que là, ça suffit. Je suis vraiment ravi de constater qu'elle s'est fait un ami à ce point laudatif à son égard, mais la vérité c'est qu'en tant que mère, elle était à chier ! Alors vous pouvez m'expliquer le contraire, mais moi je l'ai vécu.

— Je pense que tu exagères.

— Qu'est-ce que vous en savez, bon sang ! s'emporta Anthony, en contractant malgré lui les muscles de son bras.

— Toute ta vie, à chacune de nos rencontres, elle m'a longuement parlé de toi. Et elle n'a cessé de te protéger.

— Elle a échoué, alors ! trancha Anthony avec ironie.

— Pas toujours...

L'intonation de Merlin était porteuse de sous-entendus, et Anthony le jaugea un instant.

— Je ne parle pas de Sully. Je parle de quelque chose que tu ignores, et qui motive ma venue chez toi. Je vais te révéler de quoi il s'agit, mais avant laisse-moi insister une dernière fois sur un fait important : durant toute ton existence, Louisa n'a cessé de me répéter à quel point elle t'aimait, tout en déplorant d'être si maladroite. Elle a souvent mal fait les choses, elle en était consciente. On ne la changera plus ; on ne change pas les gens, et encore moins ta mère. Tout ce que je m'efforce de faire, c'est de t'aider à mieux la comprendre. Je ne mets pas ta souffrance en doute. Mais la voir souffrir à son tour, désormais par ta faute, me peine. Maintenant, je vais te révéler ce que tu ignores ; une chose que j'ai faite, mais que je ne recommencerai plus…

Immobile, Anthony l'écoutait avec impatience.

— Tu t'es sans doute demandé qui était l'homme qui t'avait tiré d'affaire, le jour où tu as tenté d'arrêter Alpha ?

— Il travaillait pour vous ? demanda aussitôt Anthony qui comprenait enfin, alors qu'il n'avait jamais fait le rapprochement avec Merlin. Comment avez-vous fait pour me trouver ? À part mon collègue, personne n'était au courant.

— Par ton téléphone, répondit le milliardaire en désignant le petit boîtier sur la table basse. Je ne vais pas t'apprendre qu'il est aisé de suivre un portable avec le GPS, à notre époque.

— Vous savez que c'est illégal ?

— Peut-être, mais ça t'a sauvé la vie ce jour-là.

Par réflexe, Anthony attrapa son appareil et l'examina brièvement du regard.

— Oh, tu peux en changer si tu veux, commenta Merlin, si ce n'est pas déjà fait, mais de toute façon tu es libre maintenant. Tout est arrêté, plus personne ne te suit, tu as ma parole à ce sujet.

Il marqua un nouveau temps, avant de reprendre :

— Environ un an après que tu as été limogé de la police et ta reprise de l'enquête en solitaire, ta mère est venue me voir. Vous vous étiez vus peu de temps avant et elle savait que tu tenais une piste. Elle s'inquiétait pour toi. Elle avait toute confiance en tes qualités d'enquêteur et ne doutait pas que tu réussirais, mais elle craignait que tu ne t'attaques cette fois à une bête trop redoutable, sans aide extérieure. Alors, au vu des moyens qui sont les miens et des gens qui travaillent pour moi, Louisa m'a demandé si je pouvais charger quelqu'un de te surveiller. À distance, sans que tu t'en rendes compte. J'ai accepté de lui rendre ce service, à nouveau. Pour elle, appuya Merlin. Elle devait seulement approcher ton téléphone et y brancher un appareil quelques instants, après je me suis occupé de tout. Trois hommes se sont relayés nuit et jour non loin de ta propriété – tu bougeais peu, et ces hommes se sont considérablement ennuyés, soit dit en passant… Mais lorsque tu as foncé vers l'Ardèche, l'un d'eux t'a suivi avec le GPS et t'a localisé avec précision. Des coups de feu ont éclaté et il est arrivé à temps.

» Ce que je veux que tu comprennes, insista Merlin, c'est qu'elle t'a sauvé la vie, ce jour-là. Plus que *Michel*, plus que moi, elle a été ton véritable ange gardien. Elle s'inquiétait pour toi, comme la plupart des mères, et elle t'a protégé.

» Et je vais conclure, dit Merlin en s'efforçant de garder la parole alors qu'Anthony souhaitait la reprendre, je vais conclure en t'apprenant que malgré tout, malgré votre dispute dont j'ignore véritablement le déroulement, Louisa m'a téléphoné hier pour me demander de recommencer la surveillance. J'ai refusé. L'évasion d'Alpha la terrifie. À distance, et alors que tu ne veux plus lui parler depuis un an, ta mère s'angoisse pour ta vie et cherche encore à veiller sur toi. Or cette fois, je n'accéderai plus à sa demande, pour toutes les raisons que je t'ai dites. Je lui ai expliqué ma position ; elle n'a d'autre choix que de l'accepter.

Et elle espère seulement, de tout son cœur, qu'il ne t'arrivera rien.

Finalement, après que Merlin eut terminé, Anthony ne trouva rien à dire et demeura songeur.

— Tu es seul, maintenant, reprit Merlin en brisant le silence. S'ils ne l'arrêtent pas avant, crois-tu que ce sauvage va te rechercher ?

Il avait posé la question avec un intérêt non feint.

— Peut-être qu'il essaiera. Mais je doute qu'il y arrive, ici, dit Anthony en désignant les lieux.

— Pourquoi ne quittes-tu pas le pays ? suggéra Merlin en se relevant, bien droit, et en réajustant sa veste.

— Alpha est un voyageur. Et je ne veux pas fuir pendant des années. S'il doit venir, autant que ce soit sur mon terrain et, il a beau être agile, s'il reste longtemps dans Paris il finira par se faire repérer.

— Tu ne manques pas d'argent. Tu peux toi-même prendre une protection privée, au moins un temps.

— S'il entre ici, ce sera par la porte, et je ne lui faciliterai pas la tâche. J'ai ce qu'il faut pour me défendre, répondit l'ancien policier qui restait affalé dans son fauteuil.

— Je l'espère, réagit Albert Merlin tout en hochant la tête. Je l'espère sincèrement, pour vous deux.

★

Après le départ de son visiteur, Anthony gagna la chambre à coucher, spacieuse, aux tons beiges et blancs, et s'allongea sur le lit. À cette heure, il était censé rejoindre la salle de sport pour s'entraîner, mais il ne s'en sentait pas la force.

Son corps fut soudain parcouru de frissons, pourtant le chauffage affichait 21 °C et il était vêtu d'un sweat-shirt.

L'arme ne pouvait pas avoir bougé mais, par réflexe, Anthony ouvrit le tiroir de sa table de nuit pour caresser le métal du Glock 17, qui y reposait sagement. Rassuré, il referma le tiroir et se recroquevilla sur le matelas. Les choses se bousculaient dans sa tête. Des pensées diverses et trop multiples qui, peu à peu, commencèrent heureusement à s'estomper, à s'évanouir dans un brouillard de plus en plus dense et brillant, jusqu'à devenir blanc. Avant qu'il ne s'assoupît.

7

Étage 7.

Déborah regardait les chiffres défiler sur le voyant de l'ascenseur, avec la même impatience que chaque soir.

L'envie de retrouver Anthony. De le toucher, d'être avec lui, lui faire le compte rendu de sa journée. De voir qu'elle lui avait manqué.

L'époque était si loin, désormais, où elle appréhendait de rentrer chez elle et d'avoir une énième dispute avec Jérôme. Redoutant ses remarques, ou simplement l'ambiance pesante.

Étage 11.

Elle se sentait bête, à présent, d'avoir si longtemps supporté cette relation. Et d'autres, avant celle-ci. Pour être honnête, au début de sa vie, elle avait aimé, voire recherché ce genre d'histoires. L'amour, pour elle, ne se vivait pas sans conflits, sans les disputes et les réconciliations. Le calme plat, elle le laissait à d'autres ; aux personnes plus avancées en âge ou aux gens résignés à vivre sans passion. Avec Anthony, l'ardeur était réelle, mais saine. Ils connaissaient leurs fêlures respectives, alors ils s'épargnaient.

Une vie douce, sans trop de heurts, était à présent tout ce à quoi elle aspirait. Le prolongement de leurs sept mois passés ensemble, le plus longtemps possible.

Étage 21.

21 h 13. La nuit était tombée depuis longtemps.

Déborah caressait son ventre.

Elle avait enchaîné les rendez-vous. Tout d'abord pour sa formation accélérée en gestion d'entreprise, domaine dans lequel elle était novice. Puis auprès d'un agent immobilier, pour découvrir des emplacements potentiels pour son restaurant. Les choses prenaient une bonne tournure et elle y mettait l'énergie qu'elle avait su déployer dans ses vies antérieures, en tant que sportive puis lors de ses études d'infirmière.

Anthony l'encourageait beaucoup.

Entre ces rendez-vous, Déborah s'était rendue au laboratoire pour avoir la confirmation de ce dont elle était presque sûre, depuis deux jours déjà. Déborah souriait, seule dans l'ascenseur, et même riait un peu. Toute sa vie, elle s'était représentée ce moment, où elle annoncerait à un homme qu'elle attendait un enfant de lui. Et le moment était venu, ce soir ; à un homme qu'elle chérissait bien au-delà de ses attentes. Elle ne doutait pas qu'il serait fou de joie comme elle l'était. Le restaurant attendrait !

Il n'y avait pas de raison qu'il ait changé d'avis… même s'il était plus tendu, ces derniers temps, depuis l'évasion d'Alpha.

Étage 28.

Il avait voulu emménager dans cette tour, et Déborah avait compris car elle aussi cohabitait avec des peurs irrationnelles. Ses compagnes fidèles, tapies dans l'ombre.

Il avait demandé à Déborah d'être prudente, tout en la rassurant sur le fait qu'Alpha quitterait sans doute la France, s'enfuirait vers un autre pays où il serait ensuite localisé, maintenant que son identité était connue. Il fallait continuer à vivre, l'assurait-il, bien qu'il gardât son pistolet près d'eux lorsqu'ils dormaient.

Les portes de l'ascenseur s'ouvrirent, et Déborah avança dans le large couloir du trente-quatrième étage. Elle portait un sac, et sous son bras une chemise contenant ses documents de travail et les résultats de son test sanguin.

Elle glissa sa carte dans le lecteur de leur chambre, et déclencha le mécanisme d'ouverture sans faire de bruit.

Aussitôt, elle perçut une ambiance sonore différente. Familière, quoique inhabituelle à cet endroit. Le bruit de la rue, du trafic, plus fort qu'à l'accoutumée.

Elle n'entendait rien d'autre et avança encore. Seulement quelques pas, jusqu'à ce que le salon fût dans son champ de vision. Et là, elle les vit : son homme, couché sur le sol. Sur le ventre, avec ce qui paraissait être un long tournevis planté sur le côté, non loin du cœur. La moquette blanche, sous lui, était imbibée de sang. Et l'homme en noir, accroupi à ses côtés. Dans une posture de félin, de chat immense.

Il paraissait dire quelque chose à sa proie inanimée, lui murmurer des paroles que Déborah ne parvenait pas à entendre à cause du bruit venant de l'extérieur.

Il ne l'avait pas vue entrer. Elle se sentait comme dans un rêve. Le sol se dérobait sous elle et le désespoir avait enveloppé son âme, en quelques secondes à peine.

Malgré elle, deux larmes coulèrent jusqu'à sa mâchoire.

Anthony...

Soudain, Alpha se rendit compte de sa présence, et leva les yeux vers elle. Déborah restait figée et fit seulement tomber son sac et ses documents. Alpha lui sourit.

Il jubilait. Et Déborah comprit, sans le moindre doute, que dès qu'il se redresserait il tenterait de s'en prendre à elle.

Faire un choix. Ultime et décisif. Pas le temps d'hésiter, tout se jouerait en un instant. Il allait bondir et il serait trop tard, jamais elle ne l'emporterait face à lui.

Décider, en un temps éclair. Elle avait su le faire, souvent, dans sa vie antérieure. Lorsqu'elle pratiquait le sport de haut niveau. Opter pour le bon choix, le bon geste en un quart de seconde. Partir du bon côté, avoir la réaction appropriée. Frapper la balle au filet, ou la laisser passer à 100 km/heure. Déborah, si lente dans certaines situations, savait mieux que d'autres analyser très vite et réagir sans réfléchir.

La porte était derrière elle, ouverte. Elle pouvait fuir et tenter sa chance ; en délaissant l'ascenseur pour l'escalier, peut-être qu'elle serait la plus rapide et qu'il renoncerait.

Abandonner son homme.

Ou elle pouvait rester et affronter Alpha. Protéger Anthony, s'il n'était pas trop tard. Si Alpha gagnait, il la tuerait sans doute, et au moins la violerait. Son seul espoir résidait dans le pistolet d'Anthony. Elle ne l'avait pas vu près des deux hommes et regarda encore... il n'était ni sur la moquette ni dans les mains de son homme. Elle examina rapidement celles d'Alpha… vides elles aussi.

Alors elle s'élança dans le couloir de leur suite, dans la direction opposée. Tout, chez elle, était focalisé sur l'objectif. Atteindre la chambre, ouvrir le tiroir.

Si l'arme n'y était pas, Déborah serait fichue.

Elle déployait ses longues jambes, fortes, et savait que toute sa vie l'avait menée vers ce moment.

Derrière, il lui semblait entendre Alpha courir, mais pas question de se retourner. Elle était rapide, au moins autant que ce salaud.

Déborah franchit l'embrasure de la porte de leur chambre, en prenant un virage très serré mais maîtrisé, à toute vitesse. Elle se précipita sur le lit dans la pièce obscure, ouvrit le tiroir de la table de nuit située de l'autre côté, glissa sa main et sentit la crosse. Elle se retourna vite sur le dos, pointa l'arme en direction de la porte et abaissa la sécurité comme le lui avait appris Anthony.

Dans la pénombre, Alpha passa l'embrasure à son tour, haute silhouette noire au visage si blanc. Déborah l'avait battu, plus rapide. Elle était et resterait une championne.

Et elle fit feu en poussant un cri de rage.

Alpha s'arrêta net, une balle en plein ventre. Il ne prononça aucun mot, ni n'émit aucun bruit. Il regardait Déborah, palpait son abdomen, l'orifice… et parut étonné. Puis il examina ses doigts couverts de sang ; et à nouveau Déborah, qui gardait l'arme pointée vers lui.

Alors Alpha baissa la tête, et sembla déçu – presque triste, même. Puis il recula un peu, et avec hésitation se tourna vers la porte et choisit de repartir.

Déborah, effarée par ce qui venait d'arriver et essoufflée, resta figée un temps ; puis elle bondit sur ses pieds et gagna elle aussi le couloir, l'arme à la main.

Alpha avançait lentement, comme un vieux chien gêné par sa claudication. Il dépassa la porte d'entrée et décida de regagner le salon. Déborah le suivait à distance, au même rythme que lui, sonnée, en tremblant et sans pouvoir prononcer un mot. Alpha marcha près d'Anthony ; Déborah eut peur pour lui et faillit faire feu dans son dos, mais il dépassa le corps pour rejoindre la fenêtre ouverte par laquelle il était vraisemblablement entré. Arrivé devant l'ouverture, il tourna une dernière fois la tête vers Déborah et parut hésiter. Puis il trouva la force d'enjamber la fenêtre et de descendre, lentement, avant de disparaître de sa vue.

Aussitôt, Déborah se précipita au sol pour secourir Anthony. Elle palpait son visage et lui parlait pour tenter de le faire revenir à lui. Il était inconscient et semblait ne pas respirer. Déborah mesura son pouls radial, et comme elle ne sentait rien elle plaça ses doigts au niveau de sa carotide, où les battements étaient extrêmement faibles. Anthony était en vie, mais pour combien de temps ? Il fallait appeler les secours. Elle essaya de le rassurer, en pleurant :

— Je reviens mon amour, ne m'abandonne pas, l'adjura-t-elle.

Puis elle se précipita jusqu'à son sac pour en extraire son téléphone. Un membre du SAMU lui répondit et elle le supplia d'arriver au plus vite.

Elle laissa retomber le smartphone et se figea au sol, en regardant Anthony toujours immobile à quelques mètres d'elle. Elle poussa soudain un cri ; de rage et de peur de tout perdre.

Le pistolet était resté sur la moquette près d'Anthony. Déborah fixa l'arme. Puis elle tourna son regard vers la fenêtre ouverte qui donnait sur la nuit. Et elle se dit qu'Alpha devait mourir. Le responsable de tout ça ne devait pas survivre, et si par miracle Anthony s'en sortait, alors elle devait le protéger… maintenant… car il allait revenir.

En finir… Débarrasser la terre de cette abomination. *Les* protéger.

Déborah se redressa, avec le visage d'une guerrière. Elle rejoignit le salon, ramassa le Glock et se pencha à la fenêtre pour observer, rechercher plus bas.

Soudain elle l'aperçut, vers le trentième étage, encore accroché à mains nues à la paroi. Malgré sa blessure, malgré le vent qui soufflait sans discontinuer.

Sa force, surhumaine, la sidéra ; même si jamais elle n'admirerait cette ordure.

— REGARDE-MOI ! cria-t-elle, l'arme pointée vers lui.

Le violeur leva la tête et la vit. Mais il n'était pas décidé à abdiquer et, les doigts fermement accrochés aux prises qu'il parvenait à trouver, usant de ses dernières forces, il commença à se déplacer à une allure rapide, latéralement.

Déborah tira un premier coup de feu alors qu'elle pleurait encore, mais elle le rata. Alpha ralentit soudain ses mouvements, exsangue. Il avait réussi à se mouvoir sur une dizaine de mètres à gauche de Déborah. Elle était désormais contrainte de s'incliner en avant, au risque de tomber, pour viser très en diagonale. Alpha jaugea les possibilités autour de lui pour s'en sortir, mais il n'avait plus l'énergie suffisante. Il releva une dernière fois la tête vers elle et regarda le Glock pointé sur lui.

Alors il sembla à Déborah qu'Alpha lui souriait, bras écartés, immobile et résigné. Elle fit feu plusieurs fois, jusqu'à vider son chargeur. Des balles le manquèrent ; un crissement de pneus et le bruit d'un choc survinrent de beaucoup plus bas, d'une des rues qui les entouraient, sans que Déborah le perçût. Deux nouvelles balles percutèrent le thorax d'Alpha et le projetèrent en arrière. Le long corps noir s'effondra et disparut dans les ténèbres, pour s'écraser sans bruit cent quinze mètres plus bas, sur le toit-terrasse de l'hôtel.

Aucun son de sirène ne résonnait, même au loin.

Alors elle revint s'accroupir près d'Anthony. Toucher son visage, l'embrasser.

Elle examina à nouveau sa blessure. La plaie saignait, mais moins que si elle avait enlevé le tournevis, elle le savait. En l'état et sans matériel adéquat, elle ne pouvait qu'attendre. S'allonger près de lui. Être à l'écoute de son cœur, si faible, et tout tenter pour le faire repartir s'il cessait de battre. Ne rien lâcher.

Anthony restait éteint, et sa respiration devenait presque imperceptible. Rare.

— Je ne peux pas vivre sans toi, dit-elle à son oreille, en pleurant sur ses joues. Je ne le supporterai pas !

Puis elle ajouta, la voix étranglée par l'émotion :

— Je porte ton enfant. Je ne veux pas qu'il grandisse sans toi…

Ensuite elle se tut et écouta, espérant une réaction, mais Anthony n'en eut aucune.

Pas le moindre son rassurant ne lui parvint. Il sembla à Déborah qu'ils étaient seuls au monde.

En haut de cette tour, loin de la vie des hommes et si près du ciel.

Épilogue

Déborah avait provoqué quelques dégâts, malgré elle.

On ne le lui avait appris qu'après, lorsque les policiers l'avaient auditionnée. Non seulement elle avait abattu un homme en état de fuite mais, en le ratant plusieurs fois, elle avait commis une imprudence. L'axe en diagonale l'avait contrainte à cibler – malgré elle encore une fois – un immeuble en biais ainsi qu'une rue. Si l'une des balles qui s'était logée dans un appartement n'avait fort heureusement pas fait de victime, une autre avait atteint un véhicule en déplacement et son conducteur, paniqué, avait fait une embardée qui l'avait envoyé s'encastrer dans un Abribus. Les blessures du chauffeur étaient superficielles, mais tout de même : diverses assurances se renvoyaient la balle, avec Déborah Joubert au centre du conflit.

Usage d'une arme à feu. En France et sans port d'arme. Causant la mort d'un homme – certes ennemi public numéro un, mais qui ne présentait plus de danger immédiat. Tir involontaire sur une voiture, provoquant un accident de la route… Et Déborah se retrouvait là, dans le bureau d'une jeune juge d'instruction, à devoir sérieusement se justifier.

Pouvait-on vraiment blâmer une femme qui ne s'était jamais servi d'un pistolet – même s'il s'agissait en partie de ce qu'on lui reprochait – et dont l'homme qu'elle aimait était en train de mourir ? Heureusement pour Déborah, la plus célèbre et talentueuse des avocates de France était à ses côtés et n'entendait pas lâcher un pouce de terrain face à la magistrate de trente ans sa cadette. La juge, d'ailleurs, n'était pas très mordante et plutôt au spectacle face à Louisa Rauch, dont les saillies faisaient mouche à chaque échange. Après avoir connu le père d'Anthony, Déborah avait donc appris à découvrir Louisa. Laquelle s'était montrée immédiatement – et au plus haut point – bienveillante à son égard. Enchantée par la personnalité de la jeune femme, Louisa avait aussitôt pris la décision de l'aimer comme sa fille. Une seule fois, jusqu'à présent, elle lui avait demandé la permission de toucher son ventre. Et même s'il n'y avait encore aucun mouvement à percevoir, l'avocate avait été parcourue d'émotion en imaginant le bébé à naître. Pas question que la mère de son petit-enfant soit malmenée par la justice ; jamais Louisa ne le permettrait.

Présent lui aussi dans le cabinet de la juge afin de l'éclairer quant à son agression, Anthony observait sa mère se bagarrer comme elle savait si bien le faire.

Peu de temps après sa sortie de l'hôpital, Anthony s'était rendu chez Louisa pour la voir. Ils s'étaient retrouvés, seuls, le temps d'une discussion pleine de pudeur, selon leur habitude. Peut-être ne joueraient-ils jamais vraiment cartes sur table, mais ces retrouvailles avaient suffi pour les réconcilier, et désormais tous deux savaient qu'ils comptaient l'un pour l'autre.

Passer si près de la mort avait été une avancée supplémentaire pour Anthony sur le chemin d'une nouvelle existence… Aux côtés de celle qui lui avait sauvé la vie deux fois, en abattant Alpha et en réanimant son cœur lorsqu'il s'était arrêté de battre. Une femme qui l'avait sauvé de bien d'autres façons encore, et qui portait son enfant, lequel, il le sentait – ou l'espérait du moins – serait une fille.

Sans doute poursuivrait-il sa quête de rédemption, même s'il ignorait encore sous quelle forme. Certaines choses resteraient compliquées, bien sûr, mais pour la première fois depuis longtemps il sentait qu'un avenir était possible.

Assis sans rien dire, Anthony observait sa mère argumenter pied à pied pour défendre, de tout son cœur et avec tout son talent. Elle aussi paraissait plus heureuse et épanouie ; vêtue de sa robe d'avocate, elle souriait. Née pour ce qu'elle faisait, à l'aise dans sa fonction comme un poisson dans l'eau.

Anthony la regardait parler, sans écouter vraiment ce qu'elle disait. Il la voyait.

Il la trouvait belle.

Je remercie Marie-Dominique Renand pour ses commentaires judicieux et son soutien, Marie Renand pour son écoute précieuse et sa patience, Jean-Paul Renand pour ses encouragements et ses renseignements dans le domaine médical.

Jean-Christophe Grangé pour sa bienveillance et ses conseils avisés. Luc Bossi pour son aide.

Marie-Annick Bénéton, Madeleine Beaulaton, Julien Desmaris, Sébastien Tézé, Magaly Lhotel.

Merci aux équipes de Robert Laffont, en particulier Cécile Boyer-Runge, Glenn Tavennec, Camille Filhol, Nathalie Théry.

Table

Cet ouvrage a été composé et mis en pages
par Étianne Composition
à Montrouge.

Imprimé en Espagne par:
BLACK PRINT
en juin 2020

S29738/04